수험생을 위한 서경

수험생을 위한 서경

발 행 | 2024년 3월 11일
역 자 | 김동돈
펴낸이 | 한건희
펴낸곳 | 주식회사 부크크
출판사등록 | 2014.7.15.(제2014-16호)
주 소 | 서울특별시 금천구 가산디지털1로 119 SK 트윈테크타워 A동 305호
전 화 | (070) 1670-8316
이메일 | info@bookk.co.kr

ISBN | 979-11-410-7603-0

www.bookk.co.kr

수험생을 위한 서경

김동돈

차 례

책을 내면서

‘서경(書經)’ 해제를 겸하여

‘수험생을 위한 서경’을 펴낸다. ‘‘수험생을 위한 서경’이라고? 이런 저급한 제목의 책을 내다니…’라고 생각하실 분도 계시겠다. 경(經)을 홀대하는데 대한 꾸짖음이겠다. 그러나 시대가 변했고, 서경의 내용은 차치하고 그 이름조차 낯설어하는 이가 부지기수이니, 너무 타박하지는 마시기를!

이 책을 손에 쥔 분들은 어느 정도 한문을 배운 분들이겠고, 한문으로 진로를 개척하려는 분들이라 생각된다. 한문으로 진로를 개척하려면 독해력이 관건이다. 그런데 ‘서경’은 한문으로 진로를 개척하려는 이들이 꼭 읽어야 할 책이긴 하지만 독해력을 향상시키는데는 그다지 효험이 없는 책이다. 글이 지극히 난해하기 때문이다(여기 난해하다는 것은 의미 이해가 어렵다기 보다는 문법에 잘 맞지 않고 압축적 표현이 많아 풀이하기가 어렵다는 의미이다). 하지만 꼭 읽어야 하는 책이니, 이분들을 위해 조금이라도 도움을 주기 위해 이런 다소 경망한 책을 내게 된 것이다.

한문 독해력을 향상시키기 위해선 우선 한자를 잘 알아야겠고 다음으로는 일체의 띄어쓰기나 토가 달리지 않은 백문으로 문장을 해석해본 후 현토 문장(혹은 띄어쓰기 문장)과 번역문으로 자신의 해석을 대조해보는 것이다. 다소 번거롭고 힘들지만 인내하고 꾸준히 이 과정을 밟다보면 자신도 모르는 사이 독해력이 향상돼있는 모습을 발견할 수 있을 것이다. '수험생을 위한 서경'은 이런 독해력 향상 방법을 적용해, 난자(難字) · 백문 (서경) 원문 · 현토 (서경) 원문 · 번역문의 순으로 편집을 했다. 가리는 종이를 사용해가면서 이 순서대로 공부해 줬으면 좋겠다. 학습하는 요령에 대해 말씀드렸는데 한 가지 더 권하는 방법은 가급적 소리를 내어 읽어 주었으면 하는 것이다. 학습 단계에서는 시청각 학습이 묵학보다 훨씬 효과적이라는 것은 새삼 말할 필요가 없지만 의외로 많은 이들이 이 점을 놓치고 있어 노파심에서 당부드리는 것이다. 굳이 더 하나 부탁드린다면 익힌 본문을 손으로 직접 써보라는 것이다. 이 역시 시청각 학습의 일환인데, 요즘처럼 타자가 필기 대용이 된 일상에서 쉽지 않은 일이긴 하지만, 분명한 효과가 있다는 점에서 권해 드린다.

번역문에 대한 이해를 구한다. 백문이나 현토문에 준해 직역을 하지 않고 의역에 주안점을 두고 번역을 했다는 것이다. '서경'을 공부할 정도의 실력이라면 굳이 축자역이나 직역을 하지 않아도 괜찮을 성싶었기 때문이고, 또 하나는 수험생의 입장에서 '서경'을 읽는 것은 독해력 향상과 더불어 서경의 전모를 파악하고자 하는 것도 있느니만큼 약간 매끄러운(?) 번역문을 통해 서경의 전모를 쉽게 파악하게 하려는 의도에서 그리한 것이니, 혹 축자역이나 직역을 기대했다면 너른 이해를 부탁드린다.

‘서경’은 본래 ‘서(書)’라고 불렸다. 서는 문서라는 의미로, 왕 또는 왕과 신하들간에 있었던 말과 행사에 관한 기록물이다. ‘서경’을 영역할 때 ‘Book of Documents’라고 하는 것은 이런 이유 때문이다. 서에 경이란 명칭이 붙은 것은 전국시대 말기부터이다. ‘서경’을 ‘상서(尙書)’라고도 하는데, 상(尙)에는 ‘옛날, 높다, 위’란 의미가 있는바 이 의미대로라면 ‘상서’는 ‘오래된 문서, 존숭할 문서, 임금과 관련된 문서’ 정도의 의미가 되겠다. ‘상서’라는 명칭은 한초(漢初)부터 사용되었다. ‘서경’이 문서인만큼 그 작자는 특정인이 아니고 주로 조정에 근무하던 관료(사관)들이다. ‘서경’에 나온 글은 하, 은, 주대에 생산된 글들이다. 현재 우리가 보는 ‘서경’의 형태는 당대(唐代)에 확립됐다.

‘서경’에 꼬리표처럼 따라다니는 것이 있다. 바로 ‘금고문 논쟁’이다. 진시황의 분서갱유이래 유전돼오던 ‘서경’은 세상에서 자취를 감춘다. 한나라 문제 때 협서율이 폐지되면서 망실된 경전을 복원하게 되는데, 이때 제남 지방의 복생이 암송하고 있던 서경(29편)이 금문(한대 당시 쓰이던 예서체 글자)으로 복원된다. 이를 흔히 ‘금문 서경’이라 한다. 그런데 한나라 경제 때 노공왕이 자신의 사택을 넓히기 위해 공자의 구택을 허물던 중 다량의 죽간을 발견하게 되는데 여기에 서경도 나왔던 바 이는 당시에 사용되지 않는 과두문(선진 시대 문자 형태의 하나)으로 쓰여있었다. 이를 흔히 ‘고문 서경’이라 한다. 그런데 ‘고문 서경’은 ‘금문 서경’보다 편수가 많았고(45편. 기존 ‘금문 서경’과 중복되는 29편 외에 16편이 더 많음) 내용에도 편차가 있었다. 이후 양 경전은 학자들의 시비거리가 되고, 초기에는 ‘금문 서경’이 우세를 점하다 한말(漢末)부터는 '고문 서경'이 우세를 점한다. 이후 '고문 서경'은 사라졌다가 동진 때 매색의 '위고문상서(58편. 현행 편수와 동일. 금문상서 29편을 33편으로 늘리고 고문상서 25편이 들어감)'가 등장한다. 거짓이란 의미의 '위(僞)'가 붙은 것은 이 판본에 의구심(매색이 조작했다고 보는)이 들어 후대 학자들이 붙인 명칭이다. 앞에서 당대에 들어와 오늘날 우리가 보는 형태의 '서경'이 나왔다고 했는데, 이 '서경'은 매색의 '위고문상서'를 답습한 것이다. 청대에 들어와 '위고문상서'의 조작을 밝히는 입증(염약거의 '상서고문소증'이 대표적 작품)으로 매색의 '위고문상서'는 진본이 아니란 판정이 났으나, 유의할 점은 현존하는 '서경' 전체가 조작된 것은 아니라는 사실이다. '금문 서경'과 '고문 서경'의 공통 부분은 문제가 없고, '고문 서경'에 해당하는 내용만 위작이라고 봐야 하는 것이다. 위작의 주 근거로 드는 것은 금문 상서에 비해 고문 상서의 문장이 훨씬 유려하다는 점이다. 후대에 인위적으로 씌여진 글이기에 그렇다고 보는 것이다. 그러나 지금 우리에게 '고문 서경'의 진위 여부는 그다지 큰 문제가 되지는 않을 것이다(하여 이 책에서는 어떤 것이 '고문 서경'이고 어떤 것이 '금문 서경'인지 굳이 언급하지 않았다). 단지 서경에 깃든 정치 사상이 무엇인지 아는 것이 더 중요할 터이다. 이는 '금문 서경'이든 '고문 서경'이든 공통된 점이기 때문이다.

'서경'의 저류에 흐르는 정치사상은 천명(天命) 그리고 경(敬)과 덕(德)이다. 천명은 하늘(하느님)의 명인데, '서경'의 하늘(하느님)은 인격신의 개념이기보다는 도덕적 당위의 추상적 최고위점이라고 보는 것이 적절하다. 비록 '서경'의 글에서 하늘(하느님)이 명을 내려 임금이 되게 하고 혹은 그 대(代)를 끊게 하고 복을 내리거나 화를 내린다는 내용이 나오지만 그것은 인격신이 그렇게 하는 것이라기 보다는 어떠한 행위(잘 / 잘못에 대한)에는 어떤 결과가 따른다는 인과론의 근거 대상으로 드는 것 뿐이다. 다시 말해 사람들을 설득하기 위한 근거로서 사용되는 존재라는 것이다. '서경'의 천명은 지극히 현실적이고 인본주의적인 테제라고 볼 수 있다. 경과 덕은 지도자의 위치(임금이나 관료)에 있는 자들이 심명(心銘)해야 할 덕목으로, 이는 천명과 상관관계를 맺는다(천명을 받으려면 경의 자세를 가져야 하고 백성에게 덕치를 행해야 하기 때문이다). 또 하나 '서경'의 주요 정치사상은 민본주의라고 볼 수 있다. 백성을 피치자로 보면서도 하늘의 마음을 대변하는 소중한 존재로 보는 것이 '서경'의 민본주의이다.

이번 '수험생을 위한 서경'을 내면서 국내에 나온 번역본들을 참고했다. 성백효 씨와 김동주 씨의 '서경집전'(전통문화연구회), 김희영씨의 '서경신역'(청아출판사), 권덕주 교수의 '서경'(삼덕출판사), 이기동 교수의 '서경 강설'(성균관대학교 출판부)이 그것이다. 저마다 장단점이 있는데, 여기에서는 굳이 그 장단점을 말하지 않겠다. 그저 이분들의 노고가 있었기에 어줍잖은 나 같은 이가 이런 책을 낼 수 있었다는 것에 감사드릴 뿐이며, 더불어 본 책의 번역에는 이분들의 번역을 전재(轉載)한 것도 있다는 것을 말씀드린다(일일이 그 출처를 명시하지는 못했다. 저자 분들의 너른 양해를 빈다). 그러나 이번 번역에 가장 큰 도움을 준 것은 무엇보다도 채침(1176~1230)이다. 잘 아시겠지만, 채침은 주자의 제자로 그의 유지를 받들어 서경에 주를 단 '서전'을 펴냈는데, 이 책의 저술에 거의 일생을 바친 사람이다. 이 이의 주가 없었다면 본인은 물론 위 번역자분들의 번역도 나오기 힘들었을 것이다. 채침에게 감사의 마음을 아니 가질 수 없다.

'수험생을 위한 서경'은 한문으로 진로를 개척하려는 분들에게 드리는 일종의 보약같은 책이다. 잘 드시고 기운내서 좋은 성과 있으시길 기원드린다.

2024. 3.

김동돈

Ⅰ. 우서(虞書)

1. 요전(堯典, 교훈이 될 만한 요임금에 관한 기록)

1.1.

백문 원문

曰若稽古帝堯曰放勳欽明文思安安允恭克讓光被四表格于上下

현토 원문

曰若稽古帝堯한대 曰放勳이시니 欽明文思安安하시며 允恭克讓하사 光被四表하시며 格于上下하시니라

번역

옛 요임금을 생각해 본다. 그분은 크나큰 공을 세우신 분으로 공손하시고 명철하시며 위의(威儀)가 있으시고 사려가 깊으시며 순성(純性)의 본분대로 자연스럽게 행동하신바 항상 자신을 살뜰히 살피시고 타인에게는 관대하셨다. 그가 이룩한 공의 광채는 온 세상 곳곳을 두루 비추었다.

1.2.

백문 원문

克明俊(峻)德以親九族九族既睦平章百姓百姓昭明協和萬邦黎民於(오)變時雍

현토 원문

克明俊(峻)德하사 以親九族하신대 九族이 既睦이어늘 平章百姓하신대 百姓이 昭明하며 協和萬邦하신대 黎民이 於(오)變時雍하니라

번역

큰 덕을 밝히사 구족(九族)을 친하게 하시니 구족이 화목하게 되었고, 백성들의 본래 선한 성품을 밝히게 하니 백성들이 본래의 선한 성품을 회복하게 되었고, 만방(萬邦)들이 협조하며 화목하게 지내도록 하니 만방의 백성들이 이에 호응하여 서로 협조하며 화목하게 지내게 되었다.

1.3.

백문 원문

乃命羲和欽若昊天曆象日月星辰敬授人時

현토 원문

乃命羲和하사 欽若昊天하여 曆象日月星辰하여 敬授人時하시다

번역

다음과 같은 일들을 하셨다. 희씨와 화씨에게 명하여 광대한 하늘에 대해 공경하고 순종하는 마음을 가지고 일월성진(日月星辰)의 자리와 운행을 관찰하고 기록하게 하여 백성들에게 어느 시기에 무슨 일을 해야 하는지를 알려주게 하셨다.

1.4.

난자(難字)

殷: 가운데은 / 孶: 새끼칠자

백문 원문

分命羲仲宅嵎夷曰暘谷寅賓出日平秩東作日中星鳥以殷仲春厥民

현토 원문

析鳥獸孶尾分命羲仲하사 宅嵎夷하시니 曰暘谷이니 寅賓出日하

여 平秩東作이니 日中이요 星鳥라 以殷仲春이면 厥民은 析이요 鳥獸는 孶尾니라

번역

희중에게 다음 일을 하게 하셨다. 그에게 우이에 머물도록 하여 — 그곳은 양곡(暘谷, 해돋는 곳)이라 불렸다 —떠오르는 해를 공경히 맞이해 봄철에 해야 할 일들을 차례 매김하도록 했다. 봄철 낮밤의 길이가 같고 남방에 주작성(朱雀星)이 보이면 중춘(仲春, 한가운데 봄)이 되는바 이때 백성들은 밖으로 나와 활동하기 시작했고 조수들도 교접하고 새끼를 낳아 기르기 시작했다.

1.5.

난자(難字)

訛: 움직일와

백문 원문

申命羲叔宅南交[曰明都]平秩南訛敬致日永星火以正仲夏厥民因鳥獸希(稀)革

현토 원문

申命羲叔하사 宅南交하시니 [曰明都니] 平秩南訛하여 敬致니 日永이요 星火라 以正仲夏면 厥民은 因이요 鳥獸는 希(稀)革이니라

번역

희숙에게 다음 일을 하게 하셨다. 그에게 남교에 머물도록 하여 — 그곳은 명도(明都, 밝은 곳)라 불렸다 —여름철에 해야 할 일들을 차례 매김하도록 하며 한낮의 해에게 공경의 예를 올리게 했다. 낮의 길이가 가장 길고 동방에 창룡성(蒼龍星)이 보이면 중하(仲夏, 한가운데 여름)가 되는바 이때 백성들은 더더욱 밖에 나와 활

동하고 조수들은 털이 빠지고 거죽 상태가 바뀌기 시작했다.

1.6.

난자(難字)

餞: 전송할전 / 毨: 털갈선

백문 원문

分命和仲宅西曰昧谷寅餞納日平秩西成宵中星虛以殷仲秋厥民夷鳥獸毛毨

현토 원문

分命和仲하사 宅西하시니 曰昧谷이니 寅餞納日하여 平秩西成이니 宵中이요 星虛라 以殷仲秋면 厥民은 夷요 鳥獸는 毛毨이니라

번역

화중에게 다음 일을 하게 하셨다. 그에게 서쪽 끝자락에 머물도록 하여— 그곳은 매곡(昧谷, 어두운 곳)이라 불렸다 —저무는 해를 공경히 전송해 가을철에 해야 할 일들을 차례 매김하도록 했다. 밤낮의 길이가 같고 북방에 현무성(玄武星)이 보이면 중추(仲秋, 한가운데 가을)가 되는바 이때 백성들은 안온한 상태에 들고 조수들은 새 털갈이를 하여 윤기가 났다.

1.7.

난자(難字)

在: 살필재 / 隩: 아랫목오 / 氄: 솜털용

백문 원문

申命和叔宅朔方曰幽都平在朔易日短星昴以正仲冬厥民隩鳥獸氄毛

현토 원문

申命和叔하사 宅朔方하시니 曰幽都니 平在朔易이니 日短이요 星昴라 以正仲冬이면 厥民은 隩요 鳥獸는 氄毛니라

번역

화숙에게 다음 일을 하게 하셨다. 그에게 북쪽 끝자락에 머물도록 하여— 그곳은 유도(幽都, 깜깜한 곳)라 불렸다 —겨울철에 해야 할 일들을 차례 매김하도록 했다. 낮의 길이가 가장 짧고 서방에 백호성(白虎星)이 보이면 중동(仲冬, 한가운데 겨울)이 되는바 백성들은 방안에서 주로 활동하고 조수들 몸에선 솜털이 나왔다.

1.8.

난자(難字)

釐: 다스릴리

백문 원문

帝曰咨汝羲暨和朞三百有六旬有六日以閏月定四時成歲允釐百工庶績咸熙

현토 원문

帝曰 咨汝羲暨和아 朞는 三百有六旬有六日이니 以閏月이라사 定四時成歲하여 允釐百工하여 庶績이 咸熙하리라

번역

요임금께서 말씀하셨다: "아, 희와 화여, 한 주기는 366일인데 여기에 3년마다 윤달을 추가하여야 사시(四時)와 한 해가 제대로 정해져 백관들을 올바르게 통솔하고 뭇 공적들이 빛나게 될 것이다."

1.9.

난자(難字)

疇: 누구주 / 若: 순할약 / 吁: 탄식할우 / 嚚: 말신실하지못할은

백문 원문

帝曰疇咨若時登庸放齊曰胤子朱啓明帝曰吁嚚訟可乎

현토 원문

帝曰 疇咨若時하여 登庸고 放齊曰 胤子朱啓明하니이다 帝曰 吁라 嚚訟이어니 可乎아

번역

요임금께서 말씀하셨다: "순리에 맞게 정치할만한 내 후계자를 추천하도록 하여라." 방제가 말하였다: "큰 아드님인 단주가 개방적이고 통명(通明)하니 적임인 듯합니다." 임금께서 말씀하셨다: "그럴까? 언사가 도탑지 않고 말싸움을 좋아하니 임금의 자리에 적합하겠느냐?"

1.10.

난자(難字)

采: 일체 / 兜 : 투구도 / 鳩: 모을구 / 僝: 볼잔 / 滔: 물흐를도

백문 원문

帝曰疇咨若予采驩兜曰都共工方鳩僝功帝曰吁靜言庸違象恭滔天

현토 원문

帝曰 疇咨若予采오 驩兜曰 都라 共工이 方鳩僝功하나니이다 帝曰 吁라 靜言庸違하고 象恭滔天하니라

번역

요임금께서 말씀하셨다: "나를 도와 순리에 맞게 일을 처리할만한 내 후계자를 추천하도록 하여라." 환도가 말하였다: "공공이 적

임인 듯합니다. 여러 곳에서 공적을 낸 모습을 보여 주었습니다." 임금께서 말씀하셨다: "그럴까? 고요해야 할 때 말을 하고, 시킨 것과 다르게 일을 하는, 외양만 공손한 자인데…."

1.11.

난자(難字)

湯: 물세차게흐를상 / 襄: 오를양 / 咈: 안될불 / 方: 어길방 / 圮: 그르칠비 / 异: 그만둘이

백문 원문

帝曰咨四岳湯湯(상상)洪水方割蕩蕩懷山襄陵浩浩滔天下民其咨有能俾乂僉曰於(오)鯀哉帝曰吁咈哉方命圮族岳曰异哉試可乃已帝曰往欽哉九載績用弗成

현토 원문

帝曰 咨四岳아 湯湯(상상)洪水方割하여 蕩蕩懷山襄陵하여 浩浩滔天일새 下民其咨하나니 有能이어든 俾乂호리라 僉曰 於(오)라 鯀哉니이다 帝曰 吁라 咈哉라 方命하며 圮族하나니라 岳曰 异哉나 試可오 乃已니이다 帝曰 往欽哉하라하시니 九載에 績用이 弗成하니라

번역

요임금께서 말씀하셨다: "사악(四岳, 관직명)이여, 도도한 홍수가 사방에 가득 차 하늘조차 삼킬듯해 백성들이 탄식하고 있으니 이 홍수를 다스리게 할 사람이 필요하오. 누가 적임이겠소?" 사악이하 모든 관원이 일제히 말했다: "곤(鯀)이 적임자입니다." 임금께서 말씀하셨다: "아, 그럴까? 명대로 일을 시행치 않고 대중과 불화한 자인데…." 사악이 말하였다: "그만두게 하시더라도 일단 시켜본

뒤에 그만두게 하시는 것이 좋겠습니다.” 임금께서 말씀하셨다: “곤이여, 가서 일을 공경스럽게 처리하오!” 곤은 9년 치수(治水) 동안 3번 평가를 받았으나 실적을 내지 못했다.

1.12.

난자(難字)

頑: 미련할완 / 烝: 나아갈증 / 格: 이를격 / 女: 시집보낼녀 / 時: 이시 / 釐: 치장할리 / 嬀: 물이름규 / 汭: 물가예 / 嬪: 부인빈

백문 원문

帝曰咨四岳朕在位七十載汝能庸命巽朕位岳曰否德忝帝位曰明明揚側陋師錫帝曰有鰥在下曰虞舜帝曰俞予聞如何岳曰瞽子父頑母嚚象傲克諧以孝烝烝乂不格姦帝曰我其試哉女于時觀厥刑于二女釐降二女于嬀汭嬪于虞帝曰欽哉

현토 원문

帝曰 咨四岳아 朕이 在位七十載니 汝能庸命하나니 巽朕位인저 岳曰 否德이라 忝帝位하리이다 曰 明明하며 揚側陋하라 師錫帝曰 有鰥이 在下하니 曰虞舜이니이다 帝曰 俞라 予聞호니 如何오 岳曰 瞽子니 父頑하며 母嚚하며 象傲어늘 克諧以孝하여 烝烝乂하여 不格姦하니이다 帝曰 我其試哉인저 女于時하여 觀厥刑于二女호리라하시고 釐降二女于嬀汭하사 嬪于虞하시고 帝曰 欽哉하라하시다

번역

요임금께서 말씀하셨다: “사악이여, 내가 재위한 지 70년이 되오. 그간 그대는 나의 명을 받아 국정을 잘 이끌었소. 이제 나의 자리를 그대에게 물려줄까 하오.” 사악이 말하였다: “아닙니다. 저의 덕

은 임금의 자리를 더럽힐 뿐입니다." 임금께서 말씀하셨다: "그렇다면 귀천을 가리지 말고 적임자를 추천해 보시오." 사악이하 군신들이 한목소리로 말했다: "우순(虞舜)이라 불리는 이가 적임자이긴 한데, 홀몸이며 비천한 가정 출신입니다." 임금께서 말씀하셨다: "아아, 나도 그 이름을 들었소. 어떤 덕성의 인물이오?" 사악이 대답하였다: "소경의 자식인데, 아비는 완고하고 어미는 패악하며 동생 상(象)은 교만했으나 이들을 능히 효로서 화해(和諧)시켜 이들이 잘못된 일을 행하지 않게 만들었습니다." 임금께서 말씀하셨다: "내가 시험해 보겠소. 그에게 내 딸들을 시집보내 딸들에게 남편으로서 어떤 모본을 보이는지 살펴보겠소." 요임금은 두 딸들을 순이 있는 곳에 보내 그의 처가 되게 했다. 요임금께서 딸을 보내며 말씀하셨다: "공경하여라!"

2. 순전(舜典, 교훈이 될 만한 순임금에 관한 기록)

2.1.

난자(難字)

濬: 깊을준 / 塞: 진실할색

백문 원문

曰若稽古帝舜曰重華協于帝濬哲文明溫恭允塞玄德升聞乃命以位

현토 원문

曰若稽古帝舜한대 曰重華協于帝하시니 濬哲文明하시며 溫恭允塞하사 玄德이 升聞하신대 乃命以位하시다

번역

옛 순임금을 생각해 본다. 그분은 빛나고 빛나는 분으로 요임금과

동격의 인물이셨다. 심오하시고 지혜로우시며 위의(威儀)가 있으시며 통랑(通朗)하셨다. 따뜻하시고 공손하시며 정성스럽고 신의가 있으셨다. 그의 그윽한 덕이 요임금에게까지 들려 직책을 맡게 되었다.

2.2.

난자(難字)

揆: 헤아릴규

백문 원문

愼徽五典五典克從納于百揆百揆時敍賓于四門四門穆穆納于大麓烈風雷雨弗迷

현토 원문

愼徽五典하신대 五典이 克從하며 納于百揆하신대 百揆時敍하며 賓于四門하신대 四門이 穆穆하며 納于大麓하신대 烈風雷雨에 弗迷하시다

번역

사도(司徒)의 직책을 주어 백성의 오상(五常, 오륜)을 다스리게 하니 오상이 잘 지켜졌으며, 총재의 직책을 주어 중관(重官, 여러 관리)을 다스리게 하니 중관들이 때에 맞게 모든 일들을 잘 처리했으며, 사악(四岳)의 직책을 주어 사방의 제후들을 상대하게 하니 사방의 제후들이 모두 흔흔히 기뻐했으며, 큰 산기슭에 들여보내 사나운 바람 뇌성벽력 속에 놓였으나 태연자약하였다.

2.3.

난자(難字)

詢: 물을순 / 厎: 이를지

백문 원문

帝曰格汝舜詢事考言乃言底可績三載汝陟帝位舜讓于德弗嗣

현토 원문

帝曰 格하라 汝舜아 詢事考言한대 乃言이 底可績이 三載니 汝陟帝位하라 舜讓于德하사 弗嗣하시다

번역

요임금께서 말씀하셨다: "이리 오라, 순이여! 그대가 한 일과 말을 살펴보니, 그대는 말한 바대로 성과를 냈다. 이런 모습이 3년 동안 변함이 없었다. 이제 그대가 제위에 오르라." 순은 덕있는 이에게 제위를 물려 주시라며 사양하고 받지 않았다.

2.4.

백문 원문

正月上日受終于文祖

현토 원문

正月上日에 受終于文祖하시다

번역

정월 초하룻날 요임금의 시조 사당에서 요임금의 제위 종언(終焉)을 고하고 순이 제위를 이어받았다.

2.5.

난자(難字)

在: 살필재 / 璿 : 구슬선 / 璣: 작은구슬기

백문 원문

在璿璣玉衡以齊七政

현토 원문

在璿璣玉衡하사 以齊七政하시다

번역

선기(璿璣, 천문 관측 기구)와 옥형(玉衡, 천문 관측 기구)으로 천문을 살펴 칠정(七政, 일 · 월 · 금 · 목 · 수 · 화 · 토)의 운행을 빠짐없이 기록케 하였다.

2.6.

난자(難字)

肆: 드디어사 / 禋: 제사인 / 徧: 두루편

백문 원문

肆類于上帝禋于六宗望于山川徧于群神

현토 원문

肆類于上帝하시며 禋于六宗하시며 望于山川하시며 徧于群神하시다

번역

상제(上帝, 하느님)와 육종(六宗, 사계절, 한서(寒暑), 일, 월, 성, 홍수와 가뭄)과 명산대천과 뭇 신들에게 제사를 올렸다.

2.7.

난자(難字)

旣: 다할기 / 班: 나눌반

백문 원문

輯五瑞旣月乃日覲四岳群牧班(頒)瑞于群后

현토 원문

輯五瑞하시니 旣月이어늘 乃日覲四岳群牧하시고 班(頒)瑞于群

后하시다

번역

오후(五侯, 공·후·백·자·남(公·侯·伯·子·男)의 규(圭, 홀)를 거두어 들였다. 이렇게 정월의 일을 마친 후 다음 달부터는 날마다 사방의 제후와 군목(群牧, 군소(群小) 관리)들을 접견했다. 이후 이들(오후와 사방의 제후 그리고 군목)에게서 거두어들였던 규를 돌려주었다.

2.8.

난자(難字)

岱: 산이름대 / 柴: 나무시 / 特: 소특

백문 원문

歲二月東巡守至于岱宗柴望秩于山川肆覲東后協時月正日同律度量衡修五禮五玉三帛二生一死贄如五器卒乃復五月南巡守至于南岳如岱禮八月西巡守至于西岳如初十有一月朔巡守至于北岳如西禮歸格于藝祖用特

현토 원문

歲二月에 東巡守하사 至于岱宗하사 柴하시며 望秩于山川하시고 肆覲東后하시다 協時月하사 正日하시며 同律度量衡하시며 修五禮하시니 五玉 과 三帛과 二生과 一死贄러라 如五器하시고 卒乃復하시다 五月에 南巡守하사 至于南岳하사 如岱禮하시며 八月월 西巡守하사 至于西岳하사 如初하시며 十有一月월 朔巡守하사 至于北岳하사 如西禮하시고 歸格于藝祖하사 用特하시다

번역

순수(巡守, 임금이 제후를 시찰하는 일)하던 해는 2월에 동쪽을

순수했는데 대종(岱宗, 태산)에 이르러 시제(柴祭, 번제사(燔祭祀))를 지내고 산천에 망제(望祭, 산천의 크기에 따라 제물을 달리해 지내는 제사)를 지낸 뒤 동후(東后, 동쪽 지역의 제후들)들을 접견했다. 사시(四時)와 월(月)을 맞추어 일(日)을 바로잡았으며 율·도·량·형(律·度·量·衡, 음률과 도량형)을 통일시키고 오례(五禮, 길·흉·빈·군·가례(吉·凶·賓·軍·嘉禮))를 정비하였다. 다섯 종류의 서옥(瑞玉)과 세 종류의 비단 두 가지의 생물(生物)과 한 가지의 사물(死物)이 폐백이었다. 오기(五器, 오례에 사용되는 장비)를 같게 했다. 일이 끝나면 다시 순수했다. 5월에 남쪽을 순수했는데 남악(南岳, 형산)에 이르러 대종에 올린 것과 같은 제를 지내고 이후 동쪽을 순수했을 때와 같은 일을 했다. 8월에 서쪽을 순수하여 서악(西岳, 화산)에 이르러 대종에 올린 것과 같은 제를 지내고 이후 동쪽을 순수했을 때와 같은 일을 했다. 11월에 북쪽을 순수하여 북악(北岳, 항산)에 이르러 대종에 올린 것과 같은 제를 지내고 이후 동쪽을 순수했을 때와 같은 일을 했다. 순수를 끝내고 돌아와 예조(藝祖, 문조(文祖))의 사당에 이르러 특생(特牲, 한 마리의 소)으로 제를 올렸다.

*율도량형(律度量衡)의 세부 내용: 율에는 십이율이 있다. 명칭은 다음과 같다: 황종(黃鍾)·태주(大簇)·고선(姑洗)·유빈(蕤賓)·이칙(夷則)·무역(無射)·대려(大呂)·협종(夾鍾)·중려(仲呂)·임종(林鍾)·남려(南呂)·응종(應鍾). 도에는 5도가 있다. 명칭은 다음과 같다: 분(分)·촌(寸)·척(尺)·장(丈)·인(引). 10분이 1촌이고, 10촌이 1척이며, 10척이 1장이고, 10장이 1인이다. 량에는 5량이 있다. 명칭은 다음과 같다: 약(龠)·합(合)·승(升)·두(斗)·곡(斛). 10약이 1합이고, 10합이 1승이며, 10승이 1두이고, 10두가 1곡이다. 형에는 5형이 있다. 명칭은 다음과 같다: 수(銖)·량(兩)·근(斤)·균(鈞)·석(石). 24수가 1량이고, 16량이 1근이며, 30근이 1균이고, 4균이 1석이다.

2.9.

난자(難字)

敷: 펼부 / 試: 상고할시 / 庸: 공적용

백문 원문

五載一巡守羣后四朝敷奏以言明試以功車服以庸

현토 원문

五載에 一巡守어시든 羣后는 四朝하나니 敷奏以言하시며 明試以功하시며 車服以庸하시다

번역

5년에 한 번 순수하면 그 사이 사방의 군후들이 번갈아 한 번씩 총 4번 임금을 조회하였다. 자신들의 일과 하고자 하는 바를 다 말하게 하고 그들의 공과를 분명하게 평가하였으며 수레와 의복으로 공이 뛰어난 자를 표창하였다.

2.10.

난자(難字)

肇: 비로소조 / 封: 표할봉 / 濬: 개천칠준

백문 원문

肇十有二州封十有二山濬川

현토 원문

肇十有二州하시고 封十有二山하시며 濬川하시다

번역

처음으로 12주(州)를 정하고 12주의 진산(鎭山, 대표적인 산)을 지명했으며 12주의 하천들이 잘 흐르도록 관개 공사를 하였다.

2.11.

난자(難字)

宥: 너그러울유 / 扑: 회초리복 / 眚: 과오로지은죄생 / 災: 불행히지은죄재 / 肆: 놓을사 / 怙: 믿을호 / 終: 재범할종 / 剕: 발꿈치벨비

백문 원문

象以典刑流宥五刑鞭作官刑扑作教刑金作贖刑眚災肆赦怙終賊刑欽哉欽哉惟刑之恤哉

현토 원문

象以典刑하사되 流宥五刑하시며 鞭作官刑하시고 扑作敎刑하사되 金作贖刑하시며 眚災는 肆赦하시고 怙終은 賊刑하사되 欽哉欽哉하사 惟刑之恤哉하시다

번역

합당한 처벌을 마련했으며, 오형(五刑, 묵·의·비·궁·대벽(墨·劓·剕·宮·大辟)의 다섯가지 형벌)은 가급적 유배형으로 대체했다. 관청의 형벌은 편형(鞭刑)을, 학교의 체벌은 복형(扑刑)을, 속형(贖刑)은 돈으로 대납토록 했다. 무의도성 과오와 불행한 환경 탓에 저지른 과오는 방면(放免)토록 했으며 배경을 믿고 재범하는 경우는 사형에 처했다. 임금께서는 형벌의 시행을 삼가고 또 삼가사 형벌의 시행을 극도로 조심스레 하셨다.

2.12.

난자(難字)

殛: 귀양갈극

백문 원문

流共工于幽洲放驩兜于崇山竄三苗于三危殛鯀于羽山四罪而天下咸服

현토 원문

流共工于幽洲하시며 放驩兜于崇山하시며 竄三苗于三危하시며 殛鯀于羽山하사 四罪하신대 而天下咸服하니라

번역

공공(共工)을 유주(幽洲)에 유배 보내고, 환도(驩兜)를 숭산(崇山)으로 추방했으며, 삼묘(三苗)를 삼위(三危)에 유폐시켰으며, 곤(鯀)을 우산(羽山)에 가두고 나오지 못하게 하였다. 이들 4인을 처벌함에 천하가 다 복종하였다.

2.13.

난자(難字)

殂: 죽을조 / 遏: 막을알 / 密: 고요할밀

백문 원문

二十有八載帝乃殂落百姓如喪考妣三載四海遏密八音

현토 원문

二十有八載에 帝乃殂落커시늘 百姓은 如喪考妣를 三載하고 四海는 遏密八音하니라

번역

요임금께서 순임금에게 섭정을 맡긴 지 28년 되던 해에 돌아가셨다. 백성들은 친부모를 여윈 것과 같이 3년 복을 입었다. 천하 모든 나라에서 팔음(八音, 금·석·사·죽·포·토·혁·목(金·石·絲·竹·匏·土·革·木)의 소리)의 악기를 연주하지 않고 조용히 지냈다.

2.14.

백문 원문

月正元日舜格于文祖

현토 원문

月正元日에 舜이 格于文祖하시다

번역

정월 초하루에 순임금께서 문조(文祖, 요임금의 조상 사당)에 이르러 제를 지내고 즉위하셨다.

2.15.

백문 원문

詢于四岳闢四門明四目達四聰

현토 원문

詢于四岳하사 闢四門하시며 明四目하시며 達四聰하시다

번역

사악(四岳, 사방의 제후들을 통솔하는 관리)과 상의하여 사방의 문을 열어 놓아, 사방의 눈과 사방의 귀로 자신의 눈과 귀를 삼겠다는 뜻을 보였다.

2.16.

난자(難字)

咨: 물을자 / 柔: 회유할유 / 能: 길들일능 / 惇: 도타울돈 / 元: 후덕한사람원 / 難: 거절할난 / 任(壬): 간악할임

백문 원문

咨十有二牧曰食哉惟時柔遠能邇惇德允元而難任(壬)人蠻夷率服

현토 원문

咨十有二牧하사 曰 食哉惟時니 柔遠能邇하며 惇德允元하고 而難任(壬)人이면 蠻夷도 率服하리라

번역

12주(州)의 목민관들에게 말하였다: "백성에겐 먹고사는 농사일이 가장 소중하오. 농사 일은 때를 지키는 것이 무엇보다 필요하니, 이를 어겨 백성을 부리지 마시오. 먼 곳에 있는 자들은 가급적 회유(懷柔)하고 가까운 곳에 있는 자들은 격려하여 능력을 키워주시오. 유덕(有德)한 이를 후대하고 신실(信實)한 이를 신뢰하며 간악한 자를 멀리하면 만이(蠻夷)도 제 스스로 복종할 것이오."

2.17.

난자(難字)

載: 일재 / 惠: 순조로울혜 / 疇: 여러무리주 / 兪: 옳거니유

백문 원문

舜曰咨四岳有能奮庸熙帝之載使宅百揆亮采惠疇僉曰伯禹作司空帝曰兪咨禹汝平水土惟時懋哉禹拜稽首讓于稷契暨皐陶帝曰兪汝往哉

현토 원문

舜曰 咨四岳아 有能奮庸하여 熙帝之載어든 使宅百揆하여 亮采惠疇호리라 僉曰 伯禹作司空하니이다 帝曰 兪라 咨禹아 汝平水土하니 惟時懋哉인저 禹拜稽首하여 讓于稷契과 暨皐陶한대 帝曰 兪라 汝往哉하라

번역

순임금께서 말씀하셨다: "사악이여, 힘써 일하여 제요(帝堯)의 일들을 확충시킬 자가 있다면 백관의 수장에 앉혀 모든 일을 밝게 다

스려 뭇사람들이 순조롭게 일을 성취하게 하도록 하고 싶소." 백관들이 한목소리로 답했다: "우(禹)가 사공(司空, 농사와 토지 관리를 맡은 직책)으로 있는데, 일 처리를 잘합니다." 순임금께서 말씀하셨다: "나도 그렇게 생각하오. 아, 우여! 그대가 수토(水土)를 평치(平治)했으니, 이 일도 그같이 힘써 잘해 주오." 우가 머리를 조아려 절하면서 자신은 해낼 수 없다며 사양하고, 그 일을 직(稷)이나 설(契) 혹은 고요(皐陶)에게 맡기는 게 좋겠다고 했다. 순임금께서 말씀하셨다: "그대의 뜻은 알겠소. 그러나 그대에게 맡기겠으니, 가서 임무를 수행토록 하오."

2.18.

난자(難字)

阻: 허덕일조

백문 원문

帝曰棄黎民阻飢汝后稷播時百穀

현토 원문

帝曰 棄아 黎民이 阻飢일새 汝后稷이니 播時百穀하라

번역

순임금께서 말씀하셨다: "기(棄)여, 백성들이 곤궁하고 굶주려 있소. 그대를 후직(后稷)으로 명하니 백성들에게 때에 맞춰 백곡(百穀)을 씨뿌리게 하오."

2.19.

백문 원문

帝曰契百姓不親五品不遜汝作司徒敬敷五教在寬

현토 원문

帝曰 契아 百姓이 不親하며 五品이 不遜일새 汝作司徒니 敬敷五敎호대 在寬하라

번역

순임금께서 말씀하셨다: "설(契)이여, 백성들이 화친하지 않으며 오륜을 지키지 않고 있소. 그대를 사도(司徒)로 명하니 오륜의 가르침을 정성스럽게 펴되 너그럽게 시행토록 하오."

2.20.

난자(難字)

姦: 밖에서소란피울간 / 宄: 안에서소란피울궤 / 服: 적용할복 / 宅: 머무를택 / 居: 거처시킬거

백문 원문

帝曰皐陶蠻夷猾夏寇賊姦宄汝作士五刑有服五服三就五流有宅五宅三居惟明克允

현토 원문

帝曰 皐陶아 蠻夷猾夏하며 寇賊姦宄일새 汝作士니 五刑에 有服호되 五服을 三就하며 五流에 有宅호되 五宅에 三居니 惟明이라사 克允하리라

번역

순임금께서 말씀하셨다: "고요(皐陶)여, 만이(蠻夷)가 중화(中華, 중원 지역)를 어지럽혀 밖에서는 살육이 안에서는 간특한 일들이 벌어지고 있소. 그대를 사(士)로 명하니 오형(五刑)을 시행하여 복죄(服罪)케 하오. 오형의 복죄는 세 곳(저자, 잠실(蠶室), 외진 곳)에서 시행하고, 오배(五配, 다섯 등급의 유배형)를 시행할 때는 머

물 곳을 정해주되 등급에 따라 세 구역(사방의 끝자락, 구주(九州) 밖, 천리 밖)에 나눠 머물게 하오. 형벌의 시행은 공명(公明)하여야 백성들의 신뢰를 받을 것이오."

2.21.

난자(難字)

斨: 도끼장

백문 원문

帝曰疇若予工僉曰垂哉帝曰兪咨垂汝共工垂拜稽首讓于殳斨暨伯與帝曰兪往哉汝諧

현토 원문

帝曰 疇若予工고 僉曰 垂哉니이다 帝曰 兪라 咨垂아 汝共工이어다 垂拜稽首하여 讓于殳斨과 暨伯與한대 帝曰 兪라 往哉汝諧하라

번역

순임금께서 말씀하셨다: "누가 백공(百工, 온갖 장인(匠人))의 일을 순치(順治)할 수 있겠소?" 백관들이 모두 말했다: "수(垂)가 적임자입니다." 임금께서 말씀하셨다: "나도 그렇게 생각하오. 아, 수여! 그대를 공공(共工)에 명하겠소." 수(垂)가 머리를 조아려 절하며 수(殳)와 장(斨)과 백여(伯與)에게 자리를 양보했다. 임금께서 말씀하셨다: "아니오, 그대가 적임자오. 가서 조화롭게 일을 수행토록 하오."

2.22.

백문 원문

帝曰疇若予上下草木鳥獸僉曰益哉帝曰兪咨益汝作朕虞益拜稽首

讓于朱虎熊羆帝曰兪往哉汝諧

현토 원문

帝曰 疇若予上下草木鳥獸오 僉曰 益哉니이다 帝曰 兪라 咨益아 汝作朕虞하라 益이 拜稽首하여 讓于朱虎熊羆한대 帝曰 兪라 往哉汝諧하라

번역

순임금께서 말씀하셨다: "누가 초목과 조수들을 순치(順治)할 수 있겠소?" 백관들이 모두 말했다: "익(益)이 적임자입니다." 임금께서 말씀하셨다: "나도 그렇게 생각하오. 아, 익이여. 그대를 우(虞)에 명하겠소." 익(益)이 머리를 조아려 절하며 주(朱)와 호(虎)와 웅(熊)과 비(羆)에게 자리를 양보했다. 임금께서 말씀하셨다: "아니오, 그대가 적임자오. 가서 조화롭게 일을 수행토록 하오."

2.23.

난자(難字)

寅: 공경할인 / 夔: 공경할기

백문 원문

帝曰咨四岳有能典朕三禮僉曰伯夷帝曰兪咨伯汝作秩宗夙夜惟寅直哉 惟淸伯拜稽首讓于夔龍帝曰兪往欽哉

현토 원문

帝曰 咨四岳아 有能典朕의 三禮아 僉曰 伯夷니이다 帝曰 兪라 咨伯아 汝作秩宗이니 夙夜에 惟寅하여 直哉라사 惟淸하리라 伯이 拜稽首하여 讓于夔龍한대 帝曰 兪라 往欽哉하라

번역

순임금께서 말씀하셨다: "아, 사악이여. 삼례(三禮, 천신(天神)·인

귀(人鬼)·지기(地祇)에게 제를 올리는 일)의 일은 누가 적임자이겠소?" 백관들이 모두 말했다: "백이(伯夷)가 적임자입니다." 임금께서 말씀하셨다: "나도 그렇게 생각하오. 아, 백이여. 그대를 질종(秩宗)에 명하겠소. 이른 아침부터 밤늦게까지 오직 공경의 마음으로 내외(內外, 심신)을 곧게 하여야 늘 맑은 상태를 유지할 수 있을 것이오." 백이(伯夷)가 머리를 조아려 절하며 기(夔)와 용(龍)에게 자리를 양보했다. 임금께서 말씀하셨다: "아니오, 그대가 적임자오. 가서 공경스럽게 일을 수행토록 하오."

2.24.

백문 원문

帝曰夔命汝典樂教胄子直而溫寬而栗剛而無虐簡而無傲詩言志歌永言聲依永律和聲八音克諧無相奪倫神人以和夔曰於予擊石拊石百獸率舞

현토 원문

帝曰 夔아 命汝하여 典樂하노니 教胄子호되 直而溫하며 寬而栗하며 剛而無虐하며 簡而無傲케호리니 詩는 言志요 歌는 永言이요 聲은 依永이요 律은 和聲하나니 八音이 克諧하여 無相奪倫이라사 神人以和하리라 夔曰 於予擊石拊石에 百獸率舞하니이다

번역

순임금께서 말씀하셨다: "기(夔)여, 그대를 전악(典樂)에 명하니 태자와 공경대부들의 맏아들에게 악(樂)을 가르치오. 악을 통하여 곧으면서도 온화하고 너그러우면서도 단속함이 있으며 강하되 사납지 않으며 간략하면서도 오만함이 없게 해야 할 것이오. 시(詩)는 뜻을 말한 것이고, 가(歌)는 말을 길게 늘인 것이오. 성(聲, 궁·상·

각·치·우(宮·商·角·徵·羽)의 오성)은 가(歌)에 의거하고, 율(律)은 성(聲)을 조화시키는 것이오. 팔음(八音, 금·석·사·죽·포·토·혁(金·石·絲·竹·匏·土·革·木) 악기의 음)이 조화롭고 탈음(奪音)이 없어야 신과 사람이 화합할 것이오." 기(夔)가 말하였다: "제가 석경(石磬)을 치고 두드리니 온갖 짐승들이 이를 따라 춤을 추었나이다."

2.25.

난자(難字)

堲: 미워할즉 / 殄: 끊을진

백문 원문

帝曰龍朕堲讒說殄行震驚朕師命汝作納言夙夜出納朕命惟允

현토 원문

帝曰 龍아 朕은 堲讒說이 殄行이라 震驚朕師하여 命汝하여 作納言하노니 夙夜에 出納朕命호되 惟允하라

번역

순임금께서 말씀하셨다: "용(龍)이여, 나는 참설(讒說)이 선행(善行)을 끊어 백성들을 놀라게 하는 것을 몹시 경계하오. 하여 그대를 납언(納言)에 명하니, 항상 명(命)과 진언(進言)에 있어 진실된 것만을 출납(出納)토록 하오."

2.26.

난자(難字)

亮: 도울량

백문 원문

帝曰咨汝二十有二人欽哉惟時亮天功

현토 원문

帝曰 咨汝二十有二人아 欽哉하여 惟時로 亮天功하라

번역

순임금께서 말씀하셨다: "아, 그대 22인들이여! 맡은 일을 경건히 수행하여 하늘의 하시는 일을 돕도록 하오."

2.27.

백문 원문

三載考績三考黜陟幽明庶績咸熙分北(背)三苗

현토 원문

三載에 考績하시고 三考에 黜陟幽明하신대 庶績이 咸熙하더니 分北(背)三苗하시다

번역

3년마다 실적을 평가하여 3번 평가한 뒤 좋은 실적을 낸 자는 승진시키고 그렇지 못한 자는 지위를 박탈하니 모든 이들이 저마다 맡은 일에 충실하여 성과를 내게 되었다. 삼묘(三苗)족은 그들 중 선한 이들과 그렇지 않은 이들을 분리시켜 거주케 하였다.

2.28.

백문 원문

舜生三十徵庸三十在位五十載陟方乃死

현토 원문

舜生三十이라 徵庸하시고 三十이라 在位하사 五十載에 陟方乃死하시니라

번역

순은 30에 요임금에게 등용되었고 30년 동안 섭정(攝政)을 하였다. 재위한 지 50년이 되어 하늘에 오르셨으니, 돌아가셨다.

3. 대우모(大禹謨, 우(禹)가 도모한 좋은 생각들)

3.1.

백문 원문

曰若稽古大禹曰文命敷於四海祇承于帝

현토 원문

曰若稽古大禹한대 曰 文命을 敷於四海하시고 祇承于帝하시다

번역

옛 우임금을 생각해 본다. 그분은 문교(文敎)를 사해에 펼치셨으며 순임금의 유지를 경건하게 이으셨다.

3.2.

백문 원문

曰后克艱厥后臣克艱厥臣政乃乂黎民敏德

현토 원문

曰 后克艱厥后하며 臣克艱厥臣이라사 政乃乂하여 黎民이 敏德하리이다

번역

우가 말하였다: “임금이 임금 노릇하기 어려워하고, 신하가 신하 노릇하기 어려워하면, 정사는 순조롭게 다스려지고 백성들은 쉽사리 선에 감화될 것입니다.”

3.3.

백문 원문

帝曰兪允若玆嘉言罔攸伏野無遺賢萬邦咸寧稽于衆舍(捨)己從人不虐無告不廢困窮惟帝時克

현토 원문

帝曰 兪라 允若玆하면 嘉言이 罔攸伏하며 野無遺賢하여 萬邦이 咸寧하리니 稽于衆하여 舍(捨)己從人하며 不虐無告하며 不廢困窮은 惟帝사 時克이러시니라

번역

순임금께서 말씀하셨다: "진실로 그러하오. 진실로 이와 같으면 가언(嘉言)이 숨겨지지 않고 초야(草野)에 유현(遺賢)이 없어 만방이 모두 평안할 것이오. 여러 사람의 말을 받아들여 자신의 의견을 고집하지 않고 타인의 의견을 잘 따르며 호소할 데 없는 이들을 학대하지 않고 곤궁한 이들을 저버리지 않음은 오직 요임금께서만이 해내셨소이다."

3.4.

백문 원문

益曰都帝德廣運乃聖乃神乃武乃文皇天眷命奄有四海爲天下君

현토 원문

益曰 都라 帝德이 廣運하사 乃聖乃神하시며 乃武乃文하신대 皇天이 眷命하사 奄有四海하사 爲天下君하시니이다

번역

익(益)이 말하였다: "아, 그렇습니다. 요임금의 덕은 광대무변하고 변함이 없어 성스럽고 신령스러우며 굳세면서도 우아하여 하느님께

서 돌아보고 명하시어 사해(四海)의 임금이 되게 하셨습니다."

3.5.

백문 원문

禹曰惠迪吉從逆凶惟影響

현토 원문

禹曰 惠迪하면 吉이요 從逆하면 凶이니 惟影響하니이다

번역

우가 말하였다: "도를 따르면 길하고 도를 거스리면 흉하니, 그것은 흡사 형체가 있으면 그림자가 따르고 소리가 나면 반향(反響)이 있는 것과 같습니다."

3.6.

난자(難字)

儆: 경계할경 / 咈: 어길불

백문 원문

益曰吁戒哉儆戒無虞罔失法度罔遊于逸罔淫于樂任賢勿貳去邪勿疑疑謀勿成百志惟熙罔違道以干百姓之譽罔咈百姓以從己之欲無怠無荒四夷來王

현토 원문

益曰 吁라 戒哉하소서 儆戒無虞하사 罔失法度하시며 罔遊于逸하시며 罔淫于樂하시며 任賢勿貳하시며 去邪勿疑하소서 疑謀를 勿成이라사 百志惟熙하리이다 罔違道하여 以干百姓之譽하시며 罔咈百姓하여 以從己之欲하소서 無怠無荒하면 四夷도 來王하리이다

번역

익이 말하였다: "아, 경계하소서. 걱정거리가 없을 때 더욱 경계하사 법도를 잃지 마시며 안일에 취하지 마시고 오락에 빠지지 마시며 어진 이를 등용했으면 의심하지 마시며 악한 이를 제거했으면 다시 돌아보지 마소서. 의심스런 일은 저버려야 모든 일이 제대로 이루어질 것입니다. 도에 어긋나는 일을 하면서까지 백성들의 칭송을 구하지 마시고, 백성들의 뜻을 거스리면서까지 자신의 바라는 것을 구하지 마소서. 마음이 게을러지는 것을 경계하고 일에 소홀해지는 것을 경계하신다면 정사는 지극히 잘 다스려질 것이며 그리하면 사방의 만이(蠻夷)들도 제 발로 찾아와 귀의할 것입니다."

3.7.

난자(難字)

董: 감독할동

백문 원문

禹曰於(오)帝念哉德惟善政政在養民水火金木土穀惟修正德利用厚生惟和九功惟敍九敍惟歌戒之用休董之用威勸之以九歌俾勿壞

현토 원문

禹曰 於(오)라 帝아 念哉하소서 德惟善政이요 政在養民하니 水火金木土穀이 惟修하며 正德 利用 厚生이 惟和하여 九功이 惟敍하여 九敍를 惟歌어든 戒之用休하시며 董之用威하시며 勸之以九歌하사 俾勿壞하소서

번역

우가 말하였다: "아아, 임금이시여! 익의 말을 명심하시옵소서. 덕이 있어야 정사를 잘 이끌 수 있나이다. 정치란 한갓 법의 적용에

있는 것이 아니라 백성의 삶을 부양하는데 있는 것입니다. 오행(五行, 수화금목토(水火金木土))에 관련된 일과 곡식 생산을 잘 해내게 하고 백성의 덕성을 바르게 하며 생활에 편리한 집기들을 제작케 하고 생활을 풍요롭게 해주는 일들을 조화롭게 진행시켜야 합니다. 아홉가지 일들이 무리없이 진행되면 이 내용들을 음악에 담아 음영케 하여 잘하는 것은 더욱 잘하게 그렇지 못한 것은 분발케 하여 이룩한 성과들이 길이 유지되도록 하여야 하나이다."

3.8.

백문 원문

帝曰俞地平天成六府三事允治萬世永賴時乃功

현토 원문

帝曰 俞라 地平天成하여 六府三事允治하여 萬世永賴 時乃功이니라

번역

순임금께서 말씀하셨다: "아아, 그렇소이다. 그대가 홍수를 다스려 사람들과 온갖 것들이 땅 위에서 번성할 수 있게 돼 앞서 그대가 말한 백성의 삶을 부양하는 일들이 지속적으로 이뤄질 수 있게 됐으니, 이는 길이 칭송받아 마땅한 공이오!"

3.9.

백문 원문

帝曰格汝禹朕宅帝位三十有三載耄期倦于勤汝惟不怠摠朕師

현토 원문

帝曰 格하라 汝禹아 朕이 宅帝位 三十有三載니 耄期하여 倦于勤하노니 汝惟不怠하여 摠朕師하라

번역

순임금께서 말씀하셨다: "이리 오오, 그대 우여! 내가 제위에 오른지 33년이오. 나이가 근 100에 가까워 더이상 정사에 힘을 쏟기 어려우오. 그대는 맡은 일에 조금도 소홀함이 없으니 이제부터 그대가 백성들을 이끌도록 하오."

3.10.

백문 원문

禹曰朕德罔克民不依皐陶邁種德德乃降黎民懷之帝念哉念玆在玆釋玆在玆名言玆在玆允出玆在玆惟帝念功

현토 원문

禹曰 朕德이 罔克이라 民不依어니와 皐陶는 邁種德이라 德乃降하여 黎民이 懷之하나니 帝念哉하소서 念玆在玆하며 釋玆在玆하며 名言玆在玆하며 允出玆在玆니 惟帝念功하소서

번역

우가 말하였다: "저의 덕은 천자의 일을 감내하기에 부족하여 백성들이 귀의치 않을 것입니다. 고요(皐陶)는 맡은 바 일에 힘써 그 덕이 백성들에게 널리 미쳐 저들의 마음이 그에게 경도되어 있습니다. 임금께오선 그를 염두에 두옵소서. 제 마음속에 늘 생각나는 이가 고요인바 다른 데서 그만한 인물을 찾으려 했으나 구할 수 없었으며 이름을 입에 올려 말해 말할 때도 항상 그가 먼저 떠올랐고 제 마음에 진실로 구하는 이가 과연 그일까 싶어 되짚어 보기도 했습니다만 다른 이가 생각나지 않았습니다. 임금이시여, 고요의 공을 깊이 헤아려 보소서."

3.11.

백문 원문

帝曰皐陶惟茲臣庶罔或干予正(政)汝作士明于五刑以弼五教期于予治刑期于無刑民協于中時乃功懋哉

현토 원문

帝曰 皐陶아 惟茲臣庶 罔或干予正(政)은 汝作士라 明于五刑하여 以弼五教하여 期于予治니 刑期于無刑하여 民協于中이 時乃功이니 懋哉어다

번역

순임금께서 말씀하셨다: "고요여, 그대는 나의 정사를 잘 돕고 그릇되게 한 바가 하나도 없소. 그대는 사사(士師)가 되어 오형(五刑)을 분명히 하여 오교(五教)의 부족한 점을 보완했으며, 내가 기대했던 무형(無刑)의 형(刑)을 달성해 백성들이 중도를 지켜 형을 받는 일이 없게 되었소이다. 이는 모두 그대의 공이오. 더욱더 분발하여 힘써주기 바라오."

3.12.

백문 원문

皐陶曰帝德罔愆臨下以簡御衆以寬罰弗及嗣賞延于世宥過無大刑故無小罪疑惟輕功疑惟重與其殺不辜寧失不經好生之德洽于民心茲用不犯于有司

현토 원문

皐陶曰 帝德이 罔愆하사 臨下以簡하시고 御衆以寬하시며 罰弗及嗣하시고 賞延于世하시며 宥過無大하시고 刑故無小하시며 罪疑는 惟輕하시고 功疑는 惟重하시며 與其殺不辜론 寧失不經이라

하사 好生之德이 洽于民心이라 茲用不犯于有司니이다

번역

고요가 말했다: "임금님의 덕은 결점이 없으사 아랫사람에게 일을 시키실 때는 늘 간단명료하게 하여 이해하기 쉽게 하셨으며, 대중을 대할 때는 엄격함보다는 관대함을 추구하사 사람들이 모이게 하셨습니다. 벌은 해당자에 그치고 자손에게까지 연계시키지 않았으며, 상은 해당자를 넘어 자손에게까지 이어지게 하셨습니다. 실수로 인한 잘못은 큰 것일지라도 용서해 주셨으며, 고의로 저지른 잘못은 처벌하되 아무리 작은 것이라도 용서하지 않으셨습니다. 죄질에 대한 경중 판단이 어려울 때는 가벼운 쪽을 택하여 처벌하셨으며, 공적에 대한 경중 판단이 어려울 때는 무거운 쪽을 택하여 포상하셨습니다. 무고한 이들까지 죽여 규율을 잡기보다는 느슨하게 규율을 집행하여 차라리 원성 듣기를 택하셨던바, 생명 살리기를 좋아하는 임금님의 덕이 백성들의 마음에 스며들어 백성들은 관리들의 일에 누를 끼치지 않으려 스스로 단속을 하였습니다."

3.13.

백문 원문

帝曰俾予從欲以治四方風動惟乃之休

현토 원문

帝曰 俾予로 從欲以治하여 四方이 風動하니 惟乃之休니라

번역

순임금께서 말씀하셨다: "백성들이 범법함이 없어 형벌을 시행할 일이 없게 되는 것이 나의 바램인데 그대의 도움으로 이 바램을 달성할 수 있게 돼 사방(四方)이 바람 부는 방향대로 쓰러지는 풀과 같은 상태가 됐으니 이는 모두 그대의 공으로 이룩한 아름다운 모습이오."

3.14.

백문 원문

帝曰來禹降水儆予成允成功惟汝賢克勤于邦克儉于家不自滿假惟汝賢汝惟不矜天下莫與汝爭能汝惟不伐天下莫與汝爭功予懋乃德嘉乃丕績天之歷數在汝躬汝終陟元后

현토 원문

帝曰 來하라 禹아 洚水儆予어늘 成允成功하니 惟汝賢이며 克勤于邦하며 克儉于家하여 不自滿假하니 惟汝賢이니라 汝惟不矜하나 天下莫與汝로 爭能하며 汝惟不伐하나 天下莫與汝로 爭功하나니 予懋乃德하며 嘉乃丕績하노니 天之曆數 在汝躬이라 汝終陟元后하리라

번역

순임금께서 말씀하셨다: "이리 오오, 우여! 홍수가 천하를 뒤덮어 두려운 마음이 들었을 때 그대가 치수(治水)를 그대의 계획대로 잘 마무리지어 확연한 성과를 내었오. 이는 그대가 출중한 능력이 있다는 것을 보여준 것이오. 그러함에도 불구하고 자만치 않고 나랏일과 가정 일에 충실하면서 검박한 모습을 보였으니 이는 또다시 그대가 출중한 인물이라는 것을 보여준 것이오. 그대는 이런 훌륭한 면모를 지녔음에도 어디다 그 면모를 자랑한 적이 한 번도 없었소. 하지만 천하 그 누가 그대의 공적과 면모를 따를 수 있겠소. 나는 그대의 덕을 더없이 훌륭하게 생각하며 그대의 공을 더없이 위대하게 생각하오. 하늘의 역수(曆數, 임금을 시키려는 차례)가 그대에게 임재(臨

在)했으니 그대는 섭정(攝政)의 자리에 오르도록 하오."

3.15.

백문 원문

人心惟危道心惟微惟精惟一允執厥中

현토 원문

人心은 惟危하고 道心은 惟微하니 惟精惟一하야사 允執厥中하리라

번역

"인심(人心)은 위태롭고 도심(道心)은 은미하니 정밀하게 살피고 한결같이 유지하여 그 중심을 유지토록 하오."

3.16.

난자(難字)

庸: 쓸용

백문 원문

無稽之言勿聽弗詢之謀勿庸

현토 원문

無稽之言을 勿聽하며 弗詢之謀를 勿庸하라

번역

"과거의 전례(典例)를 살피지 않은 성급한 말은 듣지 말고, 뭇사람의 의견을 청취하지 않은 소수의 의견은 시행치 마오."

3.17.

백문 원문

可愛非君可畏非民衆非元后何戴后非衆罔與守邦欽哉愼乃有位敬

修其可願四海困窮天祿永終惟口出好興戎朕言不再

현토 원문

可愛는 非君이며 可畏는 非民가 衆非元后면 何戴며 后非衆이면 罔與守邦하리니 欽哉하여 愼乃有位하여 敬修其可願하라 四海困窮하면 天祿이 永終하리라 惟口는 出好하며 興戎하나니 朕言은 不再하리라

번역

"사랑할 만한 것은 임금이 아니겠으며, 두려워할 만한 것은 백성이 아니 되겠소이까? 백성은 임금이 아니면 누구를 섬기겠으며, 임금은 백성을 놓아두고 누구와 나라를 지키겠소? 늘 공경의 태도를 지녀야 하오. 그대의 자리를 어렵고 두렵게 생각하며 백성들이 바라는 것을 공경히 닦도록 하오. 사해가 곤궁하면 하늘이 내리는 녹(祿)은 길이 끊기게 될 것이오. 말이란 상황을 좋게 만들 수도 나쁘게 만들 수도 있소. 이제 내 말을 잘 이해했으리라 믿고 더 이상의 말을 하지 않으려 하오."

3.18.

난자(難字)

枚: 낱매

백문 원문

禹曰枚卜功臣惟吉之從帝曰禹官占惟先蔽志昆命于元龜朕志先定詢謀僉同鬼神其依龜筮協從卜不習吉禹拜稽首固辭帝曰毋惟汝諧

현토 원문

禹曰 枚卜功臣하사 惟吉之從하소서 帝曰 禹아 官占은 惟先蔽志오사 昆命于元龜하나니 朕志先定이어늘 詢謀僉同하며 鬼神이

其依하여 龜筮協從하니 卜不習吉이니라 禹拜稽首하여 固辭한대 帝曰 毋하라 惟汝사 諧니라

번역

우가 말하였다: "공신들에게 일일이 점을 치게 하여 길한 사람을 따르소서." 순임금께서 말씀하셨다: "우여, 점을 담당한 자는 먼저 의사가 확정된 후에 거북점을 치는 것이오. 그런데 나의 뜻은 이미 확고하게 정해졌고 뭇 사람들도 나와 같은 생각이며 신령 또한 수긍하여 거북점과 시초점도 같은 결과가 나왔소. 점은 거듭 좋은 결과가 나오길 기대하며 치는 것이 절대 아니오." 우가 머리를 조아려 절하며 거듭 사양했다. 그러자 순임금께서 말씀하셨다: "사양하지 마오. 섭정의 자리는 그대에게 참으로 어울리는 자리요."

3.19.

백문 원문

正月朔旦受命于神宗率百官若帝之初

현토 원문

正月朔旦에 受命于神宗하사 率百官하사되 若帝之初하시다

번역

정월 초하루 아침에 신종(神宗, 요임금의 사당)에서 섭정의 명을 받았다. 백관을 거느리고 치른 의식은 순임금이 요임금에게 섭정의 명을 받을 때와 동일했다.

3.20.

백문 원문

帝曰咨禹惟時有苗弗率汝徂征禹乃會羣后誓于師曰濟濟有衆咸聽

朕命蠢玆有苗昏迷不恭侮慢自賢反道敗德君子在野小人在位民棄不保天降之咎肆予以爾衆士奉辭罰罪爾尙一乃心力其克有勳

현토 원문

帝曰 咨禹아 惟時有苗弗率하나니 汝徂征하라 禹乃會羣后하여 誓于師曰 濟濟有衆아 咸聽朕命하라 蠢玆有苗昏迷不恭하여 侮慢自賢하며 反道敗德하여 君子在野하고 小人在位한대 民棄不保하며 天降之咎하실새 肆予以爾衆士로 奉辭罰罪하노니 爾尙一乃心力이라사 其克有勳하리라

번역

순임금께서 말씀하셨다: "아, 우여. 저 유묘(有苗)의 임금만이 순종치 아니하니 그대가 가서 정벌토록 하오." 우가 이에 여러 제후에게 군사를 거느리고 오게 한 뒤 그들에게 훈시했다: "아아, 군사들이여. 나의 말에 귀를 기울이오. 저 어리석은 유묘의 임금이 도리에 어두워 공손치 아니하고 상대를 업수히 여기며 자기만이 최고라고 여겨 도에 어긋나고 덕을 무너뜨리는 일을 다반사로 하는바 군자는 재야에서 방황하고 소인이 고관대작에 올라 있으며 백성은 돌봄을 받지 못해 곤궁한 지경에 처해있소. 하늘이 저[彼]에게 징벌을 내리사 나로 하여금 그대들과 더불어 임금의 명을 받아 저[彼]의 죄를 벌하게 하셨소. 이제 그대들은 몸과 마음을 전일하게 하여 큰 공을 세우도록 하오!"

3.21.

난자(難字)

屆: 이를계 / 慝: 간사할특 / 夔: 조심할기 / 誕: 클탄

백문 원문

三旬苗民逆命益贊于禹曰惟德動天無遠弗屆滿招損謙受益時乃天道帝初于歷山往于田日號泣于旻天于父母負罪引慝祗載見(현)瞽瞍夔夔齊(재)慄瞽亦允若至誠感神矧玆有苗禹拜昌言曰兪班師振旅帝乃誕敷文德舞干羽于兩階七旬有苗格

현토 원문

三旬을 苗民이 逆命이어늘 益이 贊于禹曰 惟德은 動天이라 無遠弗屆하나니 滿招損하고 謙受益이 時乃天道니이다 帝初于歷山에 往于田하사 日號泣于旻天과 于父母하사 負罪引慝하사 祗載見(현)瞽瞍하사되 夔夔齊(재)慄하신대 瞽亦允若하니 至誠은 感神이온 矧玆有苗릿가 禹拜昌言曰 兪라 班師振旅어늘 帝乃誕敷文德하사 舞干羽于兩階러니 七旬에 有苗格하니라

번역

30일이 지나도록 묘민(苗民, 유묘의 군중)이 굴복하지 않고 저항했다. 익(益)이 우에게 조언을 했다: "덕(德)만이 하늘을 감동시키기에 원방(遠方)에서도 이르는 것입니다. 가득 찬 것은 덜리게 돼있고 겸손한 것은 보탬을 받게 돼있는 것이 바로 천도(天道)입니다. 순임금께서 역산에 계실 때 일하는 곳에 나가 날마다 하늘을 우러러 호곡(號哭)하시며 부모의 사랑을 못받는 허물을 자신에게 돌리고 결코 부모를 원망하지 않으셨습니다. 일이 있어 부모를 대할 때는 늘 정성스럽고 공손한 태도를 견지하셨던바 끝내는 부모도 이에 감화되어 자식의 말을 믿고 따르게 되었습니다. 지성은 신령도 감동시키는데 저 묘민 정도야 어찌 감동시키지 못하겠습니까?" 우가 익의 좋은 조언에 감사의 예를 표하고 말했다: "아, 그 말이 옳소이다. 출동시켰던 군사들을 돌이키도록 하겠소." 순임금께서 이

에 문덕(文德, 위엄과 덕망)을 크게 펼치시고 양계(兩階, 빈주(賓主)가 서는 곳)에서 방패와 우선(羽扇)을 들고 평화의 춤을 추게 하셨다. 우가 군사를 물린지 70여 일이 지나 유묘의 군주가 제 발로 찾아와 복종하였다.

4. 고요모(皐陶謨, 고요가 도모한 좋은 생각들)

4.1.

난자(難字)

都: 아름다울도 / 惇: 돈독할돈

백문 원문

曰若稽古皐陶曰允迪厥德謨明弼諧禹曰兪如何皐陶曰都愼厥身修思永惇敍九族庶明勵翼邇可遠在玆禹拜昌言曰兪

현토 원문

曰若稽古皐陶한대 曰 允迪厥德하면 謨明하며 弼諧하리이다 禹曰 兪라 如何오 皐陶曰 都라 愼厥身修하며 思永하며 惇敍九族하며 庶明이 勵翼하면 邇可遠이 在玆하니이다 禹拜昌言曰 兪라

번역

옛적 고요가 했던 말을 생각해 본다. 그는 다음과 같이 말했다: "진실로 임금으로서 가져야 할 덕을 실천할 때 신하들의 도모하는 일들이 분명하게 진행될 것이며 돕고자 하는 일들이 원만히 성사될 것입니다." 우가 말하였다: "아아, 진실로 그러하오. 어떻게 하면 되는 것이오?" 고요가 말하였다: "훌륭한 물음입니다. 그 몸가짐을 늘 삼가하며 생각을 깊이 하고 구족을 친소의 관계에 맞게 후덕하게 대하면 뭇 현신들이 분발하여 국사에 매진할 것입니다. 가까운

곳에서 시작한 좋은 일을 멀리까지 확대할 수 있는 방도는 바로 여기에 있습니다.” 우가 고요의 좋은 말에 절[拜]로 화답하며 말하였다: “참으로 좋은 말이오.”

4.2.

난자(難字)

壬: 간악할임

백문 원문

皐陶曰都在知人在安民禹曰吁咸若時惟帝其難之知人則哲能官人安民則惠黎民懷之能哲而惠何憂乎驩兜何遷乎有苗何畏乎巧言令色孔壬

현토 원문

皐陶曰 都라 在知人하며 在安民하니이다 禹曰 吁라 咸若時는 惟帝도 其難之러시니 知人則哲이라 能官人하며 安民則惠라 黎民이 懷之하리니 能哲而惠면 何憂乎驩兜며 何遷乎有苗며 何畏乎巧言令色孔壬이리오

번역

고요가 말하였다: “훌륭하십니다. 모든 것은 사람을 알아보는 데 있고 백성을 편안하게 하는 데 있습니다.” 우가 말하였다: “그렇겠지요. 그러나 그 같은 일은 요임금께서도 어렵게 여기셨던 바요. 사람은 알아보는 것은 현명한 것이니 그리하면 적재적소에 사람을 쓸 수 있고, 백성을 편안하게 하는 것은 은혜를 베푸는 것이니 그리하며 백성들이 임금을 사모할 것이오. 현명하면서 은혜를 베풀 줄 안다면 환도(驩兜) 같은 자를 어찌 걱정할 것이며 유묘(有苗) 족속 같은 자들을 어찌 분리시켜 거주하게 할 필요가 있으며 겉과 속이 다른 심히 간악한 마음 품은 자를 두려워할 필요가 있겠소이까.”

4.3.

난자(難字)

載: 행할재 / 采: 일채 / 愿: 근엄할원 / 擾: 길들일요 / 塞: 독실할색

백문 원문

皐陶曰都亦行有九德亦言其人有德乃言曰載采采禹曰何皐陶曰寬而栗柔而立愿而恭亂而敬擾而毅直而溫簡而廉剛而塞彊而義彰厥有常吉哉

현토 원문

皐陶曰 都라 亦行有九德하니 亦言其人의 有德인대 乃言曰載采采니이다 禹曰 何오 皐陶曰 寬而栗하며 柔而立하며 愿而恭하며 亂而敬하며 擾而毅하며 直而溫하며 簡而廉하며 剛而塞하며 彊而義니 彰厥有常이 吉哉니이다

번역

고요가 말하였다: "훌륭하십니다. 행실을 총괄하여[亦] 말하면 구덕(九德)이 있으니, 그 사람이 소유한 덕을 총괄하여[亦] 말할 때 어떤 일을 어떻게 처리했다고 말하는 것입니다. 그러면 사람들이 신뢰를 가질 것입니다." 우가 말하였다: "구덕의 조목은 무엇이오?" 고요가 말하였다: "너그러우면서도 엄격하며, 부드러우면서도 심지가 있으며, 성실하면서도 삼가며, 능력이 있으면서도 조심스러우며, 협조하면서도 과단성이 있으며, 곧으면서도 따뜻하며, 검박하면서도 절도가 있으며, 강건하면서도 독실하며, 용맹하면서도 의로운 것이니, 이 모든 덕성을 온몸으로 구현하면서 한결같을 때 길사(吉士)라 할 것입니다."

4.4.

난자(難字)

浚: 다스릴준 / 祗: 공경지 / 翕: 모일흡 / 乂: 영재예

백문 원문

日宣三德夙夜浚明有家日嚴祗敬六德亮采有邦翕受敷施九德咸事俊乂在官百僚師師百工惟時撫于五辰(신)庶績其凝

현토 원문

日宣三德인댄 夙夜에 浚明有家하며 日嚴祗敬六德인댄 亮采有邦하리니 翕受敷施하면 九德이 咸事하여 俊乂在官하여 百僚師師하며 百工이 惟時로 撫于五辰(신)하여 庶績이 其凝하리이다

번역

"날마다 삼덕(三德)을 닦으면 자신의 집안을 밝게 다스릴 것이며, 날마다 엄숙하고 공경스런 마음으로 육덕(六德)을 닦으면 나라를 밝게 다스릴 것이니, 이들을 수용하여 쓰게 되면 구덕(九德)의 인물들이 모두 맡을 일을 충실히 수행하여 뛰어난 인물들이 조정에 가득할 것입니다. 그리하면 모든 관리들이 서로를 스승으로 삼고 법도에 맞게 일을 처리하고 때에 맞게 일을 수행하여 하려는 일들이 모두 원만히 성취될 것입니다."

4.5.

난자(難字)

兢: 근신할긍 / 業: 두려워할업 / 曠: 폐기할광

백문 원문

無敎逸欲有邦兢兢業業一日二日萬幾無曠庶官天工人其代之

현토 원문

無敎逸欲有邦하사 兢兢業業하소서 一日二日에 萬幾니이다 無曠庶官하소서 天工을 人其代之하나니이다

번역

"안일과 욕심으로 제후들을 이끌어서는 아니되며 항상 근신하고 두려워하는 마음을 가지고 일을 살펴야 하니 언제 어디서 불상(不祥) 기미가 드러날지 모르기 때문입니다. 하여 서관(庶官)들이 잠시도 자신의 일들을 소홀히 하게 해서는 안되니, 하늘의 일을 그들이 대신하고 있기 때문입니다."

4.6.

난자(難字)

勑: 삼갈칙 / 惇: 도타울돈 / 庸: 떳떳할용 / 衷: 가운데충

백문 원문

天敍有典勑我五典五惇哉天秩有禮自我五禮有[五]庸哉同寅協恭和衷哉天命有德五服五章哉天討有罪五刑五用哉政事懋哉懋哉

현토 원문

天敍有典하시니 勑我五典하사 五를 惇哉하시며 天秩有禮하시니 自我五禮하사 有[五]를 庸哉하소서 同寅協恭하사 和衷哉하소서 天命有德이어시든 五服으로 五章哉하시며 天討有罪어시든 五刑으로 五用哉하사 政事를 懋哉懋哉하소서

번역

"천서(天敍, 하늘이 정한 윤리)에 법도가 있어 우리를 오전(五典, 오륜)으로 바르게 하시니 섭정은 오전을 두텁게 시행하시고, 천질(天秩, 하늘이 세운 질서)에 예법이 있어 우리에게 오례(五禮, 공·

후·백·자·남의 다섯 등급에 따른 예절)를 지키게 하시니 섭정께선 오례를 충실히 시행하소서. 군신이 서로 함께 돕고 협조하여 모든 것들이 제자리를 찾을 수 있도록 하소서. 하늘이 유덕(有德)한 이를 관리로 명하시거든 오복(五服, 공·후·백·자·남의 다른 복장)으로 다섯 등급을 드러내고, 하늘이 유죄(有罪)한 이를 벌하시거든 오형(五刑, 다섯 가지 형벌)으로 다섯 등급의 죄를 징계하소서. 정사에 오롯이 마음을 쏟아 힘쓰고 힘쓰소서.

4.7.

백문 원문

天聰明自我民聰明天明畏自我民明威達于上下敬哉有土

현토 원문

天聰明이 自我民聰明하며 天明畏 自我民明威라 達于上下하니 敬哉어다 有土아

번역

"하늘은 우리 백성으로부터 보고 들으며, 우리 백성으로부터 선처(善處)와 징계를 합니다. 하여 하늘과 지상의 백성이 상통하나니 땅을 소유한 군주는 항상 경건한 마음을 가져야 할 것입니다."

4.8.

난자(難字)

惠: 맞을혜 / 底: 이를지 / 贊: 도울찬 / 襄:이룰양

백문 원문

皐陶曰朕言惠可底行禹曰兪乃言底可績皐陶曰予未有知思曰[日]贊贊襄哉

현토 원문

皐陶曰 朕言惠하여 可厎(지)行이리이다 禹曰 兪라 乃言厎可績이로다 皐陶曰 予未有知어니와 思曰[日]贊贊襄哉하노이다

번역

고요가 말하였다: "저의 말은 이치에 맞아 실행하기에 어려움이 없을 것입니다." 우가 말하였다: "그렇소이다. 그대의 말이 실행에 옮겨진다면 상응하는 공이 반드시 있을 것이오." 고요가 말하였다: "제가 비록 아는 바 없으나 날마다 성심성의껏 도와 치적을 이룰 것을 생각하겠나이다."

5. 익직(益稷, 익과 직의 공로를 칭찬함)

5.1.

난자(難字)

都: 훌륭할도 / 孜: 부지런할자 / 滔: 물이그득퍼져흐를도 / 墊: 빠질점 / 載: 탈것재 / 奏: 지급할주 / 距: 이를거 / 畎: 밭도랑견 / 澮: 봇도랑회

백문 원문

帝曰來禹汝亦昌言禹拜曰都帝予何言予思日孜孜皐陶曰吁如何禹曰洪水滔天浩浩懷山襄陵下民昏墊予乘四載隨山刊木曁益奏庶鮮食予決九川距四海濬畎澮距川曁稷播奏庶艱食鮮食懋遷有無化居烝民乃粒萬邦作乂皐陶曰兪師汝昌言

현토 원문

帝曰 來하라 禹아 汝亦昌言하라 禹拜曰 都라 帝아 予何言하리잇고 予思日孜孜하노이다 皐陶曰 吁라 如何오 禹曰 洪水滔天하

여 浩浩懷山襄陵하여 下民昏墊이어늘 予乘四載하여 隨山刊木하고 曁益으로 奏庶鮮食하며 予決九川하여 距四海하며 濬畎澮하여 距川하고 曁稷으로 播하여 奏庶艱食鮮食하고 懋遷有無하여 化居하니 烝民이 乃粒하여 萬邦이 作乂하니이다 皐陶曰 兪라 師汝의 昌言하노라

번역

순임금께서 말씀하셨다: "이리 오오, 우여. 그대 또한 고요와 같은 훌륭한 말을 해주오." 우가 절하며 말하였다: "아, 고요의 말이 참으로 훌륭합니다. 임금이시여, 제가 달리 무슨 말을 또 하겠습니까? 저는 그저 날마다 맡은 바 일을 성실히 매진할 것만을 생각하나이다." 고요가 말하였다: "아, 어떻게 매진하는지 궁금하오이다." 우가 말하였다: "홍수가 하늘까지 뒤덮어 보이는 것이라곤 산언덕밖에 없어 백성들은 더할 수 없는 곤경에 빠졌습니다. 저는 장소에 따라 타고 다니는 것을 달리하면서 산을 따라 나무를 베고 익과 함께 백성들에게 여러 종류의 날음식을 제공했습니다. 구천(九川, 구주(九州)의 물길)의 물을 터놓아 사해(四海)에 이르게 하고 도랑을 깊게 파서 그 물들이 구천(九川)에 이르게 하였으며 직과 함께 파종을 하게 하고 여러 종류의 거친 음식과 날음식을 제공했습니다. 아울러 유무(有無)를 상통하도록 힘써 사는 것이 나아지도록 하니 뭇 백성들이 드디어 제대로 된 알곡으로 밥을 지어 먹게 되고 만방(萬邦)이 제대로 운영되게 되었습니다." 고요가 말했다: "아, 참으로 훌륭하오. 그대의 훌륭한 말을 내 행실의 본보기로 삼겠소이다."

5.2.

난자(難字)

傒: 기다릴혜

백문 원문

禹曰都帝愼乃在位帝曰兪禹曰安汝止惟幾惟康其弼直惟動丕應傒志以昭受上帝天其申命用休

현토 원문

禹曰 都라 帝아 愼乃在位하소서 帝曰 兪라 禹曰 安汝止하사 惟幾惟康하며 其弼直하면 惟動에 丕應傒志하리니 以昭受上帝어든 天其申命用休하시리이다

번역

우가 말하였다: "아아, 임금께오선 임금의 자리를 신중하게 여기시옵소서." 순임금께서 말씀하셨다: "그대 말이 옳소." 우가 말하였다: "임금님의 마음자리를 고요하고 편안하게 하사 기미를 잘 살피시고 늘 안정된 마음을 가지시며 보필하는 신하들이 곧으면 시행하려는 일들에 큰 호응이 따를 것이며 사람들이 임금님의 하시고자 하는 일들을 즐겨 기다릴 것입니다. 이리하시면 하느님께 밝게 수용되어 하느님께선 임금님을 거듭 뭇 백성의 지도자로 명하시며 아름다이 여기실 것입니다."

5.3.

백문 원문

帝曰吁臣哉鄰哉鄰哉臣哉禹曰兪

현토 원문

帝曰 吁라 臣哉鄰哉며 鄰哉臣哉니라 禹曰 兪라

번역

순임금께서 말씀하셨다: "아아, 나를 돕는 신하들은 나의 이웃과 같도다! 나의 이웃과 같도다, 나를 돕는 신하들은!" 우가 말하였다: "그러하옵니다."

5.4.

난자(難字)

彝: 술준이 / 黼: 수보 / 黻: 수불 / 絺: 바느질할치 / 在: 살필재 / 忽: 다스려지지않을홀

백문 원문

帝曰臣作朕股肱耳目予欲左右(佐佑)有民汝翼予欲宣力四方汝爲予欲觀古人之象日月星辰山龍華蟲作會(繪)宗彝藻火粉米黼黻絺繡以五采彰施于五色作服汝明予欲聞六律五聲八音在治忽以出納五言汝聽

현토 원문

帝曰 臣은 作朕股肱耳目이니 予欲左右(佐佑)有民이어든 汝翼하며 予欲宣力四方이어든 汝爲하며 予欲觀古人之象하여 日月星辰山龍華蟲을 作會(繪)하며 宗彝藻火粉米黼黻을 絺繡하여 以五采로 彰施于五色하여 作服이어든 汝明하며 予欲聞六律五聲八音하여 在治忽하여 以出納五言이어든 汝聽하라

번역

순임금께서 말씀하셨다: "신하는 나의 고굉(股肱, 다리와 팔)이자 이목(耳目)이오. 내가 백성을 돕고자 할 때 그대는 나의 고굉과 이목이 되어 나를 돕도록 하오. 내가 사방에 선한 영향을 끼치고자 할 때 그대는 나의 고굉과 이목이 되어 나를 돕도록 하오. 내가 옛 사람들이 흠모하던 상(像)을 살펴 일(日)·월(月)·성진(星辰)·산

(山)·용(龍)·화충(華蟲, 꿩)을 그리고, 종이(宗彝, 범)·조(藻, 수초)·화(火)·분미(粉米, 백미)·보(黼, 도끼)·불(黻, 두 개의 기자(己字)가 서로 등 대고 있는 모양)을 그려, 오채(五彩, 청황적백흑(青黃赤帛黑))로 오색의 비단에 수놓아 관복을 만들려 할 때 나의 고굉과 이목이 되어 나를 돕도록 하오. 내가 육률(六律, 황종(黃鍾)·태주(大簇)·고선(姑洗)·유빈(蕤賓)·이칙(夷則)·무역(無射))과 오성(五聲, 궁상각치우(宮商角徵羽) 그리고 팔음(八音, 금(金)·석(石)·사(絲)·죽(竹)·포(匏)·토(土)·혁(革)·목(木)의 여덟 가지 악기)을 듣고 정사의 득실을 살펴 이를 노래에 담아 백성들에게 내보내고 또 그들의 노래를 올리도록 하려 할 때 나의 고굉과 이목이 되어 자세히 살피고 들어보도록 하오."

5.5.

백문 원문

予違汝弼汝無面從退有後言欽四鄰

현토 원문

予違를 汝弼이니 汝無面從하고 退有後言하여 欽四鄰하라

번역

"내게 어긋난 점이 있거든 그대는 직간으로 나의 허물을 바로 잡아 주오. 그대는 앞에서는 따르고 뒤에서는 흉보는 일을 하지 말며 모름지기 사방에서 도와주는 이웃으로서의 신하 역할을 충실히 하도록 하오."

5.6.

난자(難字)

撻: 종아리칠달 / 識: 기록할지 / 颺: 드날릴양 / 承: 천거할승 /庸: 쓸용

백문 원문

庶頑讒說若不在時侯以明之撻以記之書用識(지)哉欲並生哉工以納時而颺之 格則承之庸之否則威之

현토 원문

庶頑讒說이 若不在時어든 侯以明之하며 撻以記之하며 書用識(지)哉하여 欲並生哉니 工以納言으로 時而颺之하여 格則承之庸之하고 否則威之니라

번역

"어리석고 고집 세며 참소하는 자들이 있거든 이들의 실상을 활쏘기의 명중률로 드러내 밝히고, 가르침을 따르지 않는 자는 매질하여 가르침을 따르게 하고, 허물 있는 자는 이를 기록에 남기게 하여 부끄럽게 만들 것이오. 하여 이들이 잘못을 뉘우치고 바른길에 들어서서 함께 잘 살아가도록 할 것이니, 그들이 하는 말을 악관(樂官)이 음률에 실어서 바치게 하여 그것으로 그들의 선악을 살펴볼 것이오. 잘못을 뉘우치면 계속 등용할 것이며, 그렇지 않으면 형벌로써 위엄을 보일 것이오."

5.7.

난자(難字)

黎: 검을여 / 獻: 어질헌 / 奏: 나아갈주

백문 원문

禹曰俞哉帝光天之下至于海隅蒼生萬邦黎獻共惟帝臣惟帝時擧敷

納以言明庶以功車服以庸誰敢不讓敢不敬應帝不時敷同日奏罔功

현토 원문

禹曰 兪哉나 帝光天之下하사 至于海隅蒼生하시면 萬邦黎獻이 共惟帝臣하리니 惟帝時擧니이다 敷納以言하시며 明庶以功하시어 車服以庸하시면 誰敢不讓하며 敢不敬應하리잇고 帝不時하시면 敷同하여 日奏罔功하리이다

번역

우가 말하였다: “그러하긴 하옵니다만 최상의 모습은 아니옵니다. 최상의 모습은 임금님의 덕광(德光)이 바다 끝 창생에게까지 이르는 것입니다. 이리되면 만방(萬邦)의 현명한 자들이 모두 임금님의 신하가 되길 바랄 것이며, 임금님께서는 이들을 들어 쓰시기만 하면 될 것입니다. 의견을 개진케 하여 그들의 국량을 살피며 공으로써 그들의 역량을 평가하고 거복(車服)으로써 응분의 보답을 한다면 누가 임금님의 신하 되기를 마다하겠으며 누가 감히 임금님께 공대(恭待)하지 않겠습니까! 임금님께서 이와 같이 하지 않으시면 신하들은 부화뇌동하고 공은 날로 줄어들 것입니다.”

5.8.

난자(難字)

額: 쉬지않을액 / 呱: 울음소리고

백문 원문

無若丹朱傲惟慢遊是好傲虐是作罔晝夜額額罔水行舟朋淫于家用殄厥世予創若時娶于塗山辛壬癸甲啓呱呱而泣予弗子惟荒度(탁)土功弼成五服至于五千州十有二師外薄四海咸建五長各迪有功苗頑弗卽工帝其念哉帝曰迪朕德 時乃功惟敍皐陶方祗厥敍方施象刑惟明

현토 원문

無若丹朱傲하소서 惟慢遊를 是好하며 傲虐을 是作하여 罔晝夜額額하며 罔水行舟하며 朋淫于家하여 用殄厥世하니이다 予創若時하여 娶于塗山하여 辛壬癸甲이며 啓呱呱而泣이어늘 予弗子하고 惟荒度(탁)土功하여 弼成五服호되 至于五千하고 州十有二師하며 外薄四海히 咸建五長호니 各迪有功이어늘 苗頑하여 弗卽工하나니 帝其念哉하소서 帝曰 迪朕德은 時乃功惟敍니 皐陶方祗厥敍하여 方施象刑호되 惟明하나니라

번역

"단주(丹朱)처럼 행동하지 마옵소서. 그는 밤낮없이 부질없이 노는 것만을 좋아했습니다. 또한 오만하며 포학한 짓들을 서슴없이 행하여 물 없는 곳에서 배를 끌게 하고 집안에서 작당(作黨)하여 음란한 짓을 행해 결국 요임금의 후계자가 되지 못했습니다. 저는 이런 일을 타산지석으로 삼아 도산(塗山) 씨의 여식에게 장가들어 신·임·계·갑(辛·壬·癸·甲)일 4일만을 함께 지냈습니다. 아들 계(啓)가 아비를 찾으며 울 때도 아이를 돌아보지 못했습니다. 오직 치수(治水)만을 생각했으며 오복(五服, 전·후·수·요·황(甸·侯·綏·要·荒)의 다섯 지역. 전복(甸服)은 국토의 중심에 있는 사방 1000리의 지역이고, 나머지는 차례대로 500리씩의 거리를 두고 있다)의 구역 획정을 완성하여 5000리 영토가 되게 하고, 주(州)마다 12명의 사(師, 관리)를 두어 제후들을 견제케 했습니다. 구주(九州) 밖으로 사해(四海)에 이르기까지는 매 방(方)마다 5명의 장(長)을 세워 해당 구역을 다스리도록 하였습니다. 저마다 맡은 일에 충실하여 공적을 세웠으나 삼묘(三苗)족만이 완악하여 맡을 일에 충실치 않고 공적이 없사오니 임금님께서는 이들에 대해 조치할 점을 생각해 주

시옵소서." 순임금께서 말씀하셨다: "백성들에게 나의 덕이 두루 퍼지게 된 것은 모두 그대의 공이오. 고요(皐陶)는 그대의 공을 경건히 이어 상형(象刑, 형법)을 시행하되 명명백백하게 시행하여 백성들의 수긍을 받고 있소."

5.9.

난자(難字)

戞: 칠알 / 鼗: 소고도 / 敔: 악기이름어 / 蹌: 춤출창

백문 원문

夔曰戞擊鳴球搏拊琴瑟以詠祖考來格虞賓在位羣后德讓下管鼗鼓合止柷敔笙鏞以間鳥獸蹌蹌簫韶九成鳳皇來儀

현토 원문

夔曰 戞擊鳴球하며 搏拊琴瑟하여 以詠호니 祖考來格하시며 虞賓이 在位하여 羣后로 德讓하나이다 下管鼗鼓하고 合止柷敔하며 笙鏞以間호니 鳥獸蹌蹌하며 簫韶九成에 鳳皇이 來儀하나이다

번역

기(夔)가 말하였다: "명구(鳴球, 석경의 일종)를 치고 금슬(琴瑟)을 타며 노래하니 조상의 신령들이 이르며 단주(丹朱, 요임금의 아들)가 자리에 위치하여 여러 제후들과 겸양의 예를 표하였습니다. 당하(堂下)에서는 여러 관악기와 타악기를 설치하여 축어(柷敔, 일종의 지휘봉)로 시작과 마무리를 알리며 생(笙, 생황)과 용(鏞, 큰 종)으로 화음을 넣으니 조수들이 다가와 춤을 추었으며 소소(簫韶, 순임금이 지은 음악)를 9번 연주함에 봉황이 날아와 너울너울 춤을 추었나이다."

5.10.

백문 원문

夔曰於(오)予擊石拊石百獸率舞庶尹允諧

현토 원문

夔曰 於(오) 予擊石拊石에 百獸率舞하며 庶尹이 允諧하나이다

번역

기(夔)가 말하였다: "아아, 제가 석경을 때로 둔탁하게 때로 가볍게 치니 뭇 짐승들이 모두 이에 따라서 춤을 추었으며 뭇 관리들이 진실된 마음으로 화합하였습니다."

5.11.

난자(難字)

賡: 쓸용 / 勑: 신칙할칙 / 颺: 드날릴양 / 賡: 이를갱 / 脞: 좀스러울좌

백문 원문

帝庸作歌曰勑天之命惟時惟幾乃歌曰股肱喜哉元首起哉百工熙哉皐陶拜手稽首颺言曰念哉率作興事愼乃憲欽哉屢省乃成欽哉乃賡載歌曰元首明哉股肱良哉庶事康哉又歌曰元首叢脞哉股肱惰哉萬事墮哉帝拜曰兪往欽哉

현토 원문

帝庸作歌曰 勑天之命인댄 惟時惟幾라하시고 乃歌曰 股肱喜哉면 元首起哉하여 百工熙哉하리라 皐陶拜手稽首하여 颺言曰 念哉하사 率作興事하사되 愼乃憲하사 欽哉하시며 屢省乃成하사 欽哉하소서 乃賡載歌曰 元首明哉하시면 股肱良哉하여 庶事康哉하리이다 又歌曰 元首叢脞哉하시면 股肱惰哉하여 萬事墮哉하리이다

帝拜曰 兪라 往欽哉하라

번역

순임금께서 이에 노래를 지으셨는데 그에 앞서 가르침의 말씀을 하셨다. "하늘의 명을 삼가 받들어야 하나니 때를 잘 보고 일의 기미를 잘 살펴야 한다." 노래를 지어 부르셨다: "고굉(股肱, 다리와 팔. 주요 신하)이 기뻐 일하면 원수(元首, 머리. 임금의 의미)의 다스림이 흥기하여 백공(百工, 뭇 관리)이 모두 성과를 낼 것이로다." 고요가 머리를 조아려 절하며 목소리를 크게 하여 말했다: "유념하시옵소서. 문무백관을 거느리고 일을 집행하실 때 법도를 삼가 살피사 경건한 마음으로 집행하시며, 일이 이루어지는가를 살피실 때도 경건한 마음으로 살피시옵소서." 노래를 지어 임금의 노래에 화답했다: "원수(元首)가 현철하면 고갱(股肱)이 진실하여 뭇 일들이 편안히 이뤄질 것이오이다." 또 한 번 노래했다: "원수가 뭇 일에 자잘하게 굴면 고갱이 나태하여 만사가 그르칠 것이오이다." 임금께서 화답의 절을 하시며 말씀하셨다: "아아, 참으로 그러하오. 가서 경건한 마음으로 맡은 바 일을 수행토록 하오."

Ⅱ. 하서(夏書)

1. 우공(禹貢, 우임금이 정한 공납(貢納)제도)

1.1.

난자(難字)

敷: 분별할부 / 奠: 정할전

백문 원문

禹敷土隨山刊木奠高山大川

현토 원문

禹敷土하시고 隨山刊木하사 奠高山大川하시다

번역

우임금께서는 국토의 분계를 정하신 뒤 산을 따라 나무를 제거하여 도로를 내시고 지역의 대표적인 고산(高山)과 대천(大川)을 명명(命名)하셨다.

1.2.

백문 원문

冀州

현토 원문

冀州라

번역

기주(冀州)이다.

1.3.

난자(難字)

載: 비로소재

백문 원문

旣載壺口

현토 원문

旣載壺口하사

번역

호구산(壺口山)에서 치수(治水)를 시작하여

1.4.

백문 원문

治梁及岐

현토 원문

治梁及岐하시며

번역

여양산(呂梁山)과 호기산(狐岐山)을 다스리셨으며

1.5.

백문 원문

旣修太原至于岳陽

현토 원문

旣修太原하사 至于岳陽하시며

번역

태원(太原) 땅을 재정비하여 물길이 태악산(太岳山) 남쪽에 이르

게 하셨으며

1.6.

백문 원문

覃懷底(지)績至于衡(횡)漳

현토 원문

覃懷에 底(지)績하사 至于衡(횡)漳하시다

번역

담회(覃懷)에서 공적을 이루시고 횡장(衡漳, 물 이름)에 이르셨다.

1.7.

백문 원문

厥土惟白壤

현토 원문

厥土는 惟白壤이요

번역

그 토질은 희고 부드러웠다.

1.8.

백문 원문

厥賦惟上上錯厥田惟中中

현토 원문

厥賦는 惟上에 上이니 錯하며 厥田은 惟中에 中이니라

번역

부세(賦稅, 세금으로 내는 곡식과 전차)는 상상(上上)이었으나 상중(上中)으로 내기도 했고, 전세(田稅)는 중중(中中)이었다.

1.9.

백문 원문

恒衛旣從大陸旣作

현토 원문

恒衛旣從하며 大陸旣作하니라

번역

항수(恒水)와 위수(衛水)가 제대로 물길을 잡자 광활한 대지에서 농사를 지을 수 있게 되었다.

1.10.

백문 원문

島夷皮服

현토 원문

島夷는 皮服이라

번역

바다 끝 이족(夷族)이 피복(皮服)을 공물로 바쳤다.

1.11.

백문 원문

夾右碣石入于河

현토 원문

夾右碣石하여 入于河하나니라

번역

다른 주(州)의 공부(貢賦)가 오른쪽으로 갈석산(碣石山)을 끼고 황하로 들어왔다.

1.12.

백문 원문

濟河惟兗州

현토 원문

濟河에 惟兗州라

번역

제수(濟水)와 황하 사이가 연주(兗州)이다.

1.13.

백문 원문

九河既道

현토 원문

九河既道하며

번역

구하(九河, 도해, 태사, 마협, 복부, 호소, 간결, 구반, 역진, 황하 경류(經流, 큰 물줄기))가 제 길을 찾았으며

1.14.

백문 원문

雷夏既澤

현토 원문

雷夏旣澤하니

번역

뇌하(雷夏)가 다시 못[澤] 구실을 하니

1.15.

백문 원문

灉沮會同

현토 원문

灉沮會同이로다

번역

옹수(灉水)와 저수(沮水)가 합하여 이 못[澤]으로 흘러 들어갔다.

1.16.

백문 원문

桑土旣蠶是降丘宅土

현토 원문

桑土旣蠶하니 是降丘宅土로다

번역

상토(桑土, 뽕나무가 자라기에 적합한 땅)에서 누에를 칠 수 있게 되었다. 이에 사람들이 구릉(丘陵)에서 내려와 평지에 거처를 마련하였다.

1.17.

난자(難字)

繇: 무성할요 / 條: 자랄조

백문 원문

厥土黑墳厥草惟繇(요)厥木惟條

현토 원문

厥土는 黑墳이니 厥草는 惟繇(요)요 厥木은 惟條로다

번역

그 토질은 검고 뭉실뭉실하다. 치수가 되자 풀이 무성하고 나무들이 자라기 시작했다.

1.18.

백문 원문

厥田惟中下厥賦貞作十有三載乃同

현토 원문

厥田은 惟中에 下요 厥賦는 貞이로소니 作十有三載라사 乃同이로다

번역

전세(田稅)는 중하(中下)였으며 부세(賦稅)는 하하(下下)였다. 13년이 경과한 후에야 다른 주와 비슷하게 매길 형편이었다.

1.19.

백문 원문

厥貢漆絲厥篚織文

현토 원문

厥貢은 漆絲요 厥篚는 織文이로다

번역

공물은 옻과 생사(生絲)이고 광주리에 담아 바치는 예물은 무늬 있는 직물이었다.

1.20.

백문 원문

浮于濟漯(탑)達于河

현토 원문

浮于濟漯(탑)하여 達于河하나니라

번역

공물을 실은 배가 제수(濟水)와 탑수(漯水)를 거쳐 황하에 이르렀다.

1.21.

백문 원문

海岱惟青州

현토 원문

海岱에 惟青州라

번역

바다와 대산(岱山, 태산) 사이에 청주(青州)가 있다.

1.22.

난자(難字)

嵎: 해돋는곳우 / 略: 다스릴략

백문 원문

嵎夷既略

현토 원문

嵎夷旣略하니

번역

우이(嵎夷) 지역을 정비하니

1.23.

백문 원문

濰淄其道

현토 원문

濰淄其道하도다

번역

유수(濰水)와 치수(淄水)가 옛 물길을 되찾았다.

1.24.

난자(難字)

斥: 갯벌척

백문 원문

厥土白墳海濱廣斥

현토 원문

厥土는 白墳이니 海濱은 廣斥이로다

번역

토질은 희고 울퉁불퉁하며 바닷가 땅은 넓고 염분이 많은 갯벌이었다.

1.25.

백문 원문

厥田惟上下厥賦中上

현토 원문

厥田은 惟上에 下요 厥賦는 中에 上이로다

번역

전세(田稅)는 상하(上下)였으며 부세(賦稅)는 중상(中上)이었다.

1.26.

난자(難字)

畎: 골짝견 / 枲: 모시시 / 檿: 산뽕나무엄

백문 원문

厥貢鹽絺海物惟錯岱畎絲枲鉛松怪石萊夷作牧厥篚檿絲

현토 원문

厥貢은 鹽絺요 海物은 惟錯이로다 岱畎에 絲枲와 鉛松과 怪石이로다 萊夷作牧하니 厥篚는 檿絲로다

번역

공물은 소금과 가는 갈포이며 해산물(海産物)은 여러 가지를 섞어 바쳤다. 대산(岱山)의 골짜기에서 나오는 생사(生絲)와 모시와 납과 소나무 그리고 괴석(怪石)을 바쳤다. 내주(萊州)의 이족(夷族)은 방목을 했는데, 광주리에 담아서 바치는 예물은 산뽕나무에서 나오는 생사였다.

1.27.

백문 원문

浮于汶達于濟

현토 원문

浮于汶하여 達于濟하나니라

번역

공부(貢賦)를 실은 배가 문수(汶水)를 떠나 제수(濟水)에 이르렀다.

1.28.

백문 원문

海岱及淮惟徐州

현토 원문

海岱及淮에 惟徐州라

번역

바다와 대산과 회수(淮水) 사이에 서주(徐州)가 있다.

1.29.

백문 원문

淮沂其乂

현토 원문

淮沂其乂하니

번역

회수(淮水)와 기수(沂水)가 다스려지니

1.30.

백문 원문

蒙羽其藝

현토 원문

蒙羽其藝하도다

번역

몽산(蒙山)과 우산(羽山)에서 곡식을 심을 수 있게 됐다.

1.31.

난자(難字)

豬: 독저

백문 원문

大野旣豬(瀦)

현토 원문

大野旣豬(瀦)하니

번역

대야택(大野澤)에 물이 모였다가 다시 흐르게 되니

1.32.

백문 원문

東原底(지)平

현토 원문

東原이 底(지)平하도다

번역

동원(東原) 지역의 치수 사업이 완비되었다.

1.33.

난자(難字)

埴: 진흙식 / 包: 우거질포

백문 원문

厥土赤埴墳草木漸包

현토 원문

厥土는 赤埴墳이니 草木은 漸包로다

번역

토질은 붉고 차지며 울퉁불퉁하니 초목들이 점점 무성해졌다.

1.34.

백문 원문

厥田惟上中厥賦中中

현토 원문

厥田은 惟上에 中이요 厥賦는 中에 中이라

번역

전세(田稅)는 상중(上中)이었으며 부세(賦稅)는 중중(中中)이었다.

1.35.

난자(難字)

畎: 골짜기견 / 蠙: 조개빈 / 纖: 깁섬 / 縞: 깁호

백문 원문

厥貢惟土五色羽畎夏翟嶧陽孤桐泗濱浮磬淮夷蠙珠暨魚厥篚玄纖縞

현토 원문

厥貢은 惟土五色과 羽畎에 夏翟과 嶧陽에 孤桐과 泗濱에 浮磬이로다 淮夷는 蠙珠暨魚로소니 厥篚는 玄纖縞로다

번역

공물은 오색의 흙과 우산(羽山) 골짜기의 여름철 꿩과 역산(嶧山) 남쪽의 튼실한 오동나무와 사수(泗水) 가의 부경(浮磬)이었다. 회수의 이족은 조개와 구슬과 어물을 바쳤다. 광주리에 담아 바치는 예물은 적흑색 비단이었다.

1.36.

백문 원문

浮于淮泗達于河

현토 원문

浮于淮泗하여 達于河하나니라

번역

공부(貢賦)를 실은 배가 회수(淮水)와 사수(泗水)를 거쳐 황하에 이르렀다.

1.37.

백문 원문

淮海惟揚州

현토 원문

淮海에 惟揚州라

번역

회수(淮水)와 바다 사이에 양주(揚州)가 있다.

1.38.

난자(難字)

彭: 클팽 / 蠡: 달팽이려 / 豬: 둑저

백문 원문

彭蠡其豬(潴)

현토 원문

彭蠡其豬(潴)하니

번역

팽려(彭蠡)호에 물이 모였다가 다시 흐르니

1.39.

백문 원문

陽鳥攸居

현토 원문

陽鳥攸居로다

번역

양조(陽鳥, 기러기)가 떼지어 살게 되었다.

1.40.

백문 원문

三江旣入

현토 원문

三江이 旣入하니

번역

삼강(三江, 누강(婁江)·동강(東江)·송강(松江)) 바다로 들어가게 되니

1.41.

백문 원문

震澤底定

현토 원문

震澤이 底定하도다

번역

진택(震澤, 태호(太湖))이 안정되게 되었다.

1.42.

난자(難字)

篠: 살대소 / 簜: 왕대탕 / 敷: 퍼질부

백문 원문

篠簜既敷厥草惟夭厥木惟喬厥土惟塗泥

현토 원문

篠簜이 既敷하니 厥草는 惟夭며 厥木은 惟喬요 厥土는 惟塗泥로다

번역

살대와 큰 대가 잘 자라게 됐다. 풀들은 여리게 자라며 나무는 꼿꼿하게 성장했고 토질은 질척질척했다.

1.43.

백문 원문

厥田惟下下厥賦下上上錯

현토 원문

厥田은 惟下에 下요 厥賦는 下에 上이로소니 上錯이로다

번역

전세(田稅)는 하하(下下)였으며 부세(賦稅)는 하상(下上)이었는데 위의 등급으로 섞어서 냈다.

1.44.

난자(難字)

篠: 살대소 / 簜: 왕대탕 / 橘: 귤귤 / 柚: 유자유

백문 원문

厥貢惟金三品瑤琨篠簜齒革羽毛惟木島夷卉服厥篚織貝厥包橘柚錫貢

현토 원문

厥貢은 惟金三品과 瑤琨篠簜과 齒革羽毛와 惟木이로다 島夷는 卉服이로소니 厥篚는 織貝요 厥包橘柚는 錫貢이로다

번역

공물은 금·은·동 세 가지와 요(瑤, 옥의 한 종류) 곤(琨, 옥의 한 종류) 살 대와 큰 대 그리고 상아와 무소 가죽 깃발 장식용 깃털과 목재였다. 도이(島夷)는 훼복(卉服)을 바치니, 광주리에 담아 바치는 예물은 조개 무늬를 놓은 비단이었으며 싸가지고 오는 귤과 유자는 바치라는 명이 있을 때 바쳤다.

1.45.

백문 원문

沿于江海達于淮泗

현토 원문

沿于江海하여 達于淮泗하나니라

번역

공부(貢賦)를 실은 배가 강수(江水, 양자강)를 따라 바다로 나갔다가 다시 회수(淮水)와 사수(泗水)로 올라왔다.

1.46.

백문 원문

荊及衡陽惟荊州

현토 원문

荊及衡陽에 惟荊州라

번역

형산(荊山)과 형산(衡山) 남쪽에 형주(荊州)가 있다.

1.47.

백문 원문

江漢朝宗于海

현토 원문

江漢이 朝宗于海하며

번역

강수(江水)와 한수(漢水)가 바다로 내달으며

1.48.

백문 원문

九江孔殷

현토 원문

九江이 孔殷하도다

번역

구강(九江, 동정호)이 매우 큰 물길을 얻었다.

1.49.

백문 원문

沱潛旣道

현토 원문

沱潛이 旣道하니

번역

타수(沱水)와 잠수(潛水)가 제 물길을 얻었으니

1.50.

백문 원문

雲土夢作乂

현토 원문

雲土여 夢作乂하도다

번역

운택(雲澤)에 땅이 보이게 되었고, 몽택(夢澤)에선 경작이 가능하게 되었다.

1.51.

백문 원문

厥土惟塗泥厥田惟下中厥賦上下

현토 원문

厥土는 惟塗泥니 厥田은 惟下에 中이요 厥賦는 上에 下로다

번역

주된 토질은 진흙이다. 전세(田稅)는 하중(下中)이었으며 부세(賦稅)는 상하(上下)였다.

1.52.

난자(難字)

杶: 참죽나무춘 / 榦: 줄기간 / 栝: 전나무괄 / 礪: 거친숫돌려 / 砥: 뭉근숫돌지 / 砮: 돌활촉노 / 箘: 대나무균 / 簵: 화살대로 / 楛: 싸리나무화살호 / 匭: 궤궤 / 菁: 세모진띠정

백문 원문

厥貢羽毛齒革惟金三品杶榦栝柏礪砥砮丹惟箘簵楛三邦厎貢厥名包匭菁茅厥篚玄纁璣組九江納錫大龜

현토 원문

厥貢은 羽毛齒革과 惟金三品과 杶榦栝柏과 礪砥砮丹이로다 惟箘簵楛는 三邦이 厎貢厥名하나니라 包匭菁茅며 厥篚는 玄纁璣組로소니 九江이 納錫大龜하놋다

번역

공물은 깃발 장식용 깃털과 상아와 무소 가죽 그리고 금·은·동 세 가지와 참죽나무 줄기와 전나무와 잣나무 및 거친 숫돌과 고운 숫돌 돌살촉과 단사(丹砂)였다. 화살용 대나무와 싸리나무는 세 고을에서 가장 좋은 것을 골라 진상했다. 궤(匭)에 넣어 바치는 것은 청모(菁茅, 술거름용 풀)이며, 광주리에 담아 바치는 예물은 분홍색 비단과 기(璣, 옥의 한 종류)와 끈이었다. 구강(九江)에서는 큰 거북을 얻을 때는 이를 진상했다.

1.53.

난자(難字)

逾: 넘을유

백문 원문

浮于江沱潛漢逾于洛至于南河

현토 원문

浮于江沱潛漢하여 逾于洛하여 至于南河하나니라

번역

공부(貢賦)를 실은 배가 강수(江水)와 타수(沱水) 잠수(潛水)와 한수(漢水)를 지나 낙수(洛水)를 넘어 남하(南河)에 이르렀다.

1.54.

백문 원문

荊河惟豫州

현토 원문

荊河에 惟豫州라

번역

형산(荊山)과 황하(黃河) 사이에 예주(豫州)가 있다.

1.55.

백문 원문

伊洛瀍澗既入于河

현토 원문

伊洛瀍澗이 既入于河하며

번역

이수(伊水)와 낙수(洛水) 전수(瀍水)와 간수(澗水)가 황하로 들게 되었으며

1.56.

난자(難字)

豬: 둑저

백문 원문

滎波旣豬(豬)

현토 원문

滎波旣豬(豬)로다

번역

형수(滎水)와 파수(波水)에 물이 모였다가 흐르게 되었다.

1.57.

백문 원문

導菏澤被孟豬

현토 원문

導菏澤하사 被孟豬하시다

번역

하택(菏澤)의 물을 이끌어 맹저(孟豬)에 이르게 하였다.

1.58.

난자(難字)

壚: 검은석비레로

백문 원문

厥土惟壤下土墳壚

현토 원문

厥土는 惟壤이니 下土는 墳壚로다

번역

토질은 특별한 색감이 없었고 낮은 지역의 토양은 다소 성글고 검은색이었다.

1.59.

백문 원문

厥田惟中上厥賦錯上中

현토 원문

厥田은 惟中에 上이요 厥賦는 錯이로소니 上에 中이로다

번역

전세(田稅)는 중상(中上)이었으며 부세(賦稅)는 상중(上中)인데 상상(上上)을 내기도 하였다.

1.60.

난자(難字)

錯: 숫돌착

백문 원문

厥貢漆枲絺紵厥篚纖纊錫貢磬錯

현토 원문

厥貢은 漆枲絺紵요 厥篚는 纖纊이로소니 錫貢磬錯이로다

번역

공물은 옻과 삼베와 갈포와 모시이며 광주리에 담아 바치는 예물은 가는 솜이었다. 이따금 명에 따라 경(磬)을 가는 숫돌을 바치기도 했다.

1.61.

백문 원문

浮于洛達于河

현토 원문

浮于洛하여 達于河하나니라

번역

공부(貢賦)를 실은 배가 낙수를 지나 황하에 이르렀다.

1.62.

백문 원문

華陽黑水惟梁州

현토 원문

華陽黑水에 惟梁州라

번역

화산(華山) 남쪽과 흑수(黑水) 사이에 양주(梁州)가 있다.

1.63.

백문 원문

岷嶓旣藝

현토 원문

岷嶓既藝하며

번역

민산(岷山)과 파산(嶓山)에서 곡식을 심을수 있게 되었으며

1.64.

백문 원문

沱潛既道

현토 원문

沱潛이 既道하도다

번역

타수(沱水)와 잠수(潛水)가 제 물길을 얻게 되었다.

1.65.

백문 원문

蔡蒙旅平

현토 원문

蔡蒙에 旅平하시며

번역

이 지역의 치수(治水) 뒤에 채산(蔡山)과 몽산(蒙山)에서 여제(旅祭, 산 제사)를 지냈으며

1.66.

백문 원문

和夷底績

현토 원문

和夷에 厎績하시다

번역

화이(和夷)에서 큰 성과를 내었다.

1.67.

백문 원문

厥土青黎

현토 원문

厥土는 青黎니

번역

토질은 검푸르렀다.

1.68.

백문 원문

厥田惟下上厥賦下中三錯

현토 원문

厥田은 惟下에 上이요 厥賦는 下에 中이로소니 三錯이로다

번역

전세(田稅)는 하상(下上)이었으며 부세(賦稅)는 하중(下中)인데 하상(下上) 하하(下下)를 내기도 하였다.

1.69.

난자(難字)

璆: 아름다운옥구 / 鏤: 강철루 / 砮: 돌살촉노 / 羆: 큰곰비

백문 원문

厥貢璆鐵銀鏤砮磬熊羆狐狸織皮

현토 원문

厥貢은 璆鐵과 銀鏤와 砮磬과 熊羆와 狐狸이니 織皮로다

번역

공물은 옥경(玉磬)과 연철 그리고 은과 강철 살촉용 돌과 경석(磬石)이었으며 곰과 여우 살쾡이의 털가죽이었던바, 털가죽으로는 갖옷과 털방석을 만들었다.

1.70.

백문 원문

西傾因桓是來浮于潛逾于沔入于渭亂于河

현토 원문

西傾으로 因桓是來하여 浮于潛하여 逾于沔하여 入于渭하여 亂于河하나니라

번역

서경산(西傾山)에서 환수(桓水)를 따라 온 뒤 공부(貢賦)를 실은 배는 잠수(潛水)를 지나 위수(渭水)에 들어갔다가 황하를 가로지른다.

1.71.

백문 원문

黑水西河惟雍州

현토 원문

黑水西河에 惟雍州라

번역

흑수(黑水)와 서하(西河) 사이에 옹주(雍州)가 있다.

1.72.

백문 원문

弱水旣西

현토 원문

弱水旣西하며

번역

약수(弱水)가 서쪽으로 흐르게 되었으며

1.73.

난자(難字)

汭: 물가예

백문 원문

涇屬渭汭(예)

현토 원문

涇이 屬渭汭(예)하며

번역

경수(涇水)는 위수(渭水)와 예수(汭水)에 합류되었으며

1.74.

난자(難字)

沮: 막을저

백문 원문

漆沮既從

현토 원문

漆沮既從하며

번역

칠수(漆水)와 저수(沮水)가 위수(渭水)에 들게 되었고

1.75.

백문 원문

灃水攸同

현토 원문

灃水攸同이로다

번역

풍수(灃水)가 위수와 함께 흘렀다.

1.76.

백문 원문

荊岐既旅終南惇物至于鳥鼠

현토 원문

荊岐에 既旅하시고 終南惇物로 至于鳥鼠하시며

번역

형산(荊山)과 기산(岐山)에서 여제(旅祭)를 지내고 종남산(終南山)과 돈물산(惇物山)에서 출발하여 조서산(鳥鼠山)에 이르렀다.

1.77.

백문 원문

原隰厎(지)績至于豬野

현토 원문

原隰에 厎(지)績하사 至于豬野하시다

번역

평원(平原)과 습지(隰地)에서 치수의 공을 이루고 저야택(豬野澤, 호수 이름)에 이르렀다.

1.78.

백문 원문

三危旣宅三苗丕敍

현토 원문

三危旣宅하니 三苗丕敍하도다

번역

삼위(三危) 지역에서 사람들이 집을 짓고 살게 됐다. 삼묘(三苗)족이 크게 기여했다.

1.79.

백문 원문

厥土惟黃壤

현토 원문

厥土는 惟黃壤이니

번역

토질은 누런 황토였다.

1.80.

백문 원문

厥田惟上上厥賦中下

현토 원문

厥田은 惟上에 上이요 厥賦는 中에 下요

번역

전세(田稅)는 상상(上上)이었으며 부세(賦稅)는 중하(中下)였다.

1.81.

백문 원문

厥貢惟球琳琅玕

현토 원문

厥貢은 惟球琳琅玕이로다

번역

공물은 구림(球琳, 아름다운 옥)과 낭간(琅玕, 옥돌)이었다.

1.82.

백문 원문

浮于積石至于龍門西河會于渭汭

현토 원문

浮于積石하여 至于龍門西河하여 會于渭汭하나니라

번역

공부(貢賦)를 실은 배가 적석(積石)에서 출발하여 용문산(龍門山)의 서하(西河)에 이르러 위수와 예수로 모였다.

1.83.

백문 원문

織皮崐崘析支渠搜西戎卽敍

현토 원문

織皮는 崐崘과 析支와 渠搜로 西戎이 卽敍하도다

번역

직피(織皮, 모피로 짠 직물)는 곤륜(崑崙)과 석지(析支)와 거수(渠搜)에서 바쳤는데, 이 세 곳은 서융 지역으로 교화에 순응하여 질서있게 공을 이루어 나아갔다.

1.84.

백문 원문

導岍及岐至于荊山逾于河壺口雷首至于太岳厎柱析城至于王屋太行恒山至于碣石入于海

현토 원문

導岍하사되 及岐하여 至于荊山하시며 逾于河하사 壺口雷首로 至于太岳하시며 厎柱析城으로 至于王屋하시며 太行恒山으로 至于碣石하사 入于海하시다

번역

견산(岍山)의 물을 이끌어 기산(岐山)을 거쳐 형산(荊山)에 이르게 했다. 형산에서 황하를 건너 호구산(壺口山)와 뇌수산(雷首山)을 거쳐 태악산(太岳山)에 이르게 했다. 황하의 지주(厎柱)와 석성(析城)으로부터 왕옥산(王屋山)에 이르게 했으며 태행산(太行山)과 항산(恒山)으로부터 갈석산(碣石山)에 이르러 바다로 들어가게 했다.

1.85.

백문 원문

西傾朱圉鳥鼠至于太華熊耳外方桐柏至于陪尾

현토 원문

西傾과 朱圉와 鳥鼠로 至于太華하시며 熊耳와 外方과 桐柏으로 至于陪尾하시다

번역

서경산(西傾山) 주어산(朱圉山) 조서산(鳥鼠山)으로부터 태화산(太華山)에 이르게 했으며, 웅이산(熊耳山) 외방산(外方山) 동백산(桐柏山)으로부터 배미산(陪尾山)에 이르게 했다.

1.86.

백문 원문

導嶓冢至于荊山內方至于大別

현토 원문

導嶓冢하사되 至于荊山하시며 內方으로 至于大別하시다

번역

파총산(嶓冢山)의 물을 이끌어 형산에 이르게 했으며, 내방산(內方山)으로부터 대별산(大別山)에 이르게 했다.

1.87.

백문 원문

岷山之陽至于衡山過九江至于敷淺原

현토 원문

岷山之陽으로 至于衡山하시며 過九江하사 至于敷淺原하시다

번역

민산(岷山) 남쪽의 물길을 형산(衡山)에 이르게 했으며, 형산으로부터 구강(九江)을 지나 부천원(敷淺原)에 이르게 하였다.

1.88.

백문 원문

導弱水至于合黎餘波入于流沙

현토 원문

導弱水하사되 至于合黎하여 餘波를 入于流沙하시다

번역

약수(弱水)의 물길을 이끌어 합려산(合黎山)에 이르게 하고 남은 물줄기를 유사(流沙)로 들어가게 하였다.

1.89.

백문 원문

導黑水至于三危入于南海

현토 원문

導黑水하사되 至于三危하사 入于南海하시다

번역

흑수(黑水)의 물길을 이끌어 삼위산(三危山)에 이르러 남해로 들어가게 하였다.

1.90.

백문 원문

導河積石至于龍門南至于華陰東至于底(지)柱又東至于孟津東過

洛汭至于大伾北過洚水至于大陸又北播爲九河同爲逆河入于海

현토 원문

導河하사되 積石으로 至于龍門하며 南至于華陰하며 東至于厎(지)柱하며 又東至于孟津하며 東過洛汭하여 至于大伾하며 北過洚水하여 至于大陸하며 又北播爲九河하여 同爲逆河라 入于海하니라

번역

하수(河水)의 물길을 이끌되 적석산(積石山)에서 용문산(龍門山)에 이르게 했으며 남쪽으로는 화산(華山)의 북쪽에 이르게 했으며 동쪽으로는 지주(厎柱)에 이르게 하였다. 지주에서 다시 동쪽으로 맹진(孟津)에 이르게 했으며 동쪽으로 낙수(洛水)와 예수(汭水)를 지나 대비산(大伾山)에 이르게 하였다. 북쪽으로 홍수(洚水)를 지나 대륙택(大陸澤)에 이르게 했으며 또 북쪽으로 나뉘어 구하(九河)가 되었다가 함께 합류하여 역하(逆河)가 되어 바다로 들어가게 하였다.

1.91.

백문 원문

嶓冢導漾東流爲漢又東爲滄浪之水過三澨至于大別南入于江東匯澤爲彭蠡東爲北江入于海

현토 원문

嶓冢에 導漾하사 東流爲漢하며 又東爲滄浪之水하며 過三澨하여 至于大別하여 南入于江하며 東匯澤하여 爲彭蠡하며 東爲北江하여 入于海하니라

번역

파총산(嶓冢山)에서 양수(漾水)를 이끌어 동쪽으로 흘러 한수(漢水)가 되게 하며 또 동쪽으로 창랑수(滄浪水)가 되게 하며 삼서수(三澨水)를 지나 대별산(大別山)에 이르러 남쪽으로 양자강(揚子江)에 들어가게 하며 동쪽으로 돌아 못[澤]이 되어 팽려호(彭蠡湖)가 되게 하고 동쪽으로 북강(北江)이 되어 바다로 들어가게 하였다.

1.92.

백문 원문

岷山導江東別爲沱又東至于澧過九江至于東陵東迆北會爲匯東爲中江入于海

현토 원문

岷山에 導江하사 東別爲沱하며 又東至于澧하며 過九江하여 至于東陵하며 東迆北會하여 爲匯하며 東爲中江하여 入于海하니라

번역

민산(岷山)에서 양자강을 이끌어 동쪽으로 나뉘어 타수(沱水)가 되게 하며 또 동쪽으로 예수(澧水)에 이르게 하며 구강(九江)을 지나 동릉(東陵)에 이르게 하며 동으로 돌아 북에서 만나 회수(匯水)가 되게 하며 동으로 중강(中江)이 되어 바다로 들어가게 하였다.

1.93.

백문 원문

導沇水東流爲濟入于河溢爲滎東出于陶丘北又東至于菏又東北會于汶又北東入于海

현토 원문

導沇水하사되 東流爲濟하여 入于河하며 溢爲滎하며 東出于陶丘北하며 又東至于菏하며 又東北으로 會于汶하여 又北東으로 入于海하니라

번역

연수(沇水)를 이끌어 동으로 흘러 제수(濟水)가 되게 하여 황하로 들어가게 하며, 불어나 형수(滎水)가 되게 하며 동쪽으로 도구(陶丘)의 북쪽으로 나오고, 다시 동쪽으로 하택(菏澤)에 이르며 또 동북으로 문수(汶水)에 모여 다시 북동쪽으로 바다에 들어가게 하였다.

1.94.

백문 원문

導淮自桐柏東會于泗沂東入于海

현토 원문

導淮하사되 自桐柏하여 東會于泗沂하여 東入于海하니라

번역

회수(淮水)의 물길을 이끌되 동백산(桐柏山)으로부터 시작하여 동쪽으로 사수(泗水)와 기수(沂水)에 모였다 동쪽으로 바다에 들어가게 하였다.

1.95.

백문 원문

導渭自鳥鼠同穴東會于灃又東會于涇又東過漆沮入于河

현토 원문

導渭하사되 自鳥鼠同穴하여 東會于灃하며 又東會于涇하며 又

東過漆沮하여 入于河하니라

번역

위수(渭水)의 물길을 이끌되 조서산(鳥鼠山)과 동혈산(同穴山)으로부터 시작하여 동쪽으로 풍수(灃水)에 이르게 했으며 다시 동쪽으로 경수(涇水)에 모이게 하고 또다시 동쪽으로 칠수(漆水)와 저수(沮水)를 지나 황하로 들어가게 하였다.

1.96.

백문 원문

導洛自熊耳東北會于澗瀍又東會于伊又東北入于河

현토 원문

導洛하사되 自熊耳하여 東北으로 會于澗瀍하며 又東會于伊하며 又東北으로 入于河하니라

번역

낙수(洛水)의 물길을 이끌되 웅이산(熊耳山)으로부터 시작하여 동북으로 간수(澗水)와 전수(瀍水)에 이르게 하고 다시 동쪽으로 이수(伊水)에 모이게 한 뒤 또다시 동북으로 방향으로 잡아 황하로 들어가게 하였다.

1.97.

난자(難字)

隩: 물가언덕오 / 陂: 방죽피

백문 원문

九州攸同四隩旣宅九山刊旅九川滌源九澤旣陂四海會同

현토 원문

九州攸同하니 四隩旣宅하도다 九山에 刊旅하며 九川에 滌源하며 九澤이 旣陂하니 四海會同이로다

번역

구주(九州)가 평치(平治)되니 사방의 끝자락에서도 집을 지어 살 수 있게 되었다. 구산(九山)의 정상을 다듬어 여제(旅祭)를 지낼수 있게 됐으며 구천(九川)의 물길을 심착(深鑿)하여 막히지 않게 됐으며 구택(九澤)에 튼실한 방죽을 쌓아 올려 못물이 흘러넘치지 않게 되니 사해(四海)로 흘러드는 물이 제 길을 찾으면서도 서로 만나지 아니함이 없게 되었다.

1.98.

백문 원문

六府孔修庶土交正底(지)愼財賦咸則(칙)三壤成賦中邦

현토 원문

六府孔修하여 庶土交正이어늘 底(지)愼財賦하사되 咸則(칙)三壤하사 成賦中邦하시다

번역

육부(六府, 수·화·목·금·토·곡(水·火·木·金·土·穀))가 크게 정비되어 대다수 토지가 경작하고 살기에 적합하게 되었다. 부세(賦稅)를 매길 때 토질을 상중하로 신중하게 구분하여 매겼다. 전답(田畓)에 대한 부세는 중국[중심 지역]에만 매겼다.

1.99.

백문 원문

錫土姓

현토 원문

錫土姓하시다

번역

제후들에게 토지와 성씨를 내려 나라를 세우고 종가를 이루게 하였다.

1.100.

난자(難字)

台: 나이

백문 원문

祗台(이)德先不距朕行

현토 원문

祗台(이)德先하신대 不距朕行하니라

번역

(우임금께서는) 당신의 덕을 소중히 가꿔 솔선하셔서 당신의 일들을 어기거나 방해하는 이들이 없었다.

1.101.

난자(難字)

甸: 다스릴전 / 銍: 벨질 / 秸: 짚갈

백문 원문

五百里甸服百里賦納總二百里納銍三百里納秸服四百里粟五百里米

현토 원문

五百里는 甸服이니 百里는 賦納總하고 二百里는 納銍하고 三百里는 納秸服하고 四百里는 粟하고 五百里는 米니라

번역

왕성(王城)으로부터 500리 되는 지역을 전복(甸服)이라 하니 100리 되는 곳은 벼를 뽑아 바치고 200리 되는 곳은 볏단을 바치고 300리 되는 곳은 볏줄기를 바치고 수송하는 일을 겸하며 400리 되는 곳은 낟알을 바치고 500리 되는 곳은 쌀을 바쳤다.

1.102.

백문 원문

五百里侯服百里采二百里男邦三百里諸侯

현토 원문

五百里는 侯服이니 百里는 采요 二百里는 男邦이요 三百里는 諸侯니라

번역

전복으로부터 500리 되는 지역을 후복(侯服)이라 하니 100리 되는 지역은 경대부의 영지이고 200리 되는 지역은 남작의 영지이며 300리 이후의 지역은 제후의 영지이다.

1.103.

백문 원문

五百里綏服三百里揆文教二百里奮武衛

현토 원문

五百里는 綏服이니 三百里는 揆文教하고 二百里는 奮武衛하나니라

번역

후복으로부터 500리 되는 지역을 수복(綏服)이라 하니 300리 되는 지역까지는 문교(文教)로 지도하고 나머지 200리 되는 지역은 무위(武威)로 지도했다.

1.104.

난자(難字)

蔡: 귀양갈살

백문 원문

五百里要服三百里夷二百里蔡(살)

현토 원문

五百里는 要服이니 三百里는 夷요 二百里는 蔡(살)이니라

번역

수복으로부터 500리 되는 지역을 요복(要服)이라 하니 300리까지는 이족(夷族)이 살고 나머지 200리 지역은 유배지였다.

1.105.

백문 원문

五百里荒服三百里蠻二百里流

현토 원문

五百里는 荒服이니 三百里는 蠻이요 二百里는 流니라

번역

요복으로부터 500리 되는 지역을 황복(荒服)이라 하니 300리까지는 만족(蠻族)이 살고 나머지 200리 지역은 유배지였다.

1.106.

난자(難字)

暨: 미칠기 / 訖: 다할흘

백문 원문

東漸于海西被于流沙朔南暨聲教訖于四海禹錫玄圭告厥成功

현토 원문

東漸于海하며 西被于流沙하며 朔南에 暨하여 聲教訖于四海어늘 禹錫玄圭하사 告厥成功하시다

번역

동서남북 사방 끝까지 성교(聲教. 덕과 법의 교화)가 미쳤다. 우임금이 현규(玄圭, 검은색 홀. 물이 검은색을 상징하기에 수공(水功)을 아뢸 때 검은색 홀을 쓴 것임)를 올려 순임금께 성공을 아뢰었다.

2. 감서(甘書, 감 땅에서 군사를 모아놓고 훈시하다)

2-1.

백문 원문

大戰于甘乃召六卿

현토 원문

大戰于甘하실새 乃召六卿하시다

번역

왕(우임금의 아들 계(啓)를 지칭)이 감 땅에서 유호(有扈)와 대전(大戰)을 벌이기 앞서 육경(六卿, 육향(六鄕)의 우두머리들)을 소집하였다.

2-2.

백문 원문

王曰嗟六事之人予誓告汝

현토 원문

王曰 嗟六事之人아 予誓告汝하노라

번역

왕께서 말씀하셨다: "육군(六軍)에 종사하는 그대들에게 고하오!"

2-3.

난자(難字)

勦: 죽일초

백문 원문

有扈氏威侮五行怠棄三正天用勦絶其命今予惟恭行天之罰

현토 원문

有扈氏威侮五行하며 怠棄三正할새 天用勦絶其命하시나니 今予는 惟恭行天之罰이니라

번역

"유호씨(有扈氏)가 겁 없이 오행의 질서를 무너뜨리며 동일한 정삭(正朔)을 사용치 아니할새 하느님이 그들의 명맥을 끊고자 하시는바 내 이제 천벌을 삼가 받들어 시행코자 하오."

2-4.

백문 원문

左不攻于左汝不恭命右不攻于右汝不恭命御非其馬之正汝不恭命

현토 원문

左不攻于左하면 汝不恭命이며 右不攻于右하면 汝不恭命이며 御非其馬之正이면 汝不恭命이니라

번역

"(전차) 좌에 있는 자 활을 쏘지 아니하고 (전차) 우에 있는 자 찌르지 아니하며 말을 모는 자 제대로 말을 몰지 않는다면 이 모두는 나의 명을 어기는 것이오!"

2-5.

난자(難字)

戮: 죽일륙 / 孥: 처자식노

백문 원문

用命賞于祖弗用命戮于社予則孥戮汝

현토 원문

用命은 賞于祖하고 弗用命은 戮于社하되 予則孥戮汝하리라

번역

"명을 따르는 자 선조의 신주 앞에서 상을 내릴 것이며, 명을 어기는 자 사직의 신주 앞에서 죽이되 처자식까지 도륙할 것이오!"

3. 오자지가(五子之歌, 태강의 다섯 아우들이 부른 노래)

3-1.

백문 원문

太康尸位以逸豫滅厥德黎民咸貳乃盤遊無度畋于有洛之表十旬弗反

현토 원문

太康尸位하여 以逸豫로 滅厥德한대 黎民이 咸貳커늘 乃盤遊無度하여 畋于有洛之表하여 十旬을 弗反하니라

번역

태강(太康)이 지위만 차지한 채 유희로 일관하여 백성들의 신망을 잃었다. 도가 지나쳐 낙수(洛水) 밖으로 사냥을 나가 100일이 되어도 돌아오지 않는 일이 생겼다.

3-2.

백문 원문

有窮后羿因民弗忍距于河

현토 원문

有窮后羿 因民弗忍하여 距于河하니라

번역

궁(窮) 나라의 제후 예(羿)가 백성들의 불만을 빌미로 태강을 하수(河水)에서 막아 귀환하지 못하게 했고, 급기야 폐위시켰다.

3-3.

백문 원문

厥弟五人御其母以從徯于洛之汭五子咸怨述大禹之戒以作歌

현토 원문

厥弟五人이 御其母以從하여 徯于洛之汭하더니 五子咸怨하여 述大禹之戒하여 以作歌하니라

번역

태강의 다섯 아우들이 어머니를 모시고 낙수가에서 그의 귀환을

기다렸다. 다섯 아우들이 형의 행태를 안타까이 여기며 우임금의 뜻을 조술(祖述)하여 노래를 지어 불렀다.

3-4.

백문 원문

其一曰皇祖有訓民可近不可下民惟邦本本固邦寧

현토 원문

其一曰 皇祖有訓하시니 民可近이언정 不可下니라 民惟邦本이니 本固라사 邦寧하나니라

번역

1편이다: “대우(大禹, 위대한 우임금)께서 유훈을 남기셨지. 백성은 가까이 친하게 지내야지 멀리 소원하게 대해서는 안 된다. 백성은 나라의 근본이니 근본이 튼튼해야 나라가 편안하다.”

3-5.

난자(難字)

懍: 오싹할름

백문 원문

予視天下愚夫愚婦一能勝予一人三失怨豈在明不見(현)是圖予臨兆民懍乎若朽索(삭)之馭六馬爲人上者柰何不敬

현토 원문

予視天下컨대 愚夫愚婦 一能勝予니라 一人이 三失이어니 怨豈在明이리오 不見(현)에 是圖니라 予臨兆民하되 懍乎若朽索(삭)之馭六馬하노니 爲人上者는 柰何不敬고

번역

"천하를 살펴보니 우부우부(愚夫愚婦) 한 사람이 능히 우리를 이길 수 있는 형세라네. 한 사람[태강]이 세 가지 잘못을 범했으니, 백성들의 불만을 어찌 표출된 후 대처하리오. 미연에 대처해야 하리로다. 백성들을 보니 두렵기가 썩은 새끼줄로 날뛰는 육마(六馬)를 제어하려는 것과 같도다. 아아, 임금이여 어이하여 백성을 공경치 않는가!"

3-6.

백문 원문

其二曰訓有之內作色荒外作禽荒甘酒嗜音峻宇彫牆有一於此未或不亡

현토 원문

其二曰 訓에 有之하시니 內作色荒이어나 外作禽荒이어나 甘酒嗜音이어나 峻宇彫牆이어나 有一於此하면 未或不亡이니라

번역

2편이다: "유훈에서 말씀하셨지. 안으로 여색을 탐하거나 밖으로 사냥질에 골몰커나 술에 절어 지내거나 음률에 탐익커나 궁실을 꾸미지 말라! 이 중 하나라도 있다면 멸망을 면치 못하리라!"

3-7.

백문 원문

其三曰惟彼陶唐有此冀方今失厥道亂其紀綱乃厎(지)滅亡

현토 원문

其三曰 惟彼陶唐으로 有此冀方하시니 今失厥道하여 亂其紀綱

하여 乃厎(지)滅亡이로다

번역

3편이다: "저 요임금으로부터 도를 이어 이 천하를 소유하게 되었다네. 이제 그 도를 잃어 기강을 무너뜨리고 멸망의 지경에 이르렀도다."

3-8.

백문 원문

其四曰明明我祖萬邦之君有典有則(칙)貽厥子孫關石和鈞王府則有荒墜厥緖覆宗絶祀

현토 원문

其四曰 明明我祖는 萬邦之君이시니 有典有則(칙)하사 貽厥子孫이라 關石和鈞이 王府에 則有하니 荒墜厥緖하여 覆宗絶祀로다

번역

4편이다: "밝고 밝은 우리 선조께서는 만방(萬邦)의 임금이셨네. 전칙(典則, 법과 제도)을 마련하사 후손에게 남기셨나니 온 세상에 통하는 석(石, 저울의 일종)과 균형을 맞추는 균(鈞, 저울의 일종)이 왕부(王府)에 있건만 이를 버리고 지키지 않아 종실(宗室)과 제사를 전복시키고 끊어 버렸도다."

3-9.

난자(難字)

忸: 부끄러울유 / 怩: 부끄러울니

백문 원문

其五曰嗚呼曷歸予懷之悲萬姓仇予予將疇依鬱陶乎予心顔厚有忸

怩弗愼厥德雖悔可追

현토 원문

其五曰 嗚呼曷歸오 予懷之悲여 萬姓이 仇予하나니 予將疇依오 鬱陶乎라 予心이여 顔厚有忸怩호라 弗愼厥德이어니 雖悔인들 可追아

번역

5편이다: “아아, 어디로 가야 하나? 슬프도다! 만백성이 우리를 원수로 여기니 우리는 앞으로 누구를 의지해야 하나? 우울하여라! 낯짝이 두껍지만 부끄럽기 그지없도다. 이 모든 일, 덕을 삼가지 않아 벌어졌나니 후회해도 소용없도다.”

4. 윤정(胤征, 윤후(胤侯, 윤 나라의 제후)가 정벌하다)

4-1.

백문 원문

惟仲康肇位四海胤侯命掌六師羲和廢厥職酒荒于厥邑胤后承王命徂征

현토 원문

惟仲康이 肇位四海하사 胤侯를 命掌六師러시니 羲和廢厥職하고 酒荒于厥邑한대 胤后承王命하여 徂征하니라

번역

중강(仲康)이 왕위에 올랐다. 윤후(胤侯)에게 명하여 육사(六師)를 거느리고 희화(羲和)를 치게 했다. 희화는 직분에 태만하고 술에 빠져 지내고 있었다. 윤후가 왕명을 받들고 가서 정벌하였다.

4-2.

백문 원문

告于衆曰嗟予有衆聖有謨訓明徵定保先王克謹天戒臣人克有常憲百官修輔厥后惟明明

현토 원문

告于衆曰 嗟予有衆아 聖有謨訓하시니 明徵定保니라 先王이 克謹天戒어시든 臣人이 克有常憲하여 百官이 修輔할새 厥后惟明明이시니라

번역

윤후가 군사들에게 고했다: “들으라, 군사들이여! 성인께서 남기신 유훈이 있나니, 이로 하여 나라가 안정되고 보존되었다. 이런 유훈을 남기셨다. ‘선왕께서 하늘의 경고를 삼가 살피고 명심하시니 신하들도 자신의 해야 할 일을 살피고 명심하여 백관(百官)이 수보(修輔)하니 왕께서 밝고 밝게 되셨다.’”

4-3.

백문 원문

每歲孟春遒人以木鐸徇于路官師相規工執藝事以諫其或不恭邦有常刑

현토 원문

每歲孟春에 遒人이 以木鐸으로 徇于路하되 官師相規하며 工執藝事하여 以諫하라 其或不恭하면 邦有常刑하니라

번역

“‘매년 초봄에 선령관(宣令官)은 목탁을 울리며 길을 가면서 말했다. ‘관리들이여, 서로서로를 규찰(規察)하라! 백공(百工)들이여,

저마다의 일을 소상히 아뢰라! 조금이라도 불공하면 이를 징계할 국법이 있노라!''"

4-4.

백문 원문

惟時羲和顚覆厥德沈亂于酒畔官離次俶擾天紀遐棄厥司乃季秋月朔辰弗集于房瞽奏鼓嗇夫馳庶人走羲和尸厥官罔聞知昏迷于天象以干先王之誅政典曰先時者殺無赦不及時者殺無赦

현토 원문

惟時羲和 顚覆厥德이요 沈亂于酒하며 畔官離次하여 俶擾天紀하고 遐棄厥司하나니라 乃季秋月朔에 辰이 弗集于房이어늘 瞽奏鼓하며 嗇夫馳하며 庶人走커늘 羲和尸厥官하여 罔聞知하니 昏迷于天象하여 以干先王之誅하니 政典에 曰호매 先時者도 殺無赦하며 不及時者도 殺無赦라하도다

번역

"지금 희화는 자신의 덕을 무너뜨리고 술에 절어 지내 자신의 직분을 지키고 수행치 않아 천기(天紀, 일월성진의 역수(曆數))를 어지럽히는 방만한 행동을 하여 9월 초하루에 진방(辰方, 해와 달이 교차하여 만나는 방위)이 방수(房宿, 28수(宿)의 하나)에서 보이지 않아(일식이 일어났다는 의미) 악사인 고맹(瞽盲)들은 북을 치고 잡부들은 허둥대며 서인(庶人)들은 이리저리 달아났거늘 희화는 아무 하는 일 없이 자리만 지키고 멀뚱멀뚱 쳐다만 보았다. 천상(天象)을 살피지 않은, 선왕께서 정하신 주벌(誅罰)의 해당 행위를 한 것이다. 정전(政典)은 말한다: '먼저 한 자도 용서치 않고 죽이며, 제 때에 하지 못한 자도 용서치 않고 죽인다.'"

4-5.

백문 원문

今予以爾有衆奉將天罰爾衆士同力王室尙弼予欽承天子威命

현토 원문

今予以爾有衆으로 奉將天罰하노니 爾衆士는 同力王室하여 尙弼予하여 欽承天子威命하라

번역

"내 이제 그대들과 함께 천벌(天罰)을 시행코자 한다. 그대들은 왕실을 위해 함께 힘을 모아 나를 도와 천자의 위명(威名)을 흠승(欽承)할지어다!"

4-6.

백문 원문

火炎崐岡玉石俱焚天吏逸德烈于猛火殲厥渠魁脅從罔治舊染汚俗咸與惟新

현토 원문

火炎崐岡하면 玉石이 俱焚하나니 天吏逸德은 烈于猛火하니 殲厥渠魁하고 脅從은 罔治하여 舊染汚俗을 咸與惟新호리라

번역

"곤산(崑山)을 불태우면 옥석이 구분되지 않고 다 불탄다. 천리(天吏)의 지나친 결단은 저 곤산을 불태우는 불길보다 강할 수 있나니, 이제 큰 괴수(魁首)만 처단하고 협종(脅從)한 자들은 죄를 묻지 않아 오염된 구습을 혁파하여 새로운 기풍을 만들 것이다!"

4-7.

백문 원문

嗚呼威克厥愛允濟愛克厥威允罔功其爾衆士懋戒哉

현토 원문

嗚呼라 威克厥愛하면 允濟요 愛克厥威하면 允罔功이니 其爾衆士는 懋戒哉어다

번역

"아아, 위엄이 관유(寬裕)를 이기면 공을 세우고, 관유가 위엄을 이기면 공을 세우지 못하나니, 그대들은 부디 굳건한 마음과 엄격함으로 자신을 단속하여 군령(軍令)을 따를지어다!"

III. 상서(商書, 상나라의 기록)

1. 탕서(湯誓, 탕왕의 훈시)

1-1.

난자(難字)

台: 나이 / 殛: 죽일극

백문 원문

王曰格爾衆庶悉聽朕言非台(이)小子敢行稱亂有夏多罪天命殛之

현토 원문

王曰 格하라 爾衆庶아 悉聽朕言하라 非台(이)小子 敢行稱亂이라 有夏多罪어늘 天命殛之하시나니라

번역

탕왕께서 말씀하셨다: "다가오라, 그대들이여! 내 말을 들으라! 내 감히 분란을 일으키려 군사를 동원하는 것이 아니다. 하(夏)의 죄가 많기에 하느님이 나를 시켜 저들을 정벌케 하시는 것이다."

1-2.

백문 원문

今爾有衆汝曰我后不恤我衆舍我穡事而割正夏予惟聞汝衆言夏氏有罪予畏上帝不敢不正

현토 원문

今爾有衆이 汝曰 我后不恤我衆하여 舍我穡事하고 而割正夏라 하나니 予惟聞汝衆言이나 夏氏有罪어늘 予畏上帝라 不敢不正이

니라

번역

"이제 그대들이 말하길 '우리 임금께선 우리를 어여삐 여기시지 않는구나. 농삿일을 버려두고 하나라 정벌에 동원하시다니.'라고 한다. 내 그대들의 말을 들었다. 그러나 하의 죄가 많아 하느님이 저들을 정벌케 하셨나니 내 감히 하느님의 명을 어길 수 없어 저들을 정벌치 아니할 수 없노라."

1-3.

백문 원문

今汝其曰夏罪其如台夏王率遏衆力率割夏邑有衆率怠弗協曰時日曷喪予及汝皆亡夏德若茲今朕必往

현토 원문

今汝其曰호되 夏罪는 其如台라하나니 夏王이 率遏衆力하며 率割夏邑한대 有衆이 率怠弗協하여 曰 時日은 曷喪고 予及汝로 皆亡이라하나니 夏德이 若茲라 今朕이 必往호리라

번역

"이제 그대들이 말하길 '하의 죄가 우리와 무슨 상관이란 말입니까?'라고 한다. 하왕(夏王)이 백성의 힘을 고갈시키고 살길을 막아버려 백성들이 모두 국가 일에 협조치 아니하며 '이놈의 해[日]는 언제 없어지나! 내 너와 함께 죽으리라'하고 있다. 하왕의 실추된 덕망이 이와 같으니 내 어찌 나서지 않을 수 있겠는가! 나는 반드시 그대들과 더불어 하를 칠 것이다!"

1-4.

난자(難字)

賚: 줄뢰

백문 원문

爾尙輔予一人致天之罰予其大賚汝爾無不信朕不食言爾不從誓言予則孥戮汝罔有攸赦

현토 원문

爾尙輔予一人하여 致天之罰하라 予其大賚汝하리라 爾無不信하라 朕不食言하리라 爾不從誓言하면 予則孥戮汝하여 罔有攸赦하리라

번역

“그대들은 나를 도와 천벌(天罰)을 수행하라! 내 그대들에게 후히 포상하리니 절대로 불신하지 말라! 나는 식언(食言)하지 않는다. 그대들이 나의 훈시를 믿고 따르지 않는다면 그대들은 물론 그대의 가족들도 모두 도륙하여 절대로 용서치 않겠노라!”

2. 중훼지고(仲虺之誥, 중훼의 고유(告諭, 일러 깨우침))

2-1.

백문 원문

成湯放桀于南巢惟有慙德曰予恐來世以台爲口實

현토 원문

成湯放桀于南巢하시고 惟有慙德하사 曰 予恐來世以台爲口實하노라

번역

탕왕이 마침내 걸왕을 남소(南巢)에 유폐시켰다. 마음에 찐덥지

않은 점이 있어 말씀하셨다: "아아, 후세에 나를 구실 삼을 자 있을까 걱정되는구나."

2-2.

난자(難字)

虺: 이무기훼

백문 원문

仲虺乃作誥曰嗚呼惟天生民有欲無主乃亂惟天生聰明時乂有夏昏德民墜塗炭天乃錫王勇智表正萬邦纘禹舊服玆率厥典奉若天命

현토 원문

仲虺乃作誥曰 嗚呼라 惟天이 生民有欲하니 無主면 乃亂일새 惟天이 生聰明하심은 時乂시니 有夏昏德하여 民墜塗炭이어늘 天乃錫王勇智하사 表正萬邦하사 纘禹舊服하시니 玆率厥典하여 奉若天命이니이다

번역

중훼(仲虺)가 이에 고유문(誥諭文)을 지어 말하였다: "아아, 하느님이 백성을 내심에 저마다 욕구를 갖게 했나니 임금이 없으면 백성들이 혼란에 빠지게 되나이다. 하느님이 총명한 이를 세상에 내심은 이런 상황을 다스리게 하고자 하심입니다. 하왕이 혼덕(昏德)하여 백성들이 도탄에 빠짐에 하느님이 이에 임금[탕]께 용기와 지혜를 내리사 만방의 본보기가 되게 하사 우임금의 옛일들을 이어가게 하셨습니다. 임금께서는 마땅히 그 법도를 따르고 지켜 천명(天命)을 봉행(奉行)하셔야 할 것입니다."

2-3.

백문 원문

夏王有罪矯誣上天以布命于下帝用不臧式商受命用爽厥師

현토 원문

夏王이 有罪하여 矯誣上天하여 以布命于下한대 帝用不臧하사 式商受命하사 用爽厥師하시니이다

번역

"하왕이 유죄하여 백성이 추종치 않으니, 하왕이 상천(上天)을 빙자하여 명을 내렸습니다. 하느님께서 이를 불상(不祥)히 여기사 상(商)으로 하여금 천명(天命)을 받게 해 이 백성들을 일신(一新)시키게 하셨습니다."

2-4.

난자(難字)

秕: 쭉정이비 / 矧: 하물며신

백문 원문

簡賢附勢寔繁有徒肇我邦于有夏若苗之有莠若粟之有秕小大戰戰罔不懼于非辜矧予之德言足聽聞

현토 원문

簡賢附勢 寔繁有徒하여 肇我邦이 于有夏에 若苗之有莠하며 若粟之有秕하여 小大戰戰하여 罔不懼于非辜어늘사 矧予之德이 言足聽聞이온여

번역

"하(夏)에 어진 이를 소홀히 대하고 권세에 아유하는 이들이 번성하여 저들에게 우리는 싹들 가운데 있는 가라지와 곡식 사이에 있는 쭉정이 같아 제거해야 될 대상처럼 되었습니다. 하여 우리 백

성들은 지위고하를 막론하고 혹여 무고죄에 연루되지 않을까 전전긍긍했습니다. 여기에 임금[탕]의 덕이 온 천하 사람들에게 가납(嘉納)되는 상황이 되어 더더욱 눈엣가시처럼 여겨지게 되었나이다."

2-5.

백문 원문

惟王不邇聲色不殖貨利德懋懋官功懋懋賞用人惟己改過不吝克寬克仁彰信兆民

현토 원문

惟王은 不邇聲色하시며 不殖貨利하시며 德懋懋官하시며 功懋懋賞하시며 用人惟己하시며 改過不吝하사 克寬克仁하사 彰信兆民하시니이다

번역

"임금께서는 성색(聲色, 음악과 여색)을 멀리하시고 재화의 증식을 꾀하지 아니하시며 덕이 성대한 자에게 높은 관직을 내리시고 공이 성대한 자에게 후한 상을 내리셨습니다. 사람을 등용할 때 그 사람을 자신의 분신으로 여기셨으며 허물을 고침에 과감하여 관인(寬仁)의 정사를 펼치사 온 천하 사람들에게 신뢰를 받으셨나이다."

2-6.

난자(難字)

餉: 먹일향 / 徂: 갈조 / 徯: 기다릴혜

백문 원문

乃葛伯仇餉初征自葛東征西夷怨南征北狄怨曰奚獨後予攸徂之民室家相慶曰徯予后后來其蘇民之戴商厥惟舊哉

현토 원문

乃葛伯이 仇餉이어늘 初征自葛하사 東征에 西夷怨하며 南征에 北狄怨하여 曰 奚獨後予오하며 攸徂之民은 室家相慶하여 曰 徯予后하더소니 后來하시니 其蘇라하니 民之戴商이 厥惟舊哉니이다

번역

"갈백(葛伯, 갈 땅의 지배자)이 음식을 공궤(供饋)하던 노약자들을 죽임에 임금께서 군사를 일으켜 저들을 치셨습니다. 동이(東夷)의 포악한 지배자를 정벌함에 서이(西夷)들이 임금[탕]을 원망했으며, 남이(南夷)의 포악한 지배자를 정벌함에 북적(北狄)들이 임금[탕]을 원망했던바, 모두가 이구동성으로 이렇게 부르짖었습니다. '어찌하여 우리를 늦게 정벌하나이까!' 이르는 곳마다 온 집안사람 모두가 이구동성으로 이렇게 소리 지르며 기뻐했습니다. '우리 임금을 기다렸더니 마침내 오셨도다. 이제 드디어 살게 되었구나!' 온 천하 사람들이 우리 상(商)을 마음속에 품은 것은 하루아침의 일이 아니옵니다."

2-7.

백문 원문

佑賢輔德顯忠遂良兼弱攻昧取亂侮亡推(퇴)亡固存邦乃其昌

현토 원문

佑賢輔德하시며 顯忠遂良하시며 兼弱攻昧하시며 取亂侮亡하사 推(퇴)亡固存하시사 邦乃其昌하리이다

번역

"어진 이와 유덕한 이를 도우며 충성스럽고 선량한 이를 현창(顯彰)하시고 나약하고 아둔한 이를 치며 문란하고 망조 보이는 자들을 무너뜨리소서. 무너져내리는 것들은 과감히 밀어내고 보존해야 할 것들은 굳건히 세우셔야 나라가 창성할 것입니다."

2-8.

백문 원문

德日新萬邦惟懷志自滿九族乃離王懋昭大德建中于民以義制事以禮制心垂裕後昆予聞曰能自得師者王謂人莫己若者亡好問則裕自用則小

현토 원문

德日新하면 萬邦이 惟懷하고 志自滿하면 九族이 乃離하리니 王은 懋昭大德하사 建中于民하소서 以義制事하시며 以禮制心하시사 垂裕後昆하리이다 予聞하니 曰 能自得師者는 王이요 謂人莫己若者는 亡이라 好問則裕하고 自用則小라하니이다

번역

"덕이 날로 새로워지면 온 천하가 임금을 사모하고 오만함이 가득 차면 구족(九族)도 이반할 것이니 임금께서는 대덕(大德)을 힘써 밝히시어 백성들에게 중도(中道)의 표본이 되소서. 의(義)로써 일을 처리하시고 예(禮)로써 마음을 다스리시면 후손들에게 유구한 번영을 선사하실 것입니다. 제가 들으니 '자발적으로 스승을 얻는 자 왕이 될 것이요, 나만한 사람 없다 자만하는 자 패망하리니, 묻기를 좋아하면 점점 창대해질 것이요, 제 생각만 쓰면 점점 왜소해지리라' 하더이다."

2-9.

백문 원문

嗚呼愼厥終惟其始殖有禮覆昏暴欽崇天道永保天命

현토 원문

嗚呼라 愼厥終인댄 惟其始니 殖有禮하며 覆昏暴하사 欽崇天道하시사 永保天命하시리이다

번역

"아아, 유종의 미를 거두려면 시작을 잘해야 합니다. 예의있는 바른 자를 책봉해 주시고 우둔하고 난폭한 자를 제거하사 천도를 공경하고 높이셔야 천명(天命)을 길이 보존할 것입니다."

3. 탕고(湯誥, 탕왕의 고유(告諭))

3-1.

백문 원문

王歸自克夏至于亳誕告萬方

현토 원문

王이 歸自克夏하사 至于亳하사 誕告萬方하시다

번역

탕왕께서 하나라를 이기고 수도인 박(亳)으로 돌아와 만방에 고유(告諭)하셨다.

3-2.

백문 원문

王曰嗟爾萬方有衆明聽予一人誥惟皇上帝降衷于下民若有恒性克

綏厥猷惟后

현토 원문

王曰 嗟爾萬方有衆아 明聽予一人誥하라 惟皇上帝 降衷于下民하사 若有恒性하니 克綏厥猷는 惟后니라

번역

왕께서 말씀하셨다: "아아, 만방의 대중들이여! 내 고하는 말을 귀 기울여 잘 들으라! 위대하신 하느님께서 천하 만민에게 아름다운 마음을 품부(稟賦)하사 천하 만민이 변치 않는 아름다운 마음을 지니게 되었다. 군주란 모름지기 그 아름다운 마음을 잘 보존하게 하는 자이다."

3-3.

난자(難字)

罹: 걸릴리 / 荼: 씀바귀도

백문 원문

夏王滅德作威以敷虐于爾萬方百姓爾萬方百姓罹其凶害弗忍荼毒並告無辜于上下神祇天道福善禍淫降災于夏以彰厥罪

현토 원문

夏王이 滅德作威하여 以敷虐于爾萬方百姓한대 爾萬方百姓이 罹其凶害하여 弗忍荼毒하여 並告無辜于上下神祇하니 天道는 福善禍淫이라 降災于夏하사 以彰厥罪하시니라

번역

"하왕(夏王)이 천성(天性)을 어기고 위세를 부려 만방의 백성들에게 포악할 짓을 자행했던바 그대 만방의 백성들이 그 위해를 당하여 고통을 받았다. 마침내 그 고통을 견딜 수 없어 천지신명에게

그대들의 고통과 억울함을 호소하게 되었다. 천도(天道)는 선한 자에게 복을 주고 악한 자에게 재앙을 내리나니, 저 하왕의 패악한 짓으로 말미암아 갖가지 상서롭지 못한 일들이 일어났으니, 하늘이 그 죄악을 만방에 드러내 보인 것이다."

3-4.

백문 원문

肆台小子將天命明威不敢赦敢用玄牡敢昭告于上天神后請罪有夏聿求元聖與之戮力以與爾有衆請命

현토 원문

肆台小子 將天命明威하여 不敢赦일새 敢用玄牡하여 敢昭告于上天神后하여 請罪有夏하고 聿求元聖하여 與之戮力하여 以與爾有衆으로 請命호라

번역

"나는 천명(天命)의 분명한 위엄을 받들어 저를 용서할 수 없어 검은 소를 희생으로 바치며 천지신명께 하왕의 죄를 처단하겠노라 고하였다. 이에 큰 성인[여기서는 이윤(伊尹)을 지칭]을 구해 그와 힘을 합치고 더불어 그대 대중들과 함께 하늘의 명을 청하였다."

3-5.

난자(難字)

僭: 어그러질참 / 賁: 문채날비

백문 원문

上天孚佑下民罪人黜伏天命弗僭賁若草木兆民允殖

현토 원문

上天이 孚佑下民이라 罪人이 黜伏하니 天命弗僭이 賁若草木이라 兆民이 允殖하니라

번역

"상천(上天)은 하민(下民)을 어여삐 여겨 돕는지라 죄인을 축출하여 굴복시키셨다. 천명(天命)이 어그러지지 않음은 초목이 제때가 되어 무성해는 것과 같나니 죄인이 축출되어 굴복됨에 하민이 이에 초목처럼 번성하게 되었다."

3-6.

백문 원문

俾予一人輯寧爾邦家玆朕未知獲戾于上下慄慄危懼若將隕于深淵

현토 원문

俾予一人으로 輯寧爾邦家하시니 玆朕이 未知獲戾于上下하여 慄慄危懼하여 若將隕于深淵하노라

번역

"하느님이 나로 하여금 만방의 나라들을 화목하고 편안하게 하시니 나는 이 일을 잘못하여 천지신명께 죄를 얻을까 전전긍긍하여 흡사 깊은 연못에 임하여 빠질까 저어하는 것과 같은 심정이다."

3-7.

난자(難字)

慆: 거만할도

백문 원문

凡我造邦無從匪彝無卽慆淫各守爾典以承天休

현토 원문

凡我造邦은 無從匪彝하며 無卽慆淫하여 各守爾典하여 以承天休하라

번역

"이제 우리 새롭게 출발하는 나라들은 법도에 어긋나는 것을 따르지 말고 오만하거나 황음(荒淫)하지 말고 각기 자신의 직분을 지켜 하늘의 아름다운 명을 받들어야 할 것이다."

3-8.

백문 원문

爾有善朕弗敢蔽罪當朕躬弗敢自赦惟簡在上帝之心其爾萬方有罪在予一人予一人有罪無以爾萬方

현토 원문

爾有善이면 朕弗敢蔽요 罪當朕躬이면 弗敢自赦니 惟簡이 在上帝之心하니라 其爾萬方의 有罪는 在予一人이요 予一人의 有罪는 無以爾萬方이니라

번역

"그대들에게 선행이 있다면 내 반드시 드러내 표창할 것이요, 내게 허물이 있다면 내 스스로 용서치 않을 것이다. 모든 것은 하느님이 보고 판단하실 것이다. 그대들 만방의 죄는 나 한 사람에게 있고, 나 한 사람의 죄는 결코 그대들 만방의 잘못이 아니다."

3-9.

난자(難字)

忱: 성실할침

백문 원문

嗚呼尚克時忱乃亦有終

현토 원문

嗚呼라 尚克時忱이라사 乃亦有終하리라

번역

"아아, 이 점을 명심하고 명심하여야 시작한 일을 잘 마무리 할 수 있을 것이로다!"

4. 이훈(伊訓, 이윤의 가르침)

4-1.

백문 원문

惟元祀十有二月乙丑伊尹祠于先王奉嗣王祗見厥祖侯甸羣后咸在百官總己以聽冢宰伊尹乃明言烈祖之成德以訓于王

현토 원문

惟元祀十有二月乙丑에 伊尹이 祠于先王할새 奉嗣王하여 祗見厥祖어늘 侯甸羣后咸在하며 百官이 總己하여 以聽冢宰어늘 伊尹이 乃明言烈祖之成德하여 以訓于王하니라

번역

태갑(太甲) 원년 12월 을축(乙丑)에 이윤이 선왕께 제사를 지낼 때 태갑의 명을 받아 지공(至恭)한 자세로 제사에 임하였다. 후복과 전복의 제후들이 모두 모였고 문무백관이 총재(冢宰)인 이윤의 명을 듣게 되었다. 이윤이 탕 임금의 위대한 덕을 분명하게 말하여 태갑에게 임금으로서 갖춰야 할 자세를 언급하였다.

4-2.

난자(難字)

哉: 비로소재

백문 원문

曰嗚呼古有夏先后方懋厥德罔有天災山川鬼神亦莫不寧暨鳥獸魚鱉咸若于其子孫弗率皇天降災假手于我有命造攻自鳴條朕哉自亳

현토 원문

曰 嗚呼라 古有夏先后 方懋厥德하실새 罔有天災하며 山川鬼神이 亦莫不寧하며 暨鳥獸魚鱉이 咸若하더니 于其子孫이 弗率한대 皇天이 降災하사 假手于我有命하시니 造攻은 自鳴條어늘 朕哉自亳하시니이다

번역

이윤이 말하였다: "아아, 옛날 하나라의 선대 임금들은 덕의 함양에 힘써 하늘이 내리는 재앙을 입지 않았고 산천귀신과 조수어별(鳥獸魚鱉)도 모두 편안하였습니다. 그러나 후대에 이르러 자손들은 그렇지 못하여 결국 하늘은 재앙을 내렸고 천명을 우리 상에 주셨습니다. 하의 수도인 명조(鳴條)는 수공(受攻)의 시발점이 됐고, 우리 상의 수도인 박(亳)은 덕을 쌓아 시공(施功)의 시발점이 됐습니다."

4-3.

백문 원문

惟我商王布昭聖武代虐以寬兆民允懷

현토 원문

惟我商王이 布昭聖武하사 代虐以寬하신대 兆民이 允懷하니이다

번역

"탕왕께서는 신성한 위엄으로 걸 왕의 잔학함을 그치게 하고 너그러움을 만방에 펼치사 천하 만민이 모두 탕왕의 덕을 마음속 깊이 품게 되었습니다."

4-4.

백문 원문

今王嗣厥德罔不在初立愛惟親立敬惟長始于家邦終于四海

현토 원문

今王이 嗣厥德인댄 罔不在初하니 立愛惟親하시며 立敬惟長하사 始于家邦하사 終于四海하소서

번역

"이제 임금께서 이 덕을 이으사 처음 시작을 신중하게 하셔야 하나니 사랑의 표준은 어버이를 친애하는 것으로 세우시며 공경의 표준은 연장자를 대우하는 것으로 세우소서. 이를 집안과 나라에서 시작하사 천하에 이르게 하시옵소서."

4-5.

난자(難字)

肇: 비로소조 / 咈: 어길불

백문 원문

嗚呼先王肇修人紀從諫弗咈先民時若居上克明爲下克忠與人不求備檢身若不及以至于有萬邦玆惟艱哉

현토 원문

嗚呼라 先王이 肇修人紀하사 從諫弗咈하시며 先民을 時若하시

며 居上克明하시며 爲下克忠하시며 與人不求備하시며 檢身若不及하사 以至于有萬邦하시니 玆惟艱哉니이다

번역

"아아, 탕왕께서는 삼강오상(三綱五常)의 도리를 닦으사 신하들의 충간을 잘 따르고 거스르지 아니하셨으며 유덕한 선대의 신하들을 존중하셨습니다. 윗사람으로의 도리를 다하시고 아래 사람으로서의 충성을 다하셨습니다. 타인과의 교제에서 상대방에게 완벽함을 요구하지 아니하셨고 자신을 검속하는데 있어 항상 부족한 듯이 여겨 최선을 다하셨습니다. 하여 마침내 천하만방을 소유하는데 이르셨나니, 참으로 어렵고도 힘든 과정이었나이다."

4-6.

백문 원문

敷求哲人俾輔于爾後嗣

현토 원문

敷求哲人하사 俾輔于爾後嗣하시니이다

번역

"현철한 이들을 널리 구하사 후손에게 넘겨주어 정사를 보익(補益)케 하셨습니다."

4-7.

난자(難字)

儆: 경계할경 / 酣: 술취할감 / 畋: 사냥할전

백문 원문

制官刑儆于有位曰敢有恒舞于宮酣歌于室時謂巫風敢有殉于貨色

恒于遊畋時謂淫風敢有侮聖言逆忠直遠耆德比頑童時謂亂風惟茲三風十愆卿士有一于身家必喪邦君有一于身國必亡臣下不匡其刑墨具訓于蒙士

현토 원문

制官刑하사 儆于有位하사 曰 敢有恒舞于宮하며 酣歌于室하면 時謂巫風이며 敢有殉于貨色하며 恒于遊畋하면 時謂淫風이며 敢有侮聖言하며 逆忠直하며 遠耆德하며 比頑童하면 時謂亂風이니 惟茲三風十愆에 卿士有一于身하면 家必喪하고 邦君이 有一于身하면 國必亡하나니 臣下不匡하면 其刑이 墨이라하사 具訓于蒙士하시니이다

번역

"관형(官刑, 관리들에게 내리는 징계)을 제정하사 벼슬자리에 있는 이들에게 경각심을 갖게 하고 이렇게 이르셨습니다. '집과 궁에서 음주가무를 즐기는 것 이를 무풍(巫風)이라 하며, 재화와 여색에 목숨을 걸며 유람과 사냥에 빠져 지내는 것 이를 음풍(淫風)이라 하며, 성인의 말씀을 업수이 여기고 충직한 이들의 말을 거스리며 덕망있는 연로자를 멀리하고 완악한 나어린 자들과 어울리는 것 이를 난풍(亂風)이라 한다. 이 삼풍십건(三風十愆)에 경사(卿士)된 자, 하나라도 범하는 것이 있으면 집안을 망칠 것이고 한 나라의 임금된 자, 하나라도 범하는 것이 있으면 나라를 잃게 될 것이다. 신하된 자, 이러한 잘못을 바로잡지 못한다면 묵형에 처하리라!' 이 가르침을 특별히 몽사(蒙士, 새내기 벼슬아치)들에게 더 강조하셨습니다."

4-8.

백문 원문

嗚呼嗣王祇厥身念哉聖謨洋洋嘉言孔彰惟上帝不常作善降之百祥作不善降之百殃爾惟德罔小萬邦惟慶爾惟不德罔大墜厥宗

현토 원문

嗚呼라 嗣王은 祇厥身하사 念哉하소서 聖謨洋洋하여 嘉言이 孔彰하시니 惟上帝는 不常하사 作善이어든 降之百祥하시고 作不善이어든 降之百殃하시나니 爾惟德이어든 罔小어다 萬邦의 惟慶이니이다 爾惟不德이어든 罔大어다 墜厥宗하리이다

번역

"아아, 왕께서는 자신을 검속하사 위에서 말씀드린 바를 깊이 유념하소서. 선왕께서 남겨주신 법도가 넉넉하고 가언(嘉言)이 충만하나니 이를 충실히 따르고 지키소서. 하느님은 선을 행하는 이에게 온갖 좋은 보답을 내리시고 그렇지 못한 이에게 온갖 재앙을 내리시나니 덕을 쌓는 일이란 비록 그것이 작을지라도 소홀히 여기지 마시옵소서. 만방의 경사스런 일들은 거기서 비롯되는 것이옵니다. 덕을 쌓지 않는 일이란 비록 그것이 크고 좋아 보여도 결코 실행하지 마시옵소서. 종사를 실추시키는 일들은 거기서 비롯되는 것이옵니다."

5. 태갑 상(太甲 上)

5-1.

백문 원문

惟嗣王不惠于阿衡

현토 원문

惟嗣王이 不惠于阿衡하신대

번역

태갑이 아형(阿衡, 재상의 의미. 여기서는 이윤을 지칭)의 말을 듣지 않았다.

5-2.

난자(難字)

諟: 이시 / 祇: 토지신기 / 祇: 공경할지

백문 원문

伊尹作書曰先王顧諟天之明命以承上下神祇社稷宗廟罔不祇肅天監厥德用集大命撫綏萬方惟尹躬克左右厥辟宅師肆嗣王丕承其緖

현토 원문

伊尹이 作書曰 先王이 顧諟天之明命하사 以承上下神祇하시며 社稷宗廟를 罔不祇肅하신대 天監厥德하사 用集大命하사 撫綏萬方이어시늘 惟尹이 躬克左右厥辟하여 宅師하니 肆嗣王이 丕承其緖하시니이다

번역

이윤이 글을 지어 고하였다: "선왕[탕왕]께선 하늘의 명명(明命)을 살피사 천지신명의 뜻을 받드시며 사직과 종묘를 공경치 아니함이 없으셨습니다. 하느님이 이러한 선왕의 덕성을 헤아리사 그분에게 대명(大命)을 내려 천하만방을 위무(慰撫)케 하셨나이다. 저 윤(尹)은 선왕을 좌우에서 보필하며 천하대중이 편안하게 지내도록 힘썼나이다. 이제 임금께오선 이 크나큰 과업을 잇게 되셨나이다."

5-3.

백문 원문

惟尹躬先見于西邑夏自周有終相亦惟終其後嗣王罔克有終相亦罔終嗣王戒哉祗爾厥辟辟不辟忝厥祖

현토 원문

惟尹이 躬先見于西邑夏하니 自周有終한대 相亦惟終이러니 其後嗣王이 罔克有終한대 相亦罔終하니 嗣王은 戒哉하사 祗爾의 厥辟하소서 辟不辟이면 忝厥祖하리이다

번역

"제가 저 하나라를 보니 임금이 충신(忠信)하면 그 자신은 물론 신하들 역시 유종의 미를 거뒀고, 그렇지 못하면 임금과 신하 모두 패려(悖戾)의 상황을 맞이했더이다. 임금께오선 임금으로서의 자세를 한치도 소홀히 하지 마옵소서. 임금께서 임금답지 못하시면 선왕께 누를 끼치게 될 것이옵니다."

5-4.

백문 원문

王惟庸罔念聞

현토 원문

王이 惟庸하사 罔念聞하신대

번역

태갑은 이윤의 말을 대수롭게 여기지 않아 유념해 듣지 않았다.

5-5.

난자(難字)

爽: 밝을상 / 彦: 선비언 / 迪: 인도할적

백문 원문

伊尹乃言曰先王昧爽丕顯坐以待旦旁求俊彦啓迪後人無越厥命以自覆

현토 원문

伊尹이 乃言曰 先王이 昧爽에 丕顯하사 坐以待旦하시며 旁求俊彦하사 啓迪後人하시니 無越厥命하사 以自覆하소서

번역

이윤이 다시 아뢰었다: “선왕께서는 매일 여명(黎明) 전에 일어나사 목욕재계하신 뒤 의관을 정제하고 정결한 마음으로 아침을 맞으셨으며 사방으로 널리 뛰어난 인재를 구하여 후손에게 남겨 주셨습니다. 임금께오선 선왕의 유지를 받드사 복망(覆亡)하는 일이 없게 하소서.”

5-6.

백문 원문

愼乃儉德惟懷永圖

현토 원문

愼乃儉德하사 惟懷永圖하소서

번역

“삼가 검소한 생활로 몸과 마음을 검속하사 장구한 미래를 생각하시옵소서.”

5-7.

난자(難字)

括: 살촉끝괄

백문 원문

若虞機張往省括于度則釋欽厥止率乃祖攸行惟朕以懌萬世有辭

현토 원문

若虞機張이어든 往省括于度則釋이니 欽厥止하사 率乃祖攸行하시면 惟朕이 以懌이며 萬世에 有辭하시리이다

번역

"우인(虞人, 활 쏘는 사람)이 쇠뇌를 쏠 적에는 화살의 오늬가 법도에 맞게 장착되었는지 확인한 다음에 쏘나이다. 이렇듯 임금께오선 임금의 행실을 검속하사 선왕의 법도에 맞거든 실행에 옮기시옵소서. 그리하면 저는 무한히 기쁠 것이며 임금님의 이름은 만세에 길이 드리울 것입니다."

5-8.

백문 원문

王未克變

현토 원문

王이 未克變하신대

번역

태갑은 변화의 기미를 보이지 않았다.

5-9.

백문 원문

伊尹曰玆乃不義習與性成予弗狎于弗順營于桐宮密邇先王其訓無

俾世迷

현토 원문

伊尹曰 茲乃不義는 習與性成이로소니 予는 弗狎于弗順케호리니 營于桐宮하여 密邇先王其訓하여 無俾世迷케호리라

번역

이윤이 말하였다: "왕의 의롭지 못한 행동은 습관이 천성처럼 굳어져 그리된 것이다. 나는 의롭지 못한 이와 가까이할 수 없다. 동(桐, 탕왕의 능이 있는 곳)땅에 왕이 기거할 건물을 지어 선왕을 가까이 하면서 유훈을 되새기며 자신을 반성하여 다시는 종신토록 의롭지 못한 행동을 하지 못하게 하리라."

5-10.

백문 원문

王徂桐宮居憂 克終允德

현토 원문

王이 徂桐宮居憂하사 克終允德하시다

번역

태갑이 동궁(桐宮, 탕왕의 능 곁에 지은 건물)에 가 시묘를 살면서 마침내 회개하여 거듭나게 되었다.

6. 태갑 중(太甲 中)

6-1.

백문 원문

惟三祀十有二月朔伊尹以冕服奉嗣王歸于亳

현토 원문

惟三祀十有二月朔에 伊尹이 以冕服으로 奉嗣王하여 歸于亳하다

번역

태갑 3년 12월 초하루 이윤이 왕에게 면복(冕服)을 갖춰 입고 수도인 박(亳)에 돌아오도록 하였다.

6-2.

난자(難字)

眷: 돌볼권

백문 원문

作書曰民非后罔克胥匡以生后非民罔以辟四方皇天眷佑有商俾嗣王克終厥德實萬世無疆之休

현토 원문

作書曰 民非后면 罔克胥匡以生이며 后非民이면 罔以辟四方하리니 皇天이 眷佑有商하사 俾嗣王으로 克終厥德하시니 實萬世無疆之休삿다

번역

이윤이 글을 지어 말하였다: "백성은 임금이 없으면 서로의 잘못을 바로잡아 올곧게 살 수 없고, 임금은 백성이 없으면 임금 노릇을 할 수 없습니다. 하느님께서 우리 상(商)을 굽어살피사 임금님으로 하여금 회개하여 거듭나게 하셨으니 실로 무궁한 영광이 아닐 수 없습니다."

6-3.

난자(難字)

速: 부를속 / 孽: 재앙얼 / 逭: 피할환

백문 원문

王拜手稽首曰予小子不明于德自底不類欲敗度縱敗禮以速戾于厥躬天作孽猶可違自作孽不可逭旣往背師保之訓弗克于厥初尙賴匡救之德圖惟厥終

현토 원문

王이 拜手稽首曰 予小子는 不明于德하여 自底不類하여 欲敗度하며 縱敗禮하여 以速戾于厥躬하니 天作孽은 猶可違어니와 自作孽은 不可逭이니 旣往에 背師保之訓하여 弗克于厥初하나 尙賴匡救之德하여 圖惟厥終하노이다

번역

태갑이 이윤에게 큰절을 올리고 말하였다: "나는 불명(不明)하여 불초한 행동을 자행했던바 법도와 예의를 지키지 않아 허물을 짓게 되었소이다. 하늘이 내린 벌은 피할 수 있지만 스스로 지은 벌은 피할 수 없나니, 지난날 아형(阿衡)의 가르침을 어겨 시작을 그르쳤으나 이제 회개하여 거듭나 유종의 미를 거두고자 하오이다."

6-4.

백문 원문

伊尹拜手稽首曰修厥身允德協于下惟明后

현토 원문

伊尹이 拜手稽首曰 修厥身하며 允德이 協于下는 惟明后니이다

번역

이윤 역시 큰절을 올리고 말하였다: "자신을 수양하여 진실된 덕

으로 아랫사람과 화합하는 것이 명명(明明)한 군주입니다."

6-5.

백문 원문

先王子惠困窮民服厥命罔有不悅並其有邦厥隣乃曰徯我后后來無罰

현토 원문

先王이 子惠困窮하신대 民服厥命하여 罔有不悅하여 並其有邦한 厥隣이 乃曰 徯我后하노소니 后來하시면 無罰아

번역

"선왕께서 곤궁한 이들을 어여삐 여기시니 백성들 모두가 그 명(命)에 복종하여 기뻐하지 아니하는 자가 없었습니다. 이웃 나라의 백성들 모두가 이렇게 말했습니다. '우리 임금[탕왕을 지칭]이 오시기를 기다리네. 우리 임금께서 오시면 반드시 (지금의 임금에게) 벌을 주시리!'"

6-6.

백문 원문

王懋乃德視乃烈祖無時豫怠

현토 원문

王懋乃德하사 視乃烈祖하사 無時豫怠하소서

번역

"부디 임금께오선 덕을 닦기에 힘쓰시고 선왕의 행적을 본받으사 조금도 게을리함이 없도록 하소서."

6-7.

난자(難字)

斁: 싫을역

백문 원문

奉先思孝接下思恭視遠惟明聽德惟聰朕承王之休無斁

현토 원문

奉先思孝하시며 接下思恭하시며 視遠惟明하시며 聽德惟聰하시면 朕承王之休하여 無斁하리이다

번역

“선왕을 받드실 땐 효를 생각하시고, 아래 사람을 대할 땐 공(恭)을 생각하시며, 멀리 볼 때에는 밝게 볼 것을 생각하시고, 덕스런 말을 들을 때에는 귀밝게 들을 것을 생각하소서. 그리하시면 저는 임금님의 아름다운 덕에 깊이 감복할 것입니다.”

7. 태갑 하(太甲 下)

7-1.

백문 원문

伊尹申誥于王曰嗚呼惟天無親克敬惟親民罔常懷懷于有仁鬼神無常享享于克誠天位艱哉

현토 원문

伊尹이 申誥于王曰 嗚呼라 惟天은 無親하사 克敬을 惟親하시며 民罔常懷하여 懷于有仁하며 鬼神은 無常享하여 享于克誠하나니 天位艱哉니이다

번역

이윤이 거듭 임금에게 말하였다: “아아, 하느님은 특별히 친애하

는 자가 없나이다. 오직 공경하는 자만을 친애하나이다. 백성은 특별히 그리워하는 임금이 없나이다. 오직 자애로운 임금만을 그리워하나이다. 귀신은 특별히 흠향하는 대상이 없나이다. 오직 정성이 있는 자의 것만 흠향하나이다. 임금의 자리는 진실로 무겁고 어려운 자리이나이다."

7-2.

백문 원문

德惟治否德亂與治同道罔不興與亂同事罔不亡終始愼厥與惟明明后

현토 원문

德이면 惟治하고 否德이면 亂이라 與治로 同道하면 罔不興하고 與亂으로 同事하면 罔不亡하나니 終始에 愼厥與는 惟明明后니이다

번역

"유덕(有德)하면 다스릴 수 있고, 부덕(否德)하면 혼란스러워 지나이다. 선대의 선치(善治)했던 이들과 같은 길을 걸으면 나라가 절로 흥하게 되고, 선대의 불치(不治)했던 이들과 같은 일을 벌이면 나라가 망하지 아니할 수 없나이다. 시작과 끝에 있어 누구의 길을 택하여 걸을지는 오직 명명(明明)한 임금만이 아시리이다."

7-3.

백문 원문

先王惟時懋敬厥德克配上帝今王嗣有令緖尙監玆哉

현토 원문

先王이 惟時로 懋敬厥德하사 克配上帝하시니 今王이 嗣有令緖하시니 尙監玆哉인저

번역

"선왕께서는 잠시도 쉽 없이 명덕을 밝히사 하느님의 뜻과 일치되게 하셨나이다. 이제 임금께서 그 유업을 이으셨으니 선왕의 행적을 늘 거울로 삼으소서."

7-4.

백문 원문

若升高必自下若陟遐必自邇

현토 원문

若升高必自下하며 若陟遐必自邇하니이다

번역

"높은 곳에 오를 때는 한 번에 오를 수 없고 반드시 낮은데서부터 올라야 하며, 먼 길을 갈 때는 단번에 갈 수 없고 반드시 가까운 곳부터 걷기 시작해야 하나이다."

7-5.

백문 원문

無輕民事惟難無安厥位惟危

현토 원문

無輕民事하사 惟難하시며 無安厥位하사 惟危하소서

번역

"백성에 관한 일은 어느 하나 가볍게 여기지 마시고 무겁고 어렵게 여기소서. 임금의 자리를 절대로 편안한 자리로 여기지 마시고 어렵고 위태로운 자리로 여기소서."

7-6.

백문 원문

愼終于始

현토 원문

愼終于始하소서

번역

“유종의 미는 처음부터 신중할 때 이룰 수 있는 것이옵니다.”

7-7.

백문 원문

有言逆于汝心必求諸道有言遜于汝志必求諸非道

현토 원문

有言이 逆于汝心이어든 必求諸道하시며 有言이 遜于汝志어든 必求諸非道하소서

번역

“어떤 말이 임금의 마음에 거슬릴 때는 거부하기 전에 그 말이 도에 합당한지를 살피시고, 어떤 말이 임금의 마음에 흡족하거든 받아들이기 전에 그 말 역시 도에 합당한지를 살피시옵소서.”

7-8.

백문 원문

嗚呼弗慮胡獲弗爲胡成一人元良萬邦以貞

현토 원문

嗚呼라 弗慮면 胡獲이며 弗爲면 胡成이리오 一人이 元良하면 萬邦이 以貞하리이다

번역

"아아, 생각하지 않으면 어찌 얻을 수 있으며 행동하지 않으면 어찌 이룰 수 있겠나이까! 한 사람이 크게 선하면 만방 모든 이들이 그로 인하여 바르게 될 것이나이다."

7-9.

백문 원문

君罔以辯言亂舊政臣罔以寵利居成功邦其永孚于休

현토 원문

君罔以辯言으로 亂舊政하며 臣罔以寵利로 居成功이라사 邦其永孚于休하리이다

번역

"임금은 구차한 변명으로 선왕의 옛 어진 정사를 어지럽히지 않고 신하는 임금의 은총과 재리(財利)를 성공으로 여기지 않아야 나라가 길이길이 영화로울 것입니다."

8. 함유일덕(咸有一德, 모두 순일한 덕을 지니다)

8-1.

백문 원문

伊尹旣復政厥辟將告歸乃陳戒于德

현토 원문

伊尹이 旣復政厥辟하고 將告歸할새 乃陳戒于德하니라

번역

이윤이 임금에게 정사를 돌려주고 영지로 물러나려 할 때 다시

한 번 덕(德)으로 정사에 임할 것을 권계(勸戒)하였다.

8-2.

난자(難字)

諶: 믿을심

백문 원문

曰嗚呼天難諶命靡常常厥德保厥位厥德匪常九有以亡

현토 원문

曰 嗚呼라 天難諶은 命靡常이니 常厥德하면 保厥位하고 厥德이 匪常하면 九有以亡하리이다

번역

이윤이 말하였다: "아아, 하늘은 믿기 어려우니 그 명(命)이 항상 머물러 있는 것이 아니기 때문입니다. 임금께오서 항상 덕을 닦아 간직하시면 그 자리를 보존하실 것이나 그렇지 못하시면 구주(九州, 천하의 의미)를 잃게 되실 것입니다."

8-3.

백문 원문

夏王弗克庸德慢神虐民皇天弗保監于萬方啓迪有命眷求一德俾作神主惟尹躬暨湯咸有一德克享天心受天明命以有九有之師爰革夏正

현토 원문

夏王이 弗克庸德하여 慢神虐民한대 皇天이 弗保하시고 監于萬方하사 啓迪有命하사 眷求一德하사 俾作神主어시늘 惟尹이 躬暨湯으로 咸有一德하여 克享天心하여 受天明命하여 以有九有之師하여 爰革夏正하소이다

번역

"하왕(夏王)이 명덕을 닦고 간직하지 못해 신민(神民)을 업수히 여기고 함부로 대함에 하늘이 천명을 거둔 뒤 만방을 살펴 순일한 덕을 지닌 자를 찾아 명을 내려 백신(百神)의 주인이 되게 하였나이다. 저 윤(尹)은 선왕이신 탕왕과 함께 모두 순일한 덕을 보지하여 하늘의 마음에 부합했던바 하늘의 명명(明命)을 받아 구주의 백성을 품고 마침내 하나라의 정삭(正朔)을 바꾸게 되었나이다."

8-4.

백문 원문

非天私我有商惟天佑于一德非商求于下民惟民歸于一德

현토 원문

非天이 私我有商이라 惟天이 佑于一德이며 非商이 求于下民이라 惟民이 歸于一德이니이다

번역

"하늘이 결코 우리 상(商)을 편애하여 그렇게 한 것이 아니고 단지 우리가 순일한 덕을 지녔기에 그렇게 한 것 뿐입니다. 우리 상이 결코 백성들을 구걸한 것이 아니고 단지 백성이 우리가 순일한 덕을 지녔기에 귀의한 것 뿐입니다."

8-5.

백문 원문

德惟一動罔不吉德二三動罔不凶惟吉凶不僭在人惟天降災祥在德

현토 원문

德惟一이면 動罔不吉하고 德二三이면 動罔不凶하리니 惟吉凶

이 不僭在人은 惟天이 降災祥이 在德이니이다

번역

"덕이 순일하면 일에 길하지 아니함이 없고, 덕이 흔들리면 일에 흉하지 아니함이 없나니, 길흉은 사람에게 어김없이 내리나니 하늘은 그 기준을 덕의 유무에 두나이다."

8-6.

백문 원문

今嗣王新服厥命惟新厥德終始惟一時乃日新

현토 원문

今嗣王이 新服厥命이신댄 惟新厥德이니 終始惟一이 時乃日新이니이다

번역

"이제 임금께오서 새로 임금 자리에 오르셨으니 덕 또한 새로워야 할 것입니다. 덕을 새롭게 하시는 요점은 시종을 여일하게 하시는 것 뿐입니다. 그리하시면 날마다 새로워지실 것입니다."

8-7.

백문 원문

任官惟賢材左右惟其人臣爲上爲德爲下爲民其難其愼惟和惟一

현토 원문

任官호되 惟賢材하시며 左右를 惟其人하소서 臣은 爲上爲德하고 爲下爲民하나니 其難其愼하시며 惟和惟一하소서

번역

"관리를 임명할 때는 현명한 인재를 택하여 임명하시고, 대신(大

臣)을 임명할 때는 최적의 적합자를 임명하소서. 신하란 위로는 임금을 보필하고 아래로는 백성을 보살피는 자이니 신중하게 살펴 어렵게 임명하시고, 그들의 의견을 조화롭게 조절하시고 시종여일하게 대하소서."

8-8.

백문 원문

德無常師主善爲師善無常主協于克一

현토 원문

德無常師하여 主善이 爲師며 善無常主하여 協于克一이니이다

번역

"덕의 함양엔 달리 고집할 법도가 없고 오직 선행(善行)만을 법도로 삼나이다. 선행 역시 달리 고집할 법도가 없고 오직 한결같음만을 법도로 삼나이다."

8-9.

백문 원문

俾萬姓咸曰大哉王言又曰一哉王心克綏先王之祿永底烝民之生

현토 원문

俾萬姓으로 咸曰 大哉라 王言이여케하시며 又曰 一哉라 王心이여케하사 克綏先王之祿하사 永底烝民之生하소서

번역

"덕의 함양으로 천하 모든 이들이 '위대하도다, 왕의 말씀이여!'라고 칭송하고, 또 '한결같도다, 왕이 마음이여!'라고 칭송할 수 있도록 하시옵소서. 하여 선왕께서 전해 주신 천록(天祿)을 잘 간직

하시고 길이 백성들의 삶을 도탑게 해주시옵소서."

8-10.

백문 원문

嗚呼七世之廟可以觀德萬夫之長可以觀政

현토 원문

嗚呼라 七世之廟에 可以觀德이며 萬夫之長에 可以觀政이니이다

번역

"아아, 신주가 종묘에 계속 머물 때 그 임금의 덕이 어떠했는지를 알 수 있고, 만인이 존중하는 웃어른이 됐을 때 그 임금이 정사를 어떻게 했는지를 알 수 있는 법입니다."

8-11.

백문 원문

后非民罔使民非后罔事無自廣以狹人匹夫匹婦不獲自盡民主罔與成厥功

현토 원문

后非民이면 罔使며 民非后면 罔事니 無自廣以狹人하소서 匹夫匹婦 不獲自盡하면 民主罔與成厥功하리이다

번역

"군주란 백성이 없으면 일을 할 수가 없고, 백성은 군주가 없으면 일할 바를 모르나이다. 함부로 자신을 크게 여기며 타인을 좁게 여기지 마시옵소서. 저 만백성이 각자의 할 일에 최선을 다하지 않으면 군주는 아무런 공도 이룰 수 없나이다."

9. 반경 상(盤庚 上)

9-1.

난자(難字)

率: 모두솔 / 籲: 부를유 / 慼: 근심할척

백문 원문

盤庚遷于殷民不適有居率籲衆慼出矢言

현토 원문

盤庚이 遷于殷할새 民不適有居어늘 率籲衆慼하사 出矢言하시다

번역

반경(盤庚)이 은(殷)으로 천도하려 했으나 백성들이 움직이려 하지 않았다. 반경이 머뭇거리는 백성들을 모아 다짐의 말을 했다.

9-2.

난자(難字)

劉: 죽일류 / 稽: 상고할계 / 台: 나이

백문 원문

曰我王來旣爰宅于玆重我民無盡劉不能胥匡以生卜稽曰其如台

현토 원문

曰 我王이 來하사 旣爰宅于玆하심은 重我民이라 無盡劉어신마는 不能胥匡以生일새 卜稽하니 曰其如台라하나다

번역

왕께서 말씀하셨다: "선왕(조을(祖乙)을 지칭)께서 이곳(당시 수도인 경(耿)을 말함)에 살 곳을 마련하신 것은 너희들의 삶을 중하게 여겨서이지 너희들을 죽이고자 해서가 아니었다. 그런데 지금 이곳은 삶을 부지하기에 적합한 곳이 못 된다. 점괘에도 '이 땅은

우리에게 어찌할 수 없다.'고 나왔다."

9-3.

백문 원문

先王有服恪謹天命茲猶不常寧不常厥邑于今五邦今不承于古罔知天之斷命矧曰其克從先王之烈

현토 원문

先王이 有服이어시든 恪謹天命하사되 茲猶不常寧하사 不常厥邑이 于今五邦이시니 今不承于古하면 罔知天之斷命이온 矧曰其克從先王之烈아

번역

"선왕들께서는 비상한 일이 있을 때마다 천명(天命)을 신중히 살펴 항상 전전긍긍하셨다. 하여 제자리에 안주치 아니하시고 수도를 옮긴 것이 그간 다섯 차례가 된다. 이제 선왕들의 선례를 따르지 않는다면 천명이 끊길지도 모른다. 어찌 선왕들의 선례를 따르지 않을 수 있겠는가!"

9-4.

백문 원문

若顚木之有由蘖天其永我命于茲新邑紹復先王之大業底(지)綏四方

현토 원문

若顚木之有由蘖이라 天其永我命于茲新邑하사 紹復先王之大業하사 底(지)綏四方이시니라

번역

"이제 천도함은 쓰러진 나무에서 새 움이 돋는 것과 같으니, 하

늘이 이 새로운 곳에서 우리의 명을 길이 보존하사 선왕들의 대업을 소복(紹復, 계승하여 회복함)하여 천하사방을 편안케 하시려는 것이다."

9-5.

난자(難字)

斅: 가르칠효

백문 원문

盤庚斅于民由乃在位以常舊服正法度曰無或敢伏小人之攸箴王命衆悉至于庭

현토 원문

盤庚이 斅于民하사되 由乃在位하사 以常舊服으로 正法度하사曰 無或敢伏小人之攸箴하라하사 王이 命衆하신대 悉至于庭하니라

번역

반경이 백성들을 설득하는 일을 시작했다. 먼저 벼슬자리에 있는 이들을 설득했다. 실증된 옛 사례로 흐트러진 기강을 바로잡고 이렇게 말했다: "백성들이 따끔하게 말하는 것을 소홀히 듣거나 무시하지 말라!" 왕이 벼슬아치들과 대중을 궁정에 모이게 했다.

9-6.

백문 원문

王若曰格汝衆予告汝訓汝猷黜乃心無傲從康

현토 원문

王若曰 格汝衆아 予告汝訓하노니 汝猷黜乃心하여 無傲從康하라

번역

왕께서 이렇게 말씀하셨다: "이리 와 나의 말을 들으라. 그대들에게 훈계하노니 사심(私心)을 접어 나의 명을 거스리지 말고 아울러 그대들에게 좋은 것만 추종하려 하지 말라."

9-7.

난자(難字)

聒: 시끄러울괄

백문 원문

古我先王亦惟圖任舊人共政王播告之脩不匿厥指王用丕欽罔有逸言民用丕變今汝聒聒起信險膚予不知乃所訟

현토 원문

古我先王이 亦惟圖任舊人하사 共政하시니 王이 播告之脩커시든 不匿厥指일새 王用丕欽하시며 罔有逸言일새 民用丕變하더니 今汝聒聒하여 起信이 險膚하니 予不知乃所訟이로다

번역

"과거 우리 선왕들께서는 세신구가(世臣舊家)와 함께 정사를 도모하사 왕이 정비해야 될 일들을 고지하시면 그것들을 사장시키지 않아 왕들은 세신구가를 크게 공경하셨으며 왕의 말이 왜곡되어 전달되지 않아 백성들이 크게 일신하였다. 그런데 이제 그대들은 그렇지 않아 의견이 분분하고 백성들은 나의 말을 신뢰치 않으니 나는 그대들이 시비하는 것을 납득하기 어렵다."

9-8.

백문 원문

非予自荒玆德惟汝含德不惕予一人予若觀火予亦拙謀作乃逸

현토 원문

非予自荒玆德이라 惟汝含德하여 不惕予一人하나니 予若觀火언마는 予亦拙謀라 作乃逸이니라

번역

"내가 이 덕(德, 천도하여 혜택을 입는 일)을 허무러뜨리는 것이 아니다. 그대들만이 이 덕을 감추어 드러내지 않으며 나를 어려워하지 않는다. 내 그대들의 마음을 명약관화하게 보고 있으나 나의 지모가 부족하여 그대들이 계속 잘못된 일을 하도록 방치하고 있다."

9-9.

백문 원문

若網在綱有條而不紊若農服田力穡乃亦有秋

현토 원문

若網이 在綱이라사 有條而不紊하며 若農이 服田力穡이라사 乃亦有秋니라

번역

"이제 우리가 하려는 일은 그물의 벼리를 들었을 때 그물눈이 조리 정연하게 펴지는 것과 같이 해야 하며, 이 일의 성과는 농부가 농토에서 바지런히 일하여 가을에 풍성한 수확을 거두는 것과 같을 것이다."

9-10.

백문 원문

汝克黜乃心施實德于民至于婚友丕乃敢大言汝有積德

현토 원문

汝克黜乃心하여 施實德于民호되 至于婚友오사 丕乃敢大言汝有積德이라하라

번역

"그대들은 사심을 접고 백성들에게 알찬 덕을 베풀어야 하리니 친인척과 벗들에게까지 미쳐야 진실로 '내가 적덕(積德)을 하였다'고 당당하게 말할 수 있을 것이다."

9-11.

백문 원문

乃不畏戎毒于遠邇惰農自安不昏作勞不服田畝越其罔有黍稷

현토 원문

乃不畏戎毒于遠邇하나니 惰農이 自安하여 不昏作勞하여 不服田畝하면 越其罔有黍稷하리라

번역

"그대들은 지금 원근에 미칠 큰 해독을 경계치 아니하고 있다. 이는 흡사 게으른 농부가 안일에 빠져 힘든 일을 꺼리고 농사일을 게을리하여 가을에 추수할 것이 없게 되는 것과 같다."

9-12.

난자(難字)

宄: 간악할궤 / 憸: 간사할험

백문 원문

汝不和吉言于百姓惟汝自生毒乃敗禍姦宄以自災于厥身乃旣先惡于民乃奉其恫汝悔身何及相時憸民猶胥顧于箴言其發有逸口矧予制乃短長之命汝曷弗告朕而胥動以浮言恐沈于衆若火之燎于原不可嚮邇其猶可撲滅則惟爾衆自作弗靖非予有咎

현토 원문

汝不和吉을 言于百姓하나니 惟汝自生毒이로다 乃敗禍姦宄로 以自災于厥身하여 乃旣先惡于民이요 乃奉其恫하여서 汝悔身인들 何及이리오 相時憸民한대 猶胥顧于箴言이라도 其發에 有逸口니 矧予制乃短長之命이온여 汝는 曷弗告朕하고 而胥動以浮言하여 恐沈于衆고 若火之燎于原하여 不可嚮邇나 其猶可撲滅이니 則惟爾衆이 自作弗靖이라 非予有咎니라

번역

"그대들은 (천도의 효과인) 화합과 길함을 백성들에게 말하지 않고 있으니 이는 스스로 해악을 짓는 일이다. 그릇되게 하여 화를 일으키고 간특한 짓을 행하여 저 자신에게 재앙을 초래하니 이는 백성들에게 해악을 끼치기 앞서 먼저 해악을 당하는 격이다. 해악을 당하면 반드시 고통을 받게 되나니 그때 가서는 아무리 후회해도 어찌할 수 없을 것이다. 백성들은 서로를 경계하는 말도 혹여 잘못이 있을까 걱정하는데 그대들은 그렇지 못하니 과연 그대들은 어찌될까? 내가 그대들의 목숨줄을 쥐고 있다는 사실을 명심하라! 그대들은 어찌하여 백성들의 말을 나에게 고하지 아니하고 외려 쓸데없는 말들을 내뱉어 백성들을 두려움에 떨고 걱정하게 만들고 있는가! 지금 상황은 흡사 요원(燎原)의 불길과 같아 접근하기 어려운 상황이다. 그러나 그 불길은 잡을 수 있다! 그대들은 어이하여

스스로 불편한 상황을 만드는가. 이는 결코 나의 과실이 아니로다."

9-13.

백문 원문

遲任有言曰人惟求舊器非求舊惟新

현토 원문

遲任이 有言曰 人惟求舊요 器非求舊라 惟新이라하도다

번역

"지임(遲任)이 한 말이 있다. '사람은 옛사람을 구해서 써야 한다. 그러나 그릇은 그렇지 않다. 새것을 구해서 써야 한다.'"

9-14.

백문 원문

古我先王暨乃祖乃父胥及逸勤予敢動用非罰世選爾勞予不掩爾善茲予大享于先王爾祖其從與享之作福作災予亦不敢動用非德

현토 원문

古我先王이 暨乃祖乃父로 胥及逸勤하시니 予敢動用非罰가 世選爾勞하나니 予不掩爾善하리라 茲予大享于先王할새 爾祖其從與享之하여 作福作災하나니 予亦不敢動用非德호리라

번역

"과거 우리 선왕들께선 그대들 조부들과 편안함과 힘듦을 함께 하셨으니 내 어찌 함부로 그 후손들에게 잘못된 형벌을 쓸 수 있겠는가. 대대로 그대들 집안의 노고와 선행을 선별해 기록해두고 있나니 내가 그대들 집안의 노고와 선행을 결코 잊지 않을 것이다. 내가 선왕들께 제향을 드릴 때 그대들의 조부들도 함께 제향을 받

아 내게 복을 내리기도 재앙을 내리기도 하나니 나 또한 덕 아닌 일을 결코 하지 않을 것이다."

9-15.

백문 원문

予告汝于難若射之有志汝無侮老成人無弱孤有幼各長于厥居勉出乃力聽予一人之作猷

현토 원문

予告汝于難하노니 若射之有志하니 汝無侮老成人하며 無弱孤有幼하고 各長于厥居하여 勉出乃力하여 聽予一人之作猷하라

번역

"내 그대들에게 천도가 쉽지 않음을 솔직히 말하노라. 그러나 나의 뜻은 과녁을 향해 활시위를 당기고 있는 상태와 같아 절대로 멈출 수 없다. 그대들은 노성(老成)한 사람들의 의견을 업수이 여기지 말고 고유(孤幼)한 자들의 의견을 무시하지 말라. 각기 자신을 집안을 (새 도읍에서) 장구히 유지할 것을 생각하여 각자의 능력을 최대한 발휘하여 나의 일을 돕도록 하라."

9-16.

백문 원문

無有遠邇用罪伐厥死用德彰厥善邦之臧惟汝衆邦之不臧惟予一人有佚罰

현토 원문

無有遠邇히 用罪는 伐厥死하고 用德은 彰厥善호리니 邦之臧은

惟汝衆이요 邦之不臧은 惟予一人이 有佚罰이니라

번역

“친근원소(親近遠疎)를 가리지 않고 죄가 있으면 죽음이 있을 것이고 덕이 있으면 창선(彰善)이 있을 것이다. 나라가 잘된다면 오직 그대들 덕분일 것이며 그렇지 않다면 내가 일벌(佚罰, 제대로 벌을 주지 않음)했기 때문일 것이다.”

9-17.

백문 원문

凡爾衆其惟致告自今至于後日各恭爾事齊乃位度乃口罰及爾身弗可悔

현토 원문

凡爾衆은 其惟致告하여 自今으로 至于後日히 各恭爾事하여 齊乃位하며 度乃口하라 罰及爾身하면 弗可悔리라

번역

“그대들은 서로 입단속을 하여 지금부터 천도가 끝날 때까지 각기 맡은 소임을 충실히 수행하여 자신의 벼슬 값을 할 것이며 말을 할 적에는 법도에 어긋남이 없도록 하라! 그렇지 않으면 상응하는 처벌이 내리리니 그때 가서 후회하는 일이 없도록 하라!”

10. 반경 중(盤庚 中)

10-1.

난자(難字)

亶: 진실로단 / 造: 이를조 / 褻: 설만할 설

백문 원문

盤庚作惟涉河以民遷乃話民之弗率誕告用亶其有衆咸造勿褻在王庭盤庚乃登進厥民

현토 원문

盤庚이 作하사 惟涉河하여 以民遷할새 乃話民之弗率하사 誕告用亶이어시늘 其有衆이 咸造하여 勿褻在王庭이러니 盤庚이 乃登進厥民하시다

번역

반경이 수도인 경(耿)에서 출발하여 황하를 건너 천도를 시작했다. 따라가지 않으려는 백성들을 설득했는데 진정성을 가지고 그들을 설득했다. 그들을 왕정에 모이게 했을 때 그들은 서로 '여기서는 함부로 떠들면 안된다'라고 말했다. 반경이 그들을 위로 올라오게 하였다.

10-2.

백문 원문

曰明聽朕言無荒失朕命

현토 원문

曰 明聽朕言하여 無荒失朕命하라

번역

왕께서 말씀하셨다: "나의 말을 왜곡하지 말고 잘 들으라! 절대로 나의 명을 업수이 여기거나 저버리지 말라!"

10-3.

백문 원문

嗚呼古我前后罔不惟民之承保后胥慼鮮以不浮于天時

현토 원문

嗚呼라 古我前后 罔不惟民之承하신대 保后胥慼일새 鮮以不浮于天時하니라

번역

“아아, 과거 우리 선왕들께서는 백성들을 공경히 대하지 아니함이 없으셨다. 백성들도 임금을 보우하여 (임금과 백성) 서로가 서로를 걱정 해줬기에 하늘이 내리는 재앙을 극복하지 못한 경우가 거의 없었다.”

10-4.

백문 원문

殷降大虐先王不懷厥攸作視民利用遷汝曷弗念我古后之聞承汝俾汝惟喜康共非汝有咎比于罰

현토 원문

殷降大虐이어늘 先王이 不懷하사 厥攸作은 視民利하사 用遷이시니 汝는 曷弗念我古后之聞고 承汝俾汝는 惟喜康共이니 非汝有咎라 比于罰이니라

번역

“우리 은(殷)에 어려움이 닥쳤을 때 선왕들께서는 이에 안이하게 대처하지 않으셨다. 그분들은 오로지 백성들의 이익만을 살펴 (최후의 방책으로) 천도를 실행하셨다. 그대들은 어이 내가 선왕들이 하셨던 일과 똑같이 하려는 것을 헤아리지 않는가! 그대들을 공경하고 그대들에게 일을 내림은 오직 그대들과 편안함을 함께 나누는

것을 좋아해서 일 뿐이다. 결코 그대들의 허물을 책하여 처벌하려고 이러는 것이 아니다."

10-5.

난자(難字)

籲: 부를유

백문 원문

予若籲懷玆新邑亦惟汝故以丕從厥志

현토 원문

予若籲懷玆新邑은 亦惟汝故니 以丕從厥志니라

번역

"내가 그대들을 이 새로운 도읍으로 천도하게 하는 것은 오직 그대들 때문이니 그대들의 진정한 속마음을 따르려는 것 뿐이다."

10-6.

난자(難字)

鞠: 곤궁할국 / 忱: 정성침 / 瘳: 나을추

백문 원문

今予將試以汝遷安定厥邦汝不憂朕心之攸困乃咸大不宣乃心欽念以忱動予一人爾惟自鞠自苦若乘舟汝弗濟臭厥載爾忱不屬惟胥以沈不其或稽自怒曷瘳

현토 원문

今予將試以汝遷하여 安定厥邦이어늘 汝不憂朕心之攸困이요 乃咸大不宣乃心하여 欽念以忱하여 動予一人하나니 爾惟自鞠自苦로다 若乘舟하니 汝弗濟하면 臭厥載하리라 爾忱이 不屬하니 惟胥

以沈이로다 不其或稽어니 自怒인들 曷瘳리오

번역

“내 이제 그대들을 천도케 하여 나라를 안정되게 하려 하거늘 그대들은 내가 힘들어하는 것을 걱정하지 않으며 마음을 열어 정성스런 생각으로 나를 감동시키려 하지 않으니 이는 그대들 자신을 스스로 곤궁하고 고통스럽게 만드는 것이다. 지금 상황은 배를 탄 것과 같다. 그대들이 건너지 않는다면 싣고 있는 것을 다 썩히고 말 것이다. 그대들의 정성이 이어지지 않으니 모두가 침수의 위기 상황으로 치닫고 있다. 그럼에도 불구하고 이런 상황을 헤아리지 않으니 후일 서로를 원망하고 탓한들 무슨 소용이 있겠는가!”

10-7.

백문 원문

汝不謀長以思乃災汝誕勸憂今其有今罔後汝何生在上

현토 원문

汝不謀長하여 以思乃災하나니 汝誕勸憂로다 今其有今이나 罔後하리니 汝何生이 在上이리오

번역

“그대들은 멀리까지 생각하여 그대들에게 닥칠 재앙을 헤아리지 못하니 실로 서로가 서로에게 근심거리를 권면하고 있는 격이다. 오늘은 비록 살 수 있을지 모르지만 결코 후일은 기약하기 어려우니 하늘에 어찌 그대들의 목숨줄이 남아 있겠는가!”

10-8.

난자(難字)

迂: 굽을우

백문 원문

今予命汝一無起穢以自臭恐人倚乃身迂乃心

현토 원문

今予命汝하노니 一하여 無起穢以自臭하라 恐人이 倚乃身하여 迂乃心하노라

번역

"이제 내 그대들에게 명하노니 나의 말을 일심으로 받아들여 불필요한 분란을 일으키지 말지어다. 혹 분란을 일으키는 자들이 그대들의 마음을 현혹시키더라도 미혹되지 않기를 바라노라."

10-9.

난자(難字)

迓: 맞이할아 / 畜: 기를휵

백문 원문

予迓續乃命于天予豈汝威用奉畜(휵)汝衆

현토 원문

予迓續乃命于天하노니 予豈汝威리오 用奉畜(휵)汝衆이니라

번역

"나는 하늘에서 그대들의 명줄이 지속되기를 바래서 천도를 하려는 것이지 그대들을 겁주기 위해서 이 일을 하려는 것이 아니다. 그대들의 삶을 부양(扶養)하기 위해 하려는 것이다."

10-10.

백문 원문

予念我先神后之勞爾先予丕克羞爾用懷爾然

현토 원문

予念我先神后之勞爾先하노니 予丕克羞爾는 用懷爾然이니라

번역

"내 우리 선왕들께서 그대들의 선조를 수고롭게 한 것을 잘 알고 있나니, 그 보답으로 그대들을 잘 부양코자 천도를 하려는 것이니 이는 그대들을 괴롭히기 위해서가 아니라 그대들을 사랑하기 때문이다."

10-11.

백문 원문

失于政陳于玆高后丕乃崇降罪疾曰曷虐朕民

현토 원문

失于政하여 陳于玆하면 高后丕乃崇降罪疾하사 曰 曷虐朕民고 하시니라

번역

"정사를 그르쳐 이곳에 계속 눙치고 있으면 고후(高后, 탕왕을 지칭)께서 내게 큰 죄질(罪疾)을 내리시며 '어이하여 이 백성을 학대하는고?' 하실 것이다."

10-12.

백문 원문

汝萬民乃不生生暨予一人猷同心先后丕降與汝罪疾曰曷不暨朕幼孫有比故有爽德自上其罰汝汝罔能迪

현토 원문

汝萬民이 乃不生生하여 暨予一人猷로 同心하면 先后丕降與汝罪疾하사 曰 曷不暨朕幼孫으로 有比오하시리니 故有爽德이라 自上으로 其罰汝하시리니 汝罔能迪하리라

번역

"그대 만민들이 넉넉하게 생활하길 원치 않아 나의 계획대로 한 마음이 되어 움직이지 않으면 선왕께서 그대들에게 큰 죄질을 내리시며 '어이하여 나의 유손(幼孫)과 함께 일을 도모하지 않는가?' 하실 것이다. 이런 실덕(失德)이 있게 되면 하늘에서 그대들을 벌하리니, 그때 그대들은 이를 벗어날 길이 없을 것이다."

10-13.

난자(難字)

戕: 해칠장 / 綏: 회유할유

백문 원문

古我先后既勞乃祖乃父汝共作我畜民汝有戕則在乃心我先后綏乃祖乃父乃祖乃父乃斷棄汝不救乃死

현토 원문

古我先后 既勞乃祖乃父라 汝共作我畜民이니 汝有戕이 則在乃心하면 我先后綏乃祖乃父하여시든 乃祖乃父乃斷棄汝하여 不救乃死하리라

번역

"과거 우리 선왕들께서는 그대들의 조부를 수고롭게 하셨다. 그대들은 모두 내가 길러야 할 백성인데 그대들이 나의 일을 돕지 않고 해살할 마음을 갖게 되면 우리 선왕들께서 그대들의 조부에게 이

상황을 알리리니 그리되면 그대들의 조부는 그대들을 저버려 도탄에 빠져도 구하려 하지 않고 죽게 내버려 둘 것이다."

10-14.

백문 원문

玆予有亂政同位具乃貝玉乃祖先父丕乃告我高后曰作丕刑于朕孫迪高后丕乃崇降弗祥

현토 원문

玆予有亂政同位 具乃貝玉하면 乃祖先父 丕乃告我高后하여 曰作丕刑于朕孫이라하여 迪高后하여 丕乃崇降弗祥하리라

번역

"나와 정사를 함께 하는 이들이 재물을 모으는데 몰두하면 그대들의 조부가 우리 고후(高后, 탕왕을 지칭)께 아뢰길 '저희 자손들에게 큰 벌을 내리소서'라 할 것이다. 그리고 고후께 적극 권유하여 그대들에게 상서롭지 못한 사태를 발생토록 하게 할 것이다."

10-15.

백문 원문

嗚呼今予告汝不易永敬大恤無胥絶遠汝分猷念以相從各設中于乃心

현토 원문

嗚呼라 今予告汝不易하노니 永敬大恤하여 無胥絶遠하여 汝分猷念以相從하여 各設中于乃心하라

번역

"아아, 내 이제 그대들에게 천도의 계획이 결코 쉽지 않음을 고하노니 나의 이 큰 근심을 받들어 지지하고 절대로 멀리하거나 끊

어 버리지 말라. 그대들은 나의 계획과 염려를 나누어 맡고 마음의 중심을 유지토록 하라!"

10-16.

난자(難字)

劓: 코벨의 / 殄: 죽일진

백문 원문

乃有不吉不迪顚越不恭暫遇姦宄我乃劓殄滅之無遺育無俾易種于兹新邑

현토 원문

乃有不吉不迪이 顚越不恭과 暫遇姦宄어든 我乃劓殄滅之無遺育하여 無俾易種于兹新邑하리라

번역

"불선(不善)하고 부도(不道)한 자들이 공손치 않고 함부로 날뛰는 것과 간악한 짓을 하려는 자들을 만나면 내 이들의 코를 베고 도륙하여 종자를 남기지 아니하리니 그들을 결단코 새 도읍에 이르지 못하게 할 것이다."

10-17.

백문 원문

往哉生生今予將試以汝遷永建乃家

현토 원문

往哉生生하라 今予는 將試以汝遷하여 永建乃家니라

번역

"가서 생업에 충실하도록 하라! 내 이제 그대들을 새 도읍에 옮

겨 그대들의 터전을 길이 마련해 줄 것이다."

11. 반경 하(盤庚 下)

11-1.

백문 원문

盤庚旣遷奠厥攸居乃正厥位綏爰有衆

현토 원문

盤庚이 旣遷하사 奠厥攸居하시고 乃正厥位하사 綏爰有衆하시다

번역

반경이 천도 후에 각자가 머물 곳을 마련해주고 군신들의 책무를 바로잡아 대중을 편안하게 해주셨다.

11-2.

백문 원문

曰無戲怠懋建大命

현토 원문

曰 無戲怠하여 懋建大命하라

번역

왕께서 다음과 같이 말씀하셨다: "놀거나 게으름피우지 말고 새 도읍의 큰 사명을 이루기에 힘쓰라!"

11-3.

백문 원문

今予其敷心腹腎腸歷告爾百姓于朕志罔罪爾衆爾無共怒協比讒言

予一人

현토 원문

今予其敷心腹腎腸하여 歷告爾百姓于朕志하니 罔罪爾衆이니 爾無共怒하여 協比讒言予一人하라

번역

“내 이제 폐부에 있는 속마음을 그대들에게 두루 고하노니 결코 그대들을 벌하려는 것이 아니다. 그대들은 분심(憤心)을 품고 나를 비난하는 말을 하지 말도록 하라.”

11-4.

백문 원문

古我先王將多于前功適于山用降我凶德嘉績于朕邦

현토 원문

古我先王이 將多于前功하리라 適于山하사 用降我凶德하사 嘉績于朕邦하시니라

번역

“선왕이신 탕왕께서는 ‘나의 공이 선대의 공보다 많게 하리라’ 하고는 다시 박(亳) 땅으로 천도하사 우리에게 닥쳤던 흉덕을 감쇄시키사 말씀하셨던 대로 훌륭한 공적을 이룩하셨다.”

11-5.

백문 원문

今我民用蕩析離居罔有定極爾謂朕曷震動萬民以遷

현토 원문

今我民이 用蕩析離居하여 罔有定極이어늘 爾謂朕호되 曷震動

萬民하여 以遷고하나다

번역

“그대들은 이곳으로 천도하기 전 경(耿) 땅에서 탕석이거(蕩析離居, 생활이 곤고하여 여기저기 흩어져 삶)하여 정주(定住)할 곳이 없었다. 내가 천도를 단행하자 그대들은 이구동성으로 ‘어찌하여 우리들을 진동(震動)시켜 천도케 하시나이까’라고 가시 돋힌 말들을 하였다.”

11-6.

백문 원문

肆上帝將復我高祖之德亂越我家朕及篤敬恭承民命用永地于新邑

현토 원문

肆上帝 將復我高祖之德하사 亂越我家어시늘 朕及篤敬으로 恭承民命하여 用永地于新邑호라

번역

“그러나 하느님께서 다시 한번 우리 고조(高祖, 탕왕을 지칭)의 덕을 부흥시켜 우리나라를 안정케 하셨기에 나와 독실한 신하들이 백성의 명(命)을 공경하여 이 새 도읍에 영원한 터전을 마련하게 되었다.”

11-7.

난자(難字)

冲: 어릴충 / 弔: 이를적 / 賁: 클분

백문 원문

肆予冲人非廢厥謀弔(적)由靈各非敢違卜用宏玆賁

현토 원문

肆予冲人이 非廢厥謀라 弔(적)由靈이며 各非敢違卜이라 用宏茲賁이니라

번역

"내 비록 어리석지만 결코 그대들의 좋은 계책을 폐하지 않고 그것을 따른 것이며 아울러 그대들 또한 복사를 어기지 않고 큰 사업을 이루려 했다는 것을 잘 안다."

11-8.

백문 원문

嗚呼方伯師長百執事之人尙皆隱哉

현토 원문

嗚呼라 方伯師長百執事之人은 尙皆隱哉어다

번역

"아아, 방백(方伯)과 사장(師長)과 온 집사(執事)들은 부디 은통(隱痛)의 마음을 가질지어다."

11-9.

백문 원문

予其懋簡相爾念敬我衆

현토 원문

予其懋簡相爾는 念敬我衆이니라

번역

"내가 애써 좋은 지역을 골라 그대들을 이곳에 인도한 것은 오로지 그대들의 안위를 염려하고 그대들을 공경하기 때문이었다."

11-10.

백문 원문

朕不肩好貨敢恭生生鞠人謀人之保居敍欽

현토 원문

朕은 不肩好貨하고 敢恭生生하여 鞠人謀人之保居를 敍欽하노라

번역

"나는 재화를 탐닉하는 자를 등용치 아니하고 오직 민생을 부양하는데 진력하고 사람들을 성장시키고 사람들이 안정된 주거를 갖도록 진력하는 자를 서용(敍用)하고 높이 사려 한다."

11-11.

난자(難字)

羞: 나아갈수

백문 원문

今我既羞告爾于朕志若否罔有弗欽

현토 원문

今我既羞告爾于朕志하니 若否를 罔有弗欽하라

번역

"내 이제 그대들에게 나의 뜻을 진고(進告)했으니 재화를 탐닉하는 자를 등용치 아니하고 민생을 부양하는데 진력하는 자를 등용하려는 나의 뜻을 받들어 유념할지어다."

11-12.

난자(難字)

庸: 공용

백문 원문

無總于貨寶生生自庸

현토 원문

無總于貨寶하고 生生으로 自庸하라

번역

“재화를 모으는데 진력치 말고, 민생을 부양하는데 진력함을 자신의 공으로 삼으라!”

11-13.

백문 원문

式敷民德永肩一心

현토 원문

式敷民德하여 永肩一心하라

번역

“삼가 백성을 위하는 덕을 펴고 그 마음을 길이 보존토록 하라!”

12. 열명 상(說命 上)

12-1.

난자(難字)

亮: 믿을량 / 陰: 어두울암

백문 원문

王宅憂亮陰(암)三祀旣免喪其惟弗言羣臣咸諫于王曰嗚呼知之曰明哲明哲實作則天子惟君萬邦百官承式王言惟作命不言臣下罔攸稟令

현토 원문

王이 宅憂亮陰(암)三祀하사 旣免喪하시고 其惟弗言이어시늘 羣臣이 咸諫于王曰 嗚呼라 知之曰明哲이니 明哲이 實作則하나니 天子惟君萬邦이어시든 百官이 承式하여 王言을 惟作命하나니 不言하시면 臣下罔攸稟令하리이다

번역

왕(고종(高宗)을 지칭)이 여막(廬幕)에서 3년 상을 치뤘다. 상을 마친 후에도 말씀을 하지 않으시니 여러 신하들이 모두 왕에게 간하였다: "아아, 미리 아는 이를 명철하다 하나니 명철한 이는 천하의 법도가 되나이다. 천자께오선 명철한 만방의 임금이시니 백관(百官)은 임금을 법도로 받들어 임금의 말씀을 명(命)으로 삼나이다. 이제 임금께오서 말씀을 아니하시니 소신들은 명을 받을 곳이 없나이다."

12-2.

난자(難字)

賚: 줄뢰

백문 원문

王庸作書以誥曰以台正于四方台恐德弗類玆故弗言恭默思道夢帝賚予良弼其代予言

현토 원문

王庸作書以誥曰 以台로 正于四方이실새 台恐德弗類하여 玆故로 弗言하여 恭默思道하더니 夢에 帝賚予良弼하시니 其代予言이리라

번역

왕이 이에 글을 지어 신하들에게 고하였다: "이제 내가 천지사방을 바로잡을 책무를 맡게 되었음에 나의 덕이 선왕들의 덕에 미치지 못함을 걱정하여 섣불리 말하지 못하고 경건한 마음으로 침묵 속에서 치도를 생각하였다. 그런데 꿈에 하느님께서 내게 보내주신 양필(良弼)의 인물을 보게 되었다. 그를 얻으면 그가 나를 대신하여 그대들에게 말을 할 것이다."

12-3.

백문 원문

乃審厥象俾以形旁求于天下說築傅巖之野惟肖

현토 원문

乃審厥象하사 俾以形으로 旁求于天下하시니 說이 築傅巖之野하더니 惟肖하더라

번역

이에 그의 모습을 상세히 복기해 초상화를 그렸다. 그 초상화를 가지고 온 천하를 다니며 그와 닮은 이를 찾게 했다. 열(說)이 부암(傅巖)의 들에 거주하고 있었는데 그 초상화와 혹사했다.

12-4.

백문 원문

爰立作相王置諸其左右

현토 원문

爰立作相하사 王이 置諸其左右하시다

번역

이에 그를 재상으로 삼고 옆에 두었다.

12-5.

백문 원문

命之曰朝夕納誨以輔台德

현토 원문

命之曰 朝夕에 納誨하여 以輔台德하라

번역

왕이 열에게 명하였다: "그대는 조석으로 가르침을 올려 나의 덕을 보완하라."

12-6.

난자(難字)

礪: 숫돌려 / 楫: 노집

백문 원문

若金用汝作礪若濟巨川用汝作舟楫若歲大旱用汝作霖雨

현토 원문

若金이어든 用汝하여 作礪하며 若濟巨川이어든 用汝하여 作舟楫하며 若歲大旱이어든 用汝하여 作霖雨하리라

번역

"써야 할 쇠가 있다면 그대를 쇠를 벼리는 숫돌로 삼을 것이며, 만일 큰 내를 건너야 할 상황이라면 그대를 내를 건너는 배와 노로 삼을 것이며, 만약 가뭄이 들었다면 그대를 가뭄을 극복하는 장맛비로 삼으리라."

12-7.

백문 원문

啓乃心沃朕心

현토 원문

啓乃心하여 沃朕心하라

번역

"그대 마음의 물길을 열어 나의 마음에 대도록 하라."

12-8.

난자(難字)

瞑: 어지러울명 / 眩: 어지러울현/ 瘳: 나을추 / 跣: 맨발선

백문 원문

若藥弗瞑眩厥疾弗瘳若跣弗視地厥足用傷

현토 원문

若藥이 弗瞑眩이면 厥疾이 弗瘳하며 若跣이 弗視地하면 厥足이 用傷하리라

번역

"약 맛이 아찔하지 않으면 그 병이 낫지 아니하며, 바닥을 살피지 않고 걸으면 발이 상할 수 있을 것이다."

12-9.

백문 원문

惟暨乃僚罔不同心以匡乃辟俾率先王迪我高后以康兆民

현토 원문

惟暨乃僚로 罔不同心하여 以匡乃辟하여 俾率先王하여 迪我高

后하여 以康兆民하라

번역

"관속(官屬)들과 한마음이 되어 그대의 군주를 바로 잡아 현철(賢哲)했던 선왕의 도를 따라 그 길을 가게 하여 백성을 편안하게 할 수 있도록 하라."

12-10.

백문 원문

嗚呼欽予時命其惟有終

현토 원문

嗚呼라 欽予時命하여 其惟有終하라

번역

"아아, 나의 이 명을 부디 명심하여 나로 하여금 유종의 미를 거둘 수 있게 하라."

12-11.

난자(難字)

疇: 누구주 / 祗: 공경할지

백문 원문

說復于王曰惟木從繩則正后從諫則聖后克聖臣不命其承疇敢不祗若王之休命

현토 원문

說이 復于王曰 惟木從繩則正하고 后從諫則聖하나니 后克聖이시면 臣不命其承이온 疇敢不祗若王之休命하리잇고

번역

열이 왕께 아뢰었다: “나무를 켤 때 먹줄대로 켜면 바르게 켜지나니 임금께오서 신하의 충간(忠諫)을 따르시면 성스러워지실 것입니다. 임금께서 성스러우시면 신하들은 임금께서 명하지 않으셔도 스스로 그 뜻을 따를 것이오니 뉘라서 감히 임금의 아름다운 명을 따르지 않겠습니까?”

13. 열명 중(說命 中)

13-1.

백문 원문

惟說命總百官

현토 원문

惟說이 命으로 總百官하니라

번역

열이 임금의 명으로 백관을 총괄하게 되었다.

13-2.

백문 원문

乃進于王曰嗚呼明王奉若天道建邦設都樹后王君公承以大夫師長不惟逸豫惟以亂民

현토 원문

乃進于王曰 嗚呼라 明王이 奉若天道하사 建邦設都하여 樹后王君公하시고 承以大夫師長하심은 不惟逸豫라 惟以亂民이니이다

번역

열이 임금께 나아가 말하였다: "아아, 역대의 명왕(明王, 현명한 군주)들이 천도를 받들어 따라 나라를 세우고 도읍을 정하며 왕과 제후를 세우고 대부와 사장(師長)으로 일을 맡게 한 것은 편하고 즐겁기 위해서가 아니요, 오직 백성을 잘 다스리기 위해서 그리한 것입니다."

13-3.

백문 원문

惟天聰明惟聖時憲惟臣欽若惟民從乂

현토 원문

惟天이 聰明하시니 惟聖이 時憲하시면 惟臣이 欽若하며 惟民이 從乂하리이다

번역

"하늘은 귀 밝고 눈 밝으시니 임금께오서 이를 본받으시면 신하들은 공경하며 순종할 것이고 백성들 또한 자연스럽게 다스려질 것입니다."

13-4.

백문 원문

惟口起羞惟甲冑起戎惟衣裳在笥惟干戈省厥躬王惟戒玆允玆克明乃罔不休

현토 원문

惟口는 起羞하며 惟甲冑는 起戎하나니이다 惟衣裳을 在笥하시며 惟干戈를 省厥躬하사 王惟戒玆하사 允玆克明하시면 乃罔不休

하리이다

번역

"입은 잘못 다루면 수치심을 부르는 화근이 될 수 있고, 갑옷은 잘못 다루면 싸움을 부르는 화근이 될 수 있나이다. 상으로 내리는 의상(衣裳)은 상자에 잘 보관하여 신중히 내리시고, 전쟁에 사용되는 간과(干戈, 창과 방패)는 자신의 몸처럼 보살피사 신중히 사용하소서. 임금께오서 이 4가지를 신중히 살피시며 공명정대하게 쓰신다면 아름답지 않은 일이 없을 것입니다."

13-5.

난자(難字)

昵: 친근할닐

백문 원문

惟治亂在庶官官不及私昵惟其能爵罔及惡德惟其賢

현토 원문

惟治亂이 在庶官하니 官不及私昵하사 惟其能이면 爵罔及惡德하사 惟其賢하소서

번역

"정사의 치란(治亂)은 뭇 관리들에게 달렸으니, 관직은 결코 사사로운 이들에게 내려서는 아니되며, 오직 유능한 이에게만 내려야 합니다. 작위 또한 결코 악덕한 자에게 내려서는 아니되며, 오직 현덕(賢德)한 이에게만 내려야 합니다."

13-6.

백문 원문

慮善以動動惟厥時

현토 원문

慮善以動하사되 動惟厥時하소서

번역

“이치를 헤아려 행동하시되 상황과 때를 고려하여 행동하시옵소서.”

13-7.

백문 원문

有其善喪厥善矜其能喪厥功

현토 원문

有其善하면 喪厥善하고 矜其能하면 喪厥功하리이다

번역

“자만하면 이치를 그르치기 쉽고, 재능을 과신하면 공을 이루기 어렵습니다.”

13-8.

백문 원문

惟事事乃其有備有備無患

현토 원문

惟事事 乃其有備니 有備라사 無患하리이다

번역

“일마다 대비가 있어야 하니, 대비가 있으면 근심이 없을 것입니다.”

13-9.

백문 원문

無啓寵納侮無恥過作非

현토 원문

無啓寵納侮하시며 無恥過作非하소서

번역

"총애하는 일이 있어 다른 이의 비난이 따르게 하지 말며, 잘못을 부끄럽게 여겨 그것을 덮으려는 그릇된 일을 하지 마소서."

13-10.

백문 원문

惟厥攸居政事惟醇

현토 원문

惟厥攸居라사 政事惟醇하리이다

번역

"마땅히 마음이 머물러야 할 곳을 편하게 여기셔야 정사가 순후(醇厚)하게 될 것입니다."

13-11.

난자(難字)

黷: 더럽힐독

백문 원문

黷于祭祀時謂弗欽禮煩則亂事神則難

현토 원문

黷于祭祀 時謂弗欽이니 禮煩則亂이라 事神則難하니이다

번역

“제사를 함부로 지내는 것은 결코 신을 공손하게 대하는 것이 아닙니다. 마찬가지로 예는 번거로우면 되려 혼란만 일으키니, 이 모두 신을 섬기는 올바른 행동이 아닙니다.”

13-12.

백문 원문

王曰旨哉說乃言惟服乃不良于言予罔聞于行

현토 원문

王曰 旨哉라 說아 乃言이 惟服이로다 乃不良于言이런들 予罔聞于行이랏다

번역

왕께서 말하였다: “말이 참으로 맛이 있도다. 열, 그대의 이 말을 내 실천에 옮기리라. 그대가 좋은 말을 해주지 않았다면 내가 행동하는데 참고할만한 말을 듣지 못하였을 것이다.”

13-13.

난자(難字)

忱: 정성심

백문 원문

說拜稽首曰非知之艱行之惟艱王忱不艱允協于先王成德惟說不言有厥咎

현토 원문

說이 拜稽首曰 非知之艱이라 行之惟艱하니 王忱不艱하시면 允協于先王成德하시리니 惟說이 不言하면 有厥咎하리이다

번역

열이 머리를 조아려 절을 하며 말하였다: “아는 것이 어려운 것이 아니라 행하는 것이 어렵나이다. 임금께오서 제 말을 진실되게 믿으사 실천에 옮기신다면 진실로 선왕들의 성덕(成德)과 합치되실 것입니다. 제가 임금님께 충언(忠言)을 드리지 않으면 저는 큰 허물을 짓는 것입니다.”

14. 열명 하(說命 下)

14-1.

백문 원문

王曰來汝說台小子舊學于甘盤旣乃遯于荒野入宅于河自河徂亳暨厥終罔顯

현토 원문

王曰 來汝說아 台小子 舊學于甘盤하더니 旣乃遯于荒野하며 入宅于河하며 自河徂亳하여 暨厥終하여 罔顯호라

번역

왕께서 말씀하셨다: “열이여, 이리 오오. 나는 전에 감반(甘盤)에게 배우다가 황야(荒野)로 물러나 살게 되었고 다시 황하 근처로 옮겨와 살았으며 또다시 황하 근처에서 도읍인 박(亳)으로 들어와 살게 되었소. 이렇게 자주 옮겨 살다보니 종내 나의 배움은 보잘 것이 없게 되었소.”

14-2.

난자(難字)

糵: 누룩얼

백문 원문

爾惟訓于朕志若作酒醴爾惟麴糵若作和羹爾惟鹽梅爾交修予罔予棄予惟克邁乃訓

현토 원문

爾惟訓于朕志하여 若作酒醴어든 爾惟麴糵이며 若作和羹이어든 爾惟鹽梅라 爾交修予하여 罔予棄하라 予惟克邁乃訓하리라

번역

“그대는 나를 깨우쳐줄 것이니, 단술을 만들 때의 누룩과 같은 존재가 되고 국 맛을 조절할 때의 소금과 매실같은 존재가 되어 주오. 그대는 여러가지로 나를 단련시켜 나를 저버리지 마오. 내 그대의 가르침을 힘써 행할 것이오.”

14-3.

백문 원문

說曰王人求多聞時惟建事學于古訓乃有獲事不師古以克永世匪說攸聞

현토 원문

說曰 王아 人을 求多聞은 時惟建事니 學于古訓이라사 乃有獲하리니 事不師古하고 以克永世는 匪說의 攸聞이로소이다

번역

열이 말하였다: “왕이시여, 일을 올바르게 추진하려면 다문(多聞, 견문이 넓음)한 이를 구하셔야 하며, 내면을 수양하시려면 옛 선왕들의 가르침을 배우셔야 합니다. 일을 하는데 옛 선례를 본받지 않고 오래도록 장구한 태평세를 유지했다는 말을 저는 들어보지 못했습니다.”

14-4.

백문 원문

惟學遜志務時敏厥修乃來允懷于玆道積于厥躬

현토 원문

惟學은 遜志니 務時敏하면 厥修乃來하리니 允懷于玆하면 道積于厥躬하리이다

번역

"배움은 뜻을 겸손하게 가져야 합니다. 그리고 부지런하며 상황 상황마다 발 빠르게 익히면 그 효력이 나타날 것입니다. 이를 명심하신다면 임금님의 몸에 사물에 대한 이해와 일에 대한 해결책이 차곡차곡 쌓일 것입니다."

14-5.

난자(難字)

斅: 가르칠효

백문 원문

惟斅學半念終始典于學厥德修罔覺

현토 원문

惟斅는 學半이니 念終始를 典于學하면 厥德修를 罔覺하리이다

번역

"가르침은 배움의 절반이니 생각을 시종일관 항시 배움에 두시면 덕의 수양이 부지불식간에 닦여질 것입니다."

14-6.

백문 원문

監于先王成憲其永無愆

현토 원문

監于先王成憲하사 其永無愆하소서

번역

"선왕께서 이루어 놓은 법을 살피사 길이 허물이 없게 하소서."

14-7.

백문 원문

惟說式克欽承旁招俊乂列于庶位

현토 원문

惟說이 式克欽承하여 旁招俊乂하여 列于庶位호리이다

번역

"그리 하오시면 제가 임금님의 뜻을 삼가 받들어 뛰어난 인재들을 널리 구하여 요소요소에 앉힐 것입니다."

14-8.

백문 원문

王曰嗚呼說四海之內咸仰朕德時乃風

현토 원문

王曰 嗚呼라 說아 四海之內 咸仰朕德은 時乃風이니라

번역

왕께서 말씀하셨다: "아아, 열이여! 사해가 모두 나의 덕을 우러르게 된다면 이는 모두 그대의 풍교(風敎) 덕택일 것이오."

14-9.

백문 원문

股肱惟人良臣惟聖

현토 원문

股肱이라사 惟人이며 良臣이라사 惟聖이니라

번역

“팔다리가 있어야 온전한 사람이 될 것이며, 어진 신하가 있어야 성스러운 군주가 될 것이요.”

14-10.

백문 원문

昔先正保衡作我先王乃曰予弗克俾厥后惟堯舜其心愧恥若撻于市一夫不獲則曰時予之辜佑我烈祖格于皇天爾尚明保予罔俾阿衡專美有商

현토 원문

昔先正保衡이 作我先王하여 乃曰 予弗克俾厥后로 惟堯舜이면 其心愧恥 若撻于市하며 一夫不獲이어든 則曰時予之辜라하여 佑我烈祖하여 格于皇天하니 爾尚明保予하여 罔俾阿衡으로 專美有商하라

번역

“옛날 이윤은 선왕이신 탕왕을 인도할 때 이렇게 말하였소. ‘내 우리 군주를 요순으로 만들지 못하면 저자에서 매를 맞는 것처럼 부끄럽게 여길 것이다.’ 하여 한 사람이라도 평온치 못하면 이렇게 말하였소. ‘이는 나의 허물이로다.’ 이렇게 우리 열조(烈祖, 공적을 세웠던 군주, 여기서는 탕왕을 지칭)를 도와 그 덕이 하늘에 이르

게 했나니, 그대 또한 나를 밝게 도와 이윤만이 상(商)을 도왔다는 미명(美名)을 얻지 말게 하오."

14-11.

백문 원문

惟后非賢不乂惟賢非后不食其爾克紹乃辟于先王永綏民說拜稽首曰敢對揚天子之休命

현토 원문

惟后는 非賢이면 不乂하고 惟賢은 非后면 不食하나니 其爾克紹乃辟于先王하여 永綏民하라 說이 拜稽首曰 敢對揚天子之休命호리이다

번역

"군주란 현신이 없으면 정사를 제대로 다스릴 수 없고 현신 또한 군주가 없으면 국록을 먹을 수 없나니 그대는 나를 열조(烈祖)의 반열에 올려 길이 백성들을 편안하게 해주오." 열(說)이 머리를 조아려 절하며 말하였다: "삼가 임금님의 아름다운 명을 받들어 시행하겠나이다."

15. 고종융일(高宗肜日, 고종이 두 번째 제사 지내던 날)

15-1.

난자(難字)

肜: 제사융 / 越: 어조사월 / 雊: 새울음구

백문 원문

高宗肜日越有雊雉

현토 원문

高宗肜日에 越有雊雉어늘

번역

고종이 아버지 소을에 대한 제사를 지내고 다음 날 다시 제사를 지내는데, 꿩이 우는 기이(奇異)한 일이 생겼다.

15-2.

백문 원문

祖己曰惟先格王正厥事

현토 원문

祖己曰 惟先格王이오사 正厥事하리라

번역

조기(祖己)가 말하였다: "먼저 임금의 바르지 못한 마음을 바로 잡고 이 기이한 일의 의미를 바로 잡겠다."

15-3.

백문 원문

乃訓于王曰惟天監下民典厥義降年有永有不永非天夭民民中絶命

현토 원문

乃訓于王曰 惟天이 監下民하사되 典厥義니 降年이 有永有不永은 非天夭民이라 民中絶命이니이다

번역

이에 임금께 가르침의 말을 올렸다: "하느님은 지상의 백성을 살피실 때 오직 의(義)만을 기준으로 살피시니, 수명의 연한을 길게 혹은 짧게 하는 것은 결코 하느님이 그렇게 하는 것이 아니고 백성

이 중도에 제 스스로 그렇게 하는 것입니다."

15-4.

백문 원문

民有不若德不聽罪天旣孚命正厥德乃曰其如台

현토 원문

民有不若德하며 不聽罪할새 天旣孚命으로 正厥德이어시늘 乃曰其如台아

번역

"백성이 덕을 순후히 닦지 않고 허물을 뉘우치지 않으므로 하느님이 기이한 일로 그 덕을 바로잡고자 하셨거늘 '기이한 일이 내게 무슨 상관이랴'고 말하면 되겠나이까?"

15-5.

난자(難字)

昵: 아비사당녜

백문 원문

嗚呼王司敬民罔非天胤典祀無豐于昵(녜)

현토 원문

嗚呼라 王司敬民하시니 罔非天胤이시니 典祀를 無豐于昵(녜)하소서

번역

"아아, 임금께오선 백성을 공경하는 일을 맡으셨으니 신(神)에게 복을 비는 것은 임금의 일이 아니옵니다. 선대 왕들은 모두가 하느님의 자손이시니 제사를 올림에 아버님의 제사만 풍성하게 하지 마옵소서."

16. 서백감려(西伯戡黎, 서백이 여(黎)나라를 이기다)

16-1.

난자(難字)

戡: 이길감

백문 원문

西伯旣戡黎祖伊恐奔告于王

현토 원문

西伯이 旣戡黎어늘 祖伊恐하여 奔告于王하니라

번역

서백(西伯)이 여(黎)나라를 이기자 조이(祖伊)가 나라의 앞일이 걱정되어 주(紂)왕에게 달려가 고하였다.

16-2.

백문 원문

曰天子天旣訖我殷命格人元龜罔敢知吉非先王不相我後人惟王淫戲用自絶

현토 원문

曰 天子아 天旣訖我殷命이라 格人元龜 罔敢知吉이로소니 非先王이 不相我後人이라 惟王이 淫戲하여 用自絶이니이다

번역

다음과 같이 말하였다: "아아, 천자시여! 하느님이 우리 은(殷)의 명줄을 끊으셨나이다. 현자도 대구(大龜) 점도 우리 은의 앞길을 알지 못하고 있습니다. 선왕들께서 우리를 돕지 않기 때문이 아닙니다. 왕께서 여색과 놀이에 빠져 스스로 명줄을 끊으신 것입니다."

16-3.

백문 원문

故天棄我不有康食不虞天性不迪率典

현토 원문

故天이 棄我하사 不有康食하며 不虞天性하며 不迪率典하나이다

번역

“하여 하느님이 우리를 저버리사 백성들이 의식주를 걱정하며 선한 성품이 왜곡되어 방자하게 행동하며 지켜야 할 법을 지키지 않고 있나이다.”

16-4.

난자(難字)

摯: 이를지

백문 원문

今我民罔弗欲喪曰天曷不降威大命不摯今王其如台

현토 원문

今我民이 罔弗欲喪曰 天은 曷不降威하며 大命은 不摯오 今王은 其如台라하나이다

번역

“이제 백성들은 나라가 망하기를 바라지 않는 이가 없어 모두가 이렇게 말하고 있습니다. ‘하느님은 어이하여 이 나라에 하늘의 위엄을 보이지 아니하시며, 천명은 받은 이는 어이하여 이 나라에 이르지 않는가! 왕은 우리를 어쩌지 못하리!’”

16-5.

백문 원문

王曰嗚呼我生不有命在天

현토 원문

王曰 嗚呼라 我生은 不有命이 在天가

번역

왕이 말하였다: “아아, 나의 명줄은 하늘에 달려있나니, 내가 무슨 일을 하든 무슨 상관이 있겠는가!”

16-6.

난자(難字)

參: 나열할삼

백문 원문

祖伊反曰嗚呼乃罪多參在上乃能責命于天

현토 원문

祖伊反曰 嗚呼라 乃罪多參在上이어늘 乃能責命于天가

번역

조이가 돌아와 말하였다: “아아, 당신의 죄가 모두 하늘에 기록되어 있거늘 어찌 하늘에 명줄이 달려있다며 자신의 책임을 회피하는가?”

16-7.

백문 원문

殷之即喪指乃功不無戮于爾邦

현토 원문

殷之即喪이로소니 指乃功한대 不無戮于爾邦이로다

번역

"은(殷)은 곧 망할 것이로다. 당신의 일들을 헤아리면 과연 당신의 나라에서 당신이 온전할 수 있겠는가?"

17. 미자(微子)

17-1.

난자(難字)

酗: 주정할후

백문 원문

微子若曰父師少師殷其弗或亂正四方我祖底遂陳于上我用沈酗于酒用亂敗厥德于下

현토 원문

微子若曰 父師少師아 殷其弗或亂正四方이로소니 我祖底遂陳于上이어시늘 我用沈酗于酒하여 用亂敗厥德于下하나다

번역

미자가 다음과 같이 말했다: "부사(父師, 기자(箕子)를 지칭)여, 소사(少師, 비간(比干)을 지칭)여, 은(殷)은 이제 천하를 바로잡을 수 없을 것 같소이다. 선왕(탕왕을 지칭)께서 하늘에 계시거늘 우리 후손은 술독에 빠져 그 덕을 어지럽히며 허물고 있소이다."

17-2.

백문 원문

殷罔不小大好草竊姦宄卿士師師非度凡有辜罪乃罔恒獲小民方興相爲敵讎今殷其淪喪若涉大水其無津涯殷遂喪越至于今

현토 원문

殷이 罔不小大히 好草竊姦宄어늘 卿士師師非度하여 凡有辜罪乃罔恒獲한대 小民이 方興하여 相爲敵讎하나니 今殷其淪喪이 若涉大水에 其無津涯하니 殷遂喪이 越至于今이러니라

번역

"은(殷)은 어른이고 애고 모두 거리낌 없이 나쁜 짓을 행하고 있소이다. 높은 자들은 높은 자들대로 준법 의식이 희박하여 상호간 범법 행위를 눈감아 주어 위법한 자들이 처벌을 받지 않으며 아래 있는 자들은 아래 있는 자들끼리 물고 뜯어 서로 원수가 되고 있소이다. 이제 은의 어려운 지경은 큰물을 건너려는데 나루터가 없는 격과 같소이다. 은(殷)은 필연코 망하고 말 것이외다."

17-3.

난자(難字)

耄: 늙은이모 / 隮: 떨어질제

백문 원문

曰父師少師我其發出狂吾家耄遜于荒今爾無指告予顚隮若之何其

현토 원문

曰 父師少師아 我其發出狂할새 吾家耄 遜于荒이어늘 今爾無指告予顚隮하나니 若之何其오

번역

"부사(父師)여, 소사(少師)여, 우리 후손이 미친 짓을 하기에 나라의 노성(老成)한 이들이 모두 황야로 달아남에도 그대들은 이 위급한 현재 상황을 경고해주지 않고 있소. 이 상황을 어찌하면 좋겠소이까?"

17-4.

난자(難字)

酗: 주정할후

백문 원문

父師若曰王子天毒降災荒殷邦方興沈酗于酒

현토 원문

父師若曰 王子아 天毒降災하사 荒殷邦이어시늘 方興하여 沈酗于酒하나다

번역

부사가 이렇게 말했다: "왕자시여, 하늘이 독하게 재앙을 내려 은을 패망케 하려 하는데 후손된 이는 술독에 빠져 있습니다."

17-5.

난자(難字)

咈: 어길불 / 耇: 늙은이구

백문 원문

乃罔畏畏咈其耇長舊有位人

현토 원문

乃罔畏畏하여 咈其耇長舊有位人하나다

번역

"두려워해야 할 것을 두려워하지 않아 노성(老成)한 구신(舊臣)들을 함부로 대하고 있습니다."

17-6.

난자(難字)

牷: 희생전

백문 원문

今殷民乃攘竊神祇之犧牷牲用以容將食無災

현토 원문

今殷民이 乃攘竊神祇之犧牷牲이어늘 用以容하여 將食無災하나다

번역

“지금 은의 백성들은 신에게 드리는 희생(犧牲)을 빼앗고 훔쳐 가 먹고 있지만 아무도 이들을 제재하거나 처벌하지 않고 있습니다.”

17-7.

난자(難字)

瘠: 파리할척 / 詔: 호소할조

백문 원문

降監殷民用又讐斂召敵讐不怠罪合于一多瘠罔詔

현토 원문

降監殷民하니 用又讐斂이로소니 召敵讐不怠하여 罪合于一하니 多瘠이라도 罔詔로다

번역

“지금 은나라의 사정을 보면 윗사람이 백성을 마치 원수 대하듯 가렴주구를 일삼고 이에 따라 백성들 또한 윗사람을 원수처럼 여기고 있습니다. 서로가 잘못하고 있지만 피해는 백성들만 받기에 백성들은 굶주려 죽는 이가 부지기수이며 어디에다 호소하지도 못하고 있습니다.”

17-8.

난자(難字)

隮: 떨어질제

백문 원문

商今其有災我興受其敗商其淪喪我罔爲臣僕詔王子出迪我舊云刻子王子弗出我乃顚隮

현토 원문

商이 今其有災하리니 我는 興受其敗호리라 商其淪喪이라도 我罔爲臣僕호리라 詔王子出迪하노니 我舊云이 刻子랏다 王子弗出하면 我乃顚隮하리라

번역

"상(商)에 이제 큰 재액이 닥칠 것입니다. 저는 기꺼이 그 재액을 감내할 것입니다. 상이 망하더라도 저는 다른 이의 신하가 되지 않을 것입니다. 왕자께서는 상을 떠나시길 권합니다. 제가 예전에 말했던 일— 제을(帝乙)에게 주(紂)를 왕위에 세우지 말고 미자(微子)를 세우라고 권유한 것 —때문에 왕자께서는 해를 입으실 수 있습니다. 왕자께서 상을 떠나시지 않으시면 상의 종사(宗祀)는 이어질 수 없을 것입니다."

17-9.

난자(難字)

靖: 편안할정

백문 원문

自靖人自獻于先王我不顧行遯

현토 원문

自靖하여 人自獻于先王이니 我는 不顧行遯호리라

번역

“저마다 자신이 생각하는 의리에 맞게 행동하여 선왕께 부끄러움이 없으면 되니, 저는 결코 숨지 않고 상의 재액을 온몸으로 받아들일 것입니다.”

V. 주서(周書, 주나라의 기록)

1. 태서 상(泰誓 上)

1-1.

백문 원문

惟十有三年春大會于孟津

현토 원문

惟十有三年春에 大會于孟津하시다

번역

무왕(武王) 13년 봄, 주왕을 치기 위해 연합군이 맹진(孟津)에서 대대적으로 모였다.

1-2.

난자(難字)

冢: 클총 / 越: 및월

백문 원문

王曰嗟我友邦冢君越我御事庶士明聽誓

현토 원문

王曰 嗟 我友邦冢君과 越我御事庶士아 明聽誓하라

번역

왕께서 말씀하셨다: "아아, 우방(友邦)의 총군(冢君, 상대방 나라의 임금을 높여 부르는 말)과 장군 군사들은 나의 맹세를 귀담아 들을지어다."

1-3.

난자(難字)

亶: 진실로단

백문 원문

惟天地萬物父母惟人萬物之靈亶聰明作元后元后作民父母

현토 원문

惟天地는 萬物父母요 惟人은 萬物之靈이니 亶聰明이 作元后요 元后作民父母니라

번역

“천지는 만물의 부모요, 사람은 만물의 영장이다. 총명한 이는 군주가 되나니 군주란 (하늘을 대신한) 백성의 부모이다.”

1-4.

백문 원문

今商王受弗敬上天降災下民

현토 원문

今商王受 弗敬上天하며 降災下民하나다

번역

“이제 상왕(商王)인 수(受)는 하느님을 공경하지 않으며 백성들에게 재앙을 내리고 있다.”

1-5.

난자(難字)

湎: 빠질면 / 榭: 누대사 / 陂: 제방피 / 斮: 쪼갤고 / 剔: 뼈발라낼척

백문 원문

沈湎冒色敢行暴虐罪人以族官人以世惟宮室臺榭陂池侈服以殘害于爾萬姓焚炙忠良刳剔孕婦皇天震怒命我文考肅將天威大勳未集

현토 원문

沈湎冒色하여 敢行暴虐하여 罪人以族하고 官人以世하며 惟宮室臺榭陂池侈服으로 以殘害于爾萬姓하며 焚炙忠良하며 刳剔孕婦한대 皇天이 震怒하사 命我文考하사 肅將天威하시니 大勳을 未集하시니라

번역

"수는 술과 여색에 빠져 지내며 포악한 짓을 자행하고 있다. 죄인을 처벌할 때 무고한 친족까지 연좌시켜 처벌하며 무능한 자들을 대대로 관직에 등용시키고 있다. 화려한 건물과 누각 택지(澤池) 그리고 사치스런 옷치장을 위해 백성들을 각종 노역에 동원시키고 중세를 부과하여 백성들에게 심각한 해를 끼치고 있다. 충성스럽고 어진 신하들을 잔인하게 죽이고 임신한 여성들의 배를 가르는 가공할 짓을 하여 마침내 하느님이 진노하사 우리 선왕이신 문왕으로 하여금 하늘의 위엄을 보여주게 하셨으나 왕께서 대업을 미처 완성하지 못하시고 돌아가셨다."

1-6.

난자(難字)

悛: 고칠전 / 夷: 걸터앉을이 / 粢: 곡식자

백문 원문

肆予小子發以爾友邦冢君觀政于商惟受罔有悛心乃夷居弗事上帝神祇遺厥先宗廟弗祀犧牲粢盛旣于凶盜乃曰吾有民有命罔懲其侮

현토 원문

肆予小子發이 以爾友邦冢君으로 觀政于商하니 惟受罔有悛心하여 乃夷居하여 弗事上帝神祇하며 遺厥先宗廟하여 弗祀하여 犧牲粢盛이 旣于凶盜어늘 乃曰吾有民有命이라하여 罔懲其侮하나다

번역

"이제 나 발(發)이 우방의 총군들과 상나라의 정사를 보니 임금인 수는 전혀 뉘우치는 기색 없이 오만히 자리를 지키면서 하느님과 신령들을 섬기지 아니하고 종묘(宗廟)를 살피지 아니하며 제사도 제대로 지내지 않고 있다. 제사에 쓰일 희생과 곡식들이 도난당해도 개의치 않고 되려 큰소리로 당당하게 '내게는 백성이 있고 천명이 있다'며 잘못을 뉘우치지 않고 있다."

1-7.

백문 원문

天佑下民作之君作之師惟其克相上帝寵綏四方有罪無罪予曷敢有越厥志

현토 원문

天佑下民하사 作之君 作之師하심은 惟其克相上帝하여 寵綏四方이시니 有罪無罪에 予는 曷敢有越厥志호리오

번역

"하느님이 백성을 보살피사 그들을 위해 임금과 스승을 세워 주심은 오직 하느님의 뜻을 도와 사방을 편안케 하려 하심이다. 그러니 죄 있는 자와 죄 없는 자를 대할 때 내 어찌 하느님의 뜻을 거스릴 수 있으리오!"

1-8.

백문 원문

同力度(탁)德同德度義受有臣億萬惟億萬心予有臣三千惟一心

현토 원문

同力커든 度(탁)德하고 同德커든 度義하리니 受有臣億萬이나 惟億萬心이어니와 予有臣三千하니 惟一心이니라

번역

"힘이 같으면 덕으로 가리고, 덕이 같으면 의로 헤아린다 하였다. 수에게는 비록 억만의 신하가 있으나 모두 제각기 다른 마음이다. 내겐 비록 삼천의 신하밖에 없지만 그 마음은 하나이니 과연 누가 더 우위에 있다 하겠는가!"

1-9.

난자(難字)

鈞: 고를균

백문 원문

商罪貫盈天命誅之予弗順天厥罪惟鈞

현토 원문

商罪貫盈이라 天命誅之하시나니 予弗順天하면 厥罪惟鈞하리라

번역

"상의 죄가 온 천하에 가득하여 하늘이 그를 주벌(誅伐)케 하시니, 내가 하늘의 뜻을 따르지 않는다면 그 죄는 상과 같다 하리라."

1-10.

난자(難字)

祗: 공경할지

백문 원문

予小子夙夜祗懼受命文考類于上帝宜于冢土以爾有衆厎天之罰

현토 원문

予小子는 夙夜祗懼하여 受命文考하여 類于上帝하며 宜于冢土하여 以爾有衆으로 厎天之罰하노라

번역

"나는 한시도 방심하지 않고 경건한 마음으로 지내며 선왕이신 문왕의 사당에서 대업 완수의 명을 받았다. 하느님께 유제(類祭)를 지내고 총토(冢土)에 의제(宜祭)를 지낸 뒤 그대들과 더불어 하느님의 벌을 실행에 옮기려 한다."

1-11.

백문 원문

天矜于民民之所欲天必從之爾尙弼予一人永淸四海時哉弗可失

현토 원문

天矜于民이라 民之所欲을 天必從之하시나니 爾尙弼予一人하여 永淸四海하라 時哉라 弗可失이니라

번역

"하느님은 백성을 긍휼히 여기시는지라 백성이 원하는 것을 하느님은 반드시 따르신다. 그대들은 나를 도와 길이 사해를 맑게 할 수 있도록 하라. 때가 왔다. 이 때를 놓쳐서는 안 될 것이다."

2. 태서 중(泰誓 中)

2-1.

백문 원문

惟戊午王次于河朔羣后以師畢會王乃徇師而誓

현토 원문

惟戊午에 王이 次于河朔커시늘 羣后以師畢會한대 王이 乃徇師而誓하시다

번역

무오일(1월 28일)에 왕께서 하북에 머물렀다. 군후(君后)들이 군대를 이끌고 모두 모였다. 왕이 군대를 순시하며 다짐의 말을 하였다.

2-2.

백문 원문

曰嗚呼西土有衆咸聽朕言

현토 원문

曰 嗚呼라 西土有衆아 咸聽朕言하라

번역

"아아, 이곳에 모인 군사들이여, 모두 나의 말을 들으라!"

2-3.

난자(難字)

犂: 검을리 / 昵: 친할닐 / 酗: 술주정할후 / 籲: 부르짖을유

백문 원문

我聞吉人爲善惟日不足凶人爲不善亦惟日不足今商王受力行無度播棄犂老昵比罪人淫酗肆虐臣下化之朋家作仇脅權相滅無辜籲天穢德彰聞

현토 원문

我聞吉人은 爲善호되 惟日不足이어든 凶人은 爲不善호되 亦惟日不足이라하니 今商王受 力行無度하여 播棄犁老하고 昵比罪人하며 淫酗肆虐한대 臣下化之하여 朋家作仇하여 脅權相滅한대 無辜籲天하여 穢德이 彰聞하니라

번역

"내 들으니 '길인(吉人)은 선한 일을 하되 시간이 부족하다 여기고, 흉인(凶人)은 불선한 일을 하되 시간이 부족하다 여긴다' 하였소. 이제 상왕(商王) 수(受)는 무도한 짓만 일삼아 노인들을 방기(放棄)하고 간악한 자들과 친밀히 지내며 술과 여색에 빠져 잔혹한 짓들을 서슴치 않고 있소. 그 밑의 신하라는 자들은 이에 동화되어 끼리끼리 어울리며 서로를 욕보이고 권세를 가지고 위협하여 서로가 망조(亡兆)의 길을 걷고 있소. 무고(無辜)한 백성들은 그들의 고통을 하늘을 향해 울부짖으며 호소하고 있나니, 이제 저들의 더러운 덕은 하느님께 밝게 드러났소."

2-4.

백문 원문

惟天惠民惟辟奉天有夏桀弗克若天流毒下國天乃佑命成湯降黜夏命

현토 원문

惟天이 惠民이어시든 惟辟은 奉天하나니 有夏桀이 弗克若天하여 流毒下國한대 天乃佑命成湯하사 降黜夏命하시니라

번역

"하늘이 백성에게 은혜를 베푸심에 임금은 이 하늘의 뜻을 받들어야 하오. 저 하(夏)의 걸(桀)이 하늘의 뜻을 순종치 아니하고 온

나라에 해독을 끼치거늘 이에 하느님이 탕왕에게 명하사 하나라에 내렸던 천명을 거두게 하셨소."

2-5.

난자(難字)

剝: 해칠박

백문 원문

惟受罪浮于桀剝喪元良賊虐諫輔謂己有天命謂敬不足行謂祭無益謂暴無傷厥監惟不遠在彼夏王天其以予乂民朕夢協朕卜襲于休祥戎商必克

현토 원문

惟受는 罪浮于桀하니 剝喪元良하며 賊虐諫輔하며 謂己有天命이라하며 謂敬不足行이라하며 謂祭無益이라하며 謂暴無傷이라하나니 厥監이 惟不遠하여 在彼夏王하니라 天其以予로 乂民이라 朕夢協朕卜하여 襲于休祥하니 戎商必克하리라

번역

"수(受)의 죄악은 걸(桀)보다 더 심하오. 원량(元良, 훌륭한 신하. 여기서는 미자를 가리킴)과 간보(諫輔, 충간하며 보필하는 신하. 여기서는 비간을 가리킴)를 죽였으며, 천명이 여전히 자신에게 있다며 겸손한 태도를 갖지 않고, 제사란 무익한 일이라며 게을리 하고, 신하와 백성들에게 심한 행동을 해도 해 될 일이 없다고 공공연히 말하고 있소. 수(受)의 거울(본보기)은 바로 저 가까운 하왕 걸(桀)에게 있거늘 그는 이를 들여다보려 하지 않고 있소. 이제 하느님이 나로 하여금 백성을 다스리게 하셨소. 꿈에 받은 하늘의 계시와 점친 점사가 일치하여 아름다운 징조가 거듭되니 이제 상을 치면 반

드시 이길 것이오!"

2-6.

백문 원문

受有億兆夷人離心離德予有亂臣十人同心同德雖有周親不如仁人

현토 원문

受有億兆夷人이나 離心離德이어니와 予有亂臣十人하니 同心同德하니 雖有周親하나 不如仁人하니라

번역

"수(受)에게는 수없이 많은 사람이 있으나 그들의 마음은 모두 제각각이고 덕도 없소. 내게는 겨우 충직한 신하 열 사람밖에 없으나 그들의 마음은 모두 하나이고 덕도 충만하오. 친한 사람 다수보다 어진 사람 소수가 더 나은 법이오."

2-7.

백문 원문

天視自我民視天聽自我民聽百姓有過在予一人今朕必往

현토 원문

天視 自我民視하시며 天聽이 自我民聽하시나니 百姓有過在予一人하니 今朕은 必往하리라

번역

"하느님은 우리 백성들을 통해 보시며, 우리 백성들을 통해 들으시오. 이제 백성들이 내게 왜 수(受)를 치지 않냐며 책망하니, 내 이제 그를 치러 나서려 하오."

2-8.

백문 원문

我武惟揚侵于之疆取彼凶殘我伐用張于湯有光

현토 원문

我武를 惟揚하여 侵于之疆하여 取彼凶殘하여 我伐이 用張하면 于湯에 有光하리라

번역

"보무(步武)도 당당히 저 나라에 들어가 저 흉악무도한 자를 처단하려 하오. 나의 정벌이 달성되면 이는 탕의 업적에 빛을 더하는 격이 될 것이오!"

2-9.

난자(難字)

勖: 힘쓸욱 / 懍: 두려워할름

백문 원문

勖哉夫子罔或無畏寧執非敵百姓懍懍若崩厥角嗚呼乃一德一心立定厥功惟克永世

현토 원문

勖哉夫子는 罔或無畏하여 寧執非敵이라하라 百姓이 懍懍하여 若崩厥角하나니 嗚呼라 乃一德一心하여 立定厥功하여 惟克永世하라

번역

"오오, 군사들이여! 저들을 결코 두려워 말고 상대감이 안된다 여기라! 백성들은 학정에 시달려 철 지난 뿔이 저절로 떨어지는 것처럼 아무런 힘이 없소. 아아, 그대들은 한 마음 한 덕이 돼 큰 공을 세워 길이 빛나게 하라!"

3. 태서 하(泰誓 下)

3-1.

백문 원문

時厥明王乃大巡六師明誓衆士

현토 원문

時厥明에 王이 乃大巡六師하사 明誓衆士하시다

번역

그 다음 날(1월 29일) 왕께서 육사(六師, 천자의 군대를 지칭)를 순회하며 다시 한번 군사들에게 다짐의 말씀을 하셨다.

3-2.

백문 원문

王曰嗚呼我西土君子天有顯道厥類惟彰今商王受狎侮五常荒怠弗敬自絶于天結怨于民

현토 원문

王曰 嗚呼라 我西土君子아 天有顯道하여 厥類惟彰하니 今商王受 狎侮五常하며 荒怠弗敬하여 自絶于天하며 結怨于民하나다

번역

"아아, 우리 군사들이여! 하늘엔 분명한 도리가 있어 사람 간의 관계에서 반드시 지켜야 할 도리가 있거늘 이제 상왕(商王) 수(受)는 오상(五常, 오륜)을 업수이 여기며 공경치 않아 스스로 하늘과의 관계를 끊고 백성과는 원수가 되었소."

3-3.

난자(難字)

斮: 쪼갤작 / 脛: 정강이경 / 痡: 병들보 / 祝: 끊을축

백문 원문

斮朝涉之脛剖賢人之心作威殺戮毒痡四海崇信姦放黜師保屛棄典刑囚奴正士郊社不修宗廟不享作奇技淫巧以悅婦人上帝弗順祝降時喪爾其孜孜奉予一人恭行天罰

현토 원문

斮朝涉之脛하며 剖賢人之心하며 作威殺戮으로 毒痡四海하며 崇信姦回하고 放黜師保하며 屛棄典刑하고 囚奴正士하며 郊社를 不修하고 宗廟를 不享하며 作奇技淫巧하여 以悅婦人한대 上帝弗順하사 祝降時喪하시나니 爾其孜孜奉予一人하여 恭行天罰하라

번역

"그는 겨울에 차가운 내를 건너던 이의 정강이를 쪼갠 자이며, 현인 비간의 가슴을 가른 자이며, 폭압으로 살육을 밥 먹듯이 하여 온 천하여 독을 뿌린 자이며, 간사한 이들은 높이고 충직한 이들은 내친 자이며, 지켜야 할 법을 방기하고 정사(正士)를 가두고 노예로 삼은 자이며, 교사제(郊祀祭) 지내는 곳을 방치하는 자이며, 종묘(宗廟)의 제사를 지내지 않는 자이며, 기이하고 음란한 짓으로 부인을 즐겁게 하는 자이오. 하느님은 이 자의 행동을 받아들일 수 없어 망하게 하시려 하나니, 그대들은 각자 맡은 소임을 성실히 수행하여 나와 함께 천벌(天罰)을 수행토록 하오!"

3-4.

난자(難字)

殄: 끊을진 / 殲: 죽일섬 / 迪: 행할적

백문 원문

古人有言曰撫我則后虐我則讐獨夫受洪惟作威乃汝世讐樹德務滋除惡務本肆予小子誕以爾衆士殄殲乃讐爾衆士其尙迪果毅以登乃辟功多有厚賞 不迪有顯戮

현토 원문

古人이 有言曰 撫我則后요 虐我則讐라하니 獨夫受 洪惟作威하나니 乃汝世讐니라 樹德엔 務滋요 除惡엔 務本이니 肆予小子 誕以爾衆士로 殄殲乃讐하노니 爾衆士는 其尙迪果毅하여 以登乃辟이어다 功多하면 有厚賞하고 不迪하면 有顯戮하리라

번역

"옛사람이 말했소. 나를 보호해주면 군주요, 나를 학대하면 원수라고. 독부(獨夫, 인심을 얻지 못한 사람이란 의미)인 수(受)는 크게 폭력을 휘두른 자이니, 바로 그대들의 원수요! 덕을 심을 땐 번성하도록 해야 하고, 악을 없앨 땐 뿌리를 제거하도록 해야 하오. 이제 나 발(發)은 그대들과 더불어 그대들의 원수를 진멸코자 하니 그대들은 맡은바 소임을 과감히 수행하여 이 일을 완수토록 하오! 공이 많으면 후한 상이 뒤따를 것이나, 그렇지 않으면 여럿이 보는 앞에서 처형될 것이오!"

3-5.

백문 원문

嗚呼惟我文考若日月之照臨光于四方顯于西土惟我有周誕受多方

현토 원문

嗚呼라 惟我文考 若日月之照臨하사 光于四方하시며 顯于西土하시니 惟我有周는 誕受多方이리라

번역

"아아, 선왕이신 문왕의 덕은 하늘의 해와 달과 같아 온 사방을 비추셨으며 특별히 이 땅에서 더 빛났소. 이제 우리의 길에 많은 나라들이 기꺼이 동참할 것이오!"

3-6.

백문 원문

予克受非予武惟朕文考無罪受克予非朕文考有罪惟予小子無良

현토 원문

予克受라도 非予武라 惟朕文考無罪시며 受克予라도 非朕文考有罪라 惟予小子無良이니라

번역

"이제 내가 수(受)를 이길지라도 이는 나의 무용(武勇) 때문이 아니고 선왕이신 문왕께서 허물이 없으셨기 때문이며, 설령 내가 수(受)에게 질지라도 이는 선왕이신 문왕께 허물이 있어서가 아니고 내가 어질지 못하기 때문일 것이오!"

4. 목서(牧誓, 목야(牧野)에서의 다짐)

4-1.

난자(難字)

爽: 밝을상 / 旄: 깃발모 / 逖: 멀적

백문 원문

時甲子昧爽王朝至于商郊牧野乃誓王左杖黃鉞右秉白旄以麾曰逖矣西土之人

현토 원문

時甲子昧爽에 王이 朝至于商郊牧野하사 乃誓하시니 王이 左杖黃鉞하시고 右秉白旄하사 以麾曰 逖矣라 西土之人아

번역

갑자(甲子, 2월 4일)일 미명에 왕께서 일찍 상나라 교외 목야(牧野, 목 땅의 들판)에 도착하사 군사들에게 다짐의 말씀을 하셨다. 왕께선 왼손에 황금 도끼를, 오른손엔 흰 깃발을 쥐셨다. 왕께서 깃발을 휘두르시며 말씀하셨다: "먼 길을 왔도다, 주군(周軍, 주나라 군사)이여!"

4-2.

백문 원문

王曰嗟我友邦冢君御事司徒司馬司空亞旅師氏千夫長百夫長

현토 원문

王曰 嗟我友邦冢君과 御事인 司徒와 司馬와 司空과 亞旅와 師氏와 千夫長과 百夫長과

번역

"아아, 우방(友邦)의 총군(冢君)과 사도(司徒, 내무 담당자)와 사마(司馬, 군사 담당자)와 사공(司空, 병참 담당)과 아려(亞旅, 대부와 사(士))와 사씨(師氏, 호위 병사)와 천부장(千夫長)과 백부장(百夫長)과"

4-3.

백문 원문

及庸蜀羌髳微盧彭濮人

현토 원문

及庸蜀羌髳微盧彭濮人아

번역

“용·촉·강·무·미·노·팽·복(庸·蜀·羌·髳·微·盧·彭·濮) 땅 사람들이여,”

4-4.

백문 원문

稱爾戈比爾干立爾矛予其誓

현토 원문

稱爾戈하며 比爾干하며 立爾矛하라 予其誓하리라

번역

“창[戈]을 들고 방패를 나란히 하고 창[矛]을 세워라! 맹세의 말을 하리라!”

4-5.

난자(難字)

索: 쓸쓸할삭

백문 원문

王曰古人有言曰牝雞無晨牝雞之晨惟家之索(삭)

현토 원문

王曰 古人有言曰 牝雞는 無晨이니 牝雞之晨은 惟家之索(삭)이라하도다

번역

“옛사람이 말하길 ‘암탉은 새벽에 울면 안된다. 암탉이 울면 집안이 망한다’ 했소.”

4-6.

난자(難字)

逋: 도망갈포

백문 원문

今商王受惟婦言是用昏棄厥肆祀弗答昏棄厥遺王父母弟不迪乃惟四方之多罪逋逃是崇是長是信是使是以爲大夫卿士俾暴虐于百姓以姦宄于商邑

현토 원문

今商王受 惟婦言을 是用하여 昏棄厥肆祀하여 弗答하며 昏棄厥遺王父母弟하여 不迪하고 乃惟四方之多罪逋逃를 是崇是長하며 是信是使하여 是以爲大夫卿士하여 俾暴虐于百姓하며 以姦宄于商邑하나다

번역

"이제 상왕(商王) 수(受)는 부인의 말만을 채용하여 제사를 소홀히 하여 조상의 은덕을 갚지 않으며 동복 이복의 아우들을 저버려 보살피지 않고 사방에서 죄를 지어 도망 온 자들을 우대하고 신뢰하며 일을 맡겨 대부와 경사(卿士)로 삼고 있소. 이 자들은 백성에게 포악한 짓을 자행하고 상읍(商邑, 상나라의 고을)을 악의 구렁텅이에 빠트리고 있소."

4-7.

난자(難字)

愆: 넘을건 / 勖: 힘쓸욱

백문 원문

今予發惟恭行天之罰今日之事不愆于六步七步乃止齊焉夫子勖哉

현토 원문

今予發은 惟恭行天之罰하노니 今日之事는 不愆于六步七步하여 乃止齊焉하리니 夫子는 勗哉어다

번역

"이제 나 발(發)은 천벌(天罰)을 공행(恭行, 경건한 마음으로 받들어 행함)하려 하오. 한 번 이동함에 6보(步) 7보(步) 후에 멈추고 대열을 정비하오. 절대로 서둘러 가지 마오. 명심하오!"

4-8.

난자(難字)

勗: 힘쓸욱

백문 원문

不愆于四伐五伐六伐七伐乃止齊焉勗哉夫子

현토 원문

不愆于四伐五伐六伐七伐하여 乃止齊焉하리니 勗哉하라 夫子아

번역

"찌를 적에는 4벌(伐, 찌름) 5벌(伐) 6벌(伐) 7벌(伐) 이후에 멈추고 대열을 정비하오. 절대로 서두르지 마오. 명심하오!"

4-9.

난자(難字)

貔: 비휴비 / 羆: 큰곰비 / 迓: 맞이할아

백문 원문

尙桓桓如虎如貔如熊如羆于商郊弗迓克奔以役西土勗哉夫子

현토 원문

尙桓桓如虎如貔하며 如熊如羆于商郊하여 弗迓克奔하여 以役西土하라 勗哉하라 夫子아

번역

"범처럼 비(貔, 범의 일종)처럼 곰처럼 비(羆, 큰 곰)처럼 전투에 임하오. 투항하는 자들이란 죽이지 마오. 명심하오!"

4-10.

백문 원문

爾所弗勗其于爾躬有戮

현토 원문

爾所弗勗이면 其于爾躬有戮하리라

번역

"맡은 소임에 최선을 다하오! 그렇지 않으면 죽음이 따를 것이오!"

5. 무성(武成, 무공(武功)을 이루다)

5-1.

난자(難字)

魄: 어두울백

백문 원문

惟一月壬辰旁死魄越翼日癸巳王朝步自周于征伐商

현토 원문

惟一月壬辰旁死魄越翼日癸巳에 王이 朝步自周하사 于征伐商하시다

번역

1월 임진(壬辰)일 방사백(旁死魄, 2일) 다음 날인 계사(癸巳, 3일)일 아침에 왕께서 상나라 정벌을 단행하셨다.

5-2.

난자(難字)

哉: 비로소시 / 偃: 거둘언

백문 원문

厥四月哉生明王來自商至于豐乃偃武修文歸馬于華山之陽放牛于桃林之野示天下弗服

현토 원문

厥四月哉生明에 王이 來自商하사 至于豐하사 乃偃武修文하사 歸馬于華山之陽하시며 放牛于桃林之野하사 示天下弗服하시다

번역

4월 3일 왕께서 상(商) 정벌 후 풍(豐, 주나라의 옛 수도)에 이르사 무덕(武德)을 멈추시고 문덕(文德)을 닦으셨다. 전쟁에 동원했던 말들을 화산(華山) 남쪽으로 돌려보냈으며 소들을 도림(桃林)의 들에 풀어 놓았다. 이로써 천하에 다시 무력을 사용치 않겠다는 뜻을 보이셨다.

5-3.

난자(難字)

駿: 빠를준 / 柴: 나무시

백문 원문

丁未祀于周廟邦甸侯衛駿奔走執豆籩越三日庚戌柴望大告武成

현토 원문

丁未에 祀于周廟하실새 邦甸侯衛駿奔走하여 執豆籩하더니 越三日庚戌에 柴望하사 大告武成하시다

번역

정미(丁未)일에 주묘(周廟, 주나라 선조의 사당)에 제사를 지냈다. 가까운 방(邦)과 전(甸) 지역의 제후와 먼 후(侯)와 위(衛) 지역의 제후들이 달려와 제사를 도왔다. 3일이 지난 경술(庚戌)일에 시제(柴祭, 하늘에 지내는 제사)와 망제(望祭, 산천에 지내는 제사)를 지내 무공이 이루어졌음을 크게 알리셨다.

5-4.

백문 원문

旣生魄庶邦冢君暨百工受命于周

현토 원문

旣生魄에 庶邦冢君과 暨百工이 受命于周하니라

번역

보름 뒤에 여러 나라의 제후들과 신하들이 주나라에서 새로운 천자의 명을 받았다.

5-5.

난자(難字)

膺: 받을응

백문 원문

王若曰嗚呼羣后惟先王建邦啓土公劉克篤前烈至于大王肇基王迹王季其勤王家我文考文王克成厥勳誕膺天命以撫方夏大邦畏其力小

邦懷其德惟九年大統未集予小子其承厥志

현토 원문

王若曰 嗚呼羣后아 惟先王이 建邦啓土하여시늘 公劉克篤前烈이어시늘 至于大王하여 肇基王迹하여시늘 王季其勤王家어시늘 我文考文王이 克成厥勳하사 誕膺天命하사 以撫方夏하신대 大邦은 畏其力하고 小邦은 懷其德이 惟九年이러니 大統을 未集이어시늘 予小子其承厥志호라

번역

왕께서 다음과 같이 말씀하셨다: "아아, 군후(群后)들이여! 우리 주(周)는 선왕(후직(后稷)을 가리킴)께서 처음 나라를 세우시고 공유(公劉, 후직의 증손)께서 선대의 업적을 도탑게 하셨으며 태왕(太王, 고공단보(古公亶父))에 이르러 천하 왕자(王者)의 토대를 닦았소. 아드님 왕계(王季)께서 이 토대를 더욱 도탑게 하셨으며 나의 부친이신 문왕께서 큰 공을 세우사 마침내 천명에 부응하여 천하 사방을 위무하시게 되었소. 큰 나라는 그 힘을 두려워하고 작은 나라는 그 덕을 사모하길 물경 9년이 되었으나 완전한 대통(大統)을 이루지 못하고 돌아가셨소. 이제 나 발(發)이 그 일을 완수하였소이다."

5-6.

난자(難字)

厎: 지극할지 / 萃: 모일췌 / 藪: 수풀수 / 祇: 공경할지 / 貊: 오랑캐맥 / 俾: 따를비

백문 원문

厎商之罪告于皇天后土所過名山大川曰惟有道曾孫周王發將有大

正于商今商王受無道暴殄天物害虐烝民爲天下逋逃主萃淵藪予小子既獲仁人敢祗承上帝以遏亂略華夏蠻貊罔不率俾

현토 원문

底商之罪하사 告于皇天后土와 所過名山大川하사 曰 惟有道曾孫周王發은 將有大正于商하노니 今商王受無道하여 暴殄天物하며 害虐烝民하며 爲天下逋逃主라 萃淵藪어늘 予小子既獲仁人하여 敢祗承上帝하여 以遏亂略하니 華夏蠻貊이 罔不率俾하나다

번역

상(商)의 죄악을 분명히 드러내 하늘과 땅 그리고 지나는 명산대천에 이렇게 고하셨다: "도 있는 자(왕계를 지칭)의 증손 나 주왕(周王) 발(發)은 이제 상(商)을 크게 질정하기 위해 출발하노니 상왕(商王) 수(受)는 무도하여 하늘이 내린 생령(生靈)을 함부로 해하고 백성을 핍박하며 천하 모든 죄인들의 우두머리가 되었습니다. 죄인들은 연못과 숲속에 물고기와 동물이 모이듯 수(受)를 찾아 모이고 있습니다. 나 발(發)은 어진 이들을 얻고 삼가 하느님의 뜻을 받들어 수(受)의 난잡한 지모(智謀)를 봉쇄하여 화하(華夏, 중원)와 만맥(蠻貊, 변방) 모두의 응원과 복종을 받았나이다."

5-7.

난자(難字)

篚: 광주리비

백문 원문

恭天成命肆予東征綏厥士女惟其士女篚厥玄黃昭我周王天休震動用附我大邑周

현토 원문

恭天成命하여 肆予東征하여 綏厥士女하니 惟其士女 篚厥玄黃하여 昭我周王은 天休震動이라 用附我大邑周니라

번역

"천명을 삼가 받들어 동정(東征)을 단행하여 저 사녀(士女, 남녀, 혹은 백성의 의미)들을 편안하게 하니 사녀들이 광주리에 검은색 누런색의 비단을 담아 바쳐 우리 주 왕실을 빛나게 하였습니다. 이는 하늘의 아름다움이 진동한 것이기에 우리 주(周)에 귀부한 것입니다."

5-8.

난자(難字)

漂: 흐를표 / 杵: 공이저 / 鉅: 클거 / 賚: 줄뢰

백문 원문

惟爾有神尙克相予以濟兆民無作神羞旣戊午師渡孟津癸亥陳于商郊俟天休命甲子昧爽受率其旅若林會于牧野罔有敵于我師前徒倒戈攻于後以北(배)血流漂杵一戎衣天下大定乃反商政政由舊釋箕子囚封比干墓式商容閭散鹿臺之財發鉅橋之粟大賚于四海而萬姓悅服

현토 원문

惟爾有神은 尙克相予하여 以濟兆民하여 無作神羞하라 旣戊午에 師渡孟津하여 癸亥에 陳于商郊하여 俟天休命하더시니 甲子昧爽에 受率其旅하되 若林하여 會于牧野하니 罔有敵于我師요 前徒倒戈하여 攻于後以北(배)하여 血流漂杵하여 一戎衣에 天下大定이어늘 乃反商政하여 政由舊하시고 釋箕子囚하시며 封比干墓하시며 式商容閭하시며 散鹿臺之財하시며 發鉅橋之粟하사 大賚于

四海하신대 而萬姓이 悅服하니라

번역

"신들께서는 나 발(發)을 도우사 창생을 구제케 하여 신으로서 부끄러움이 없게 하소서." 무오(戊午)일에 군대가 맹진(孟津)을 건너 계해(癸亥)일에 상나라 교외에 도열해 하늘의 아름다운 명을 기다렸다. 갑자(甲子)일 동틀 무렵 수(受)가 숲처럼 많은 군대를 이끌고 목야(牧野)에 이르렀다. 수(受)의 군대는 주군(周軍)를 상대하려 하지 않았다. 전방에 배열된 자들은 창을 반대로 하여 후방의 달아나는 자신의 아군을 찔렀다. 피가 내처럼 흘러 절굿대가 떠다닐 지경이었다. 왕께서 한 번 융의(戎衣, 갑옷)를 입으심에 천하가 크게 바로 잡혔다. 상(商)의 그릇된 정사를 되돌려 예전처럼 바르게 하고 옥에 갇힌 현인 기자(箕子)를 풀어줬으며 충신 비간(比干)의 봉분을 만들었고 인인(仁人) 상용(商容)의 마을에 예를 표했으며 녹대(鹿臺)에 쌓여있던 재물을 백성에게 나눠주고 거교(鉅橋)에 쌓여있던 곡식을 풀어 천하에 나눠주니 온 천하 백성이 감복하였다.

5-9.

백문 원문

列爵惟五分土惟三建官惟賢位事惟能重民五教惟食喪祭惇信明義崇德報功垂拱而天下治

현토 원문

列爵惟五에 分土惟三이며 建官惟賢하시고 位事惟能하시며 重民五教하사되 惟食喪祭하시며 惇信明義하시며 崇德報功하시니 垂拱而天下治하니라

번역

작위는 다섯으로(공·후·백·자·남(公·侯·伯·子·男)을 가리킴), 분토(分土, 토지를 나눠 줌)는 셋으로(공·후는 100리, 백은 70리, 자·남은 50리) 하였다. 고급 관료는 현인으로, 실무 관료는 유능한 이로 배치했다. 백성에게 오륜을 가르치고 섭생과 상례 제례를 잘 지키도록 했으며 신의(信義)를 강조하고 덕있는 이를 높이며 공있는 이에게 보상하니 왕께서 가만히 앉아 계셔도 천하가 순치(順治)되었다.

*'무성(武成)'편은 착간이 있어 내용 연결이 부자연스럽다는 견해가 많다. '서경집전'의 저자 채침도 그런 주장을 한다. 그는 자신이 재배열한 '무성'편을 '무성'편 주석 끝부분에 싣고 있는데, 참고삼아 아래에 소개한다. 분류 번호는 그대로 두었고, 문맥을 자연스럽게 하기 위해 번역 어투는 약간 손을 봤다. 원문은 싣지 않았다.

5-1. 1월 임진(壬辰, 2일)일 다음 날인 계사(癸巳, 3일)일 아침에 왕께서 상나라 정벌을 단행하셨다.

5-6. 상(商)의 죄악을 분명히 드러내 하늘과 땅 그리고 지나는 명산대천에 이렇게 고하셨다: "도 있는 자(왕계를 지칭)의 증손 나 주왕(周王) 발(發)은 이제 상(商)을 크게 질정하기 위해 출발하노니 상왕(商王) 수(受)는 무도하여 하늘이 내린 생령(生靈)을 함부로 해하고 백성을 핍박하며 천하 모든 죄인들의 우두머리가 되었습니다. 죄인들은 연못과 숲속에 물고기와 동물이 모이듯 수(受)를 찾아 모이고 있습니다. 나 발(發)은 어진 이들을 얻고 삼가 하느님의 뜻을 받들어 수(受)의 난잡한 지모(智謀)를 봉쇄하여 화하(華夏, 중원)와 만맥(蠻貊, 변방) 모두의 응원과 복종을 받았나이다."

5-8. "신들께서는 나 발(發)을 도우사 창생을 구제케 하여 신으로서 부끄러움이 없게 하소서." 무오(戊午)일에 군대가 맹진(孟津)을 건너 계해(癸亥)일에 상나라 교외에 도열해 하늘의 아름다운 명을 기다렸다. 갑자(甲子)일 동틀 무렵 수(受)가 숲처럼 많은 군대를 이끌고 목야(牧野)에 이르렀다. 수(受)의 군대는 주군(周軍)를 상대하려 하지 않았다. 전방에 배열된 자들은 창을 반대로 하여 후방의 달아나는 자신의 아군을 찔렀다. 피가 내처럼 흘러 절굿대가 떠다닐 지경이었다. 왕께서 한 번 융의(戎衣, 갑옷)를 입으심에 천하가 크게 바로 잡혔다. 상(商)의 그릇된 정사를 되돌려 예전처럼 바르게 하고 옥에 갇힌 현인 기자(箕子)를 풀어줬으며 충신 비간(比干)의 봉분을 만들었고 인인(仁人) 상용(商容)의 마을에 예를 표했으며 녹대(鹿臺)에 쌓여있던 재물을 백성에게 나눠주고 거교(鉅橋)에 쌓여있던 곡식을 풀어 천하에 나눠주니 온 천하 백성이 감복하였다.

5-2. 4월 3일 왕께서 상(商) 정벌 후 풍(豊, 주나라의 옛 수도)에 이르사 무덕(武德)을 멈추시고 문덕(文德)을 닦으셨다. 전쟁에 동원했던 말들을 화산(華山) 남쪽으로 돌려보냈으며 소들을 도림(桃林)의 들에 풀어 놓았다. 이로써 천하에 다시 무력을 사용치 않겠다는 뜻을 보이셨다.

5-4. 보름 뒤에 여러 나라의 제후들과 신하들이 주나라에서 새로운 천자의 명을 받았다.

5-3. 정미(丁未)일에 주묘(周廟, 주나라 선조의 사당)에 제사를 지냈다. 가까운 방(邦)과 전(甸) 지역의 제후와 먼 후(侯)와 위(衛)

지역의 제후들이 달려와 제사를 도왔다. 3일이 지난 경술(庚戌)일에 시제(柴祭, 하늘에 지내는 제사)와 망제(望祭, 산천에 지내는 제사)를 지내 무공이 이루어졌음을 크게 알리셨다.

5-5. 왕께서 다음과 같이 말씀하셨다: “아아, 군후(群后)들이여, 우리 주(周)는 선왕(후직(后稷)을 가리킴)께서 처음 나라를 세우시고 공유(公劉, 후직의 증손)께서 선대의 업적을 도탑게 하셨으며 태왕(太王, 고공단보(古公亶父))에 이르러 천하 왕자(王者)의 토대를 닦았소. 아드님 왕계(王季)께서 이 토대를 더욱 도탑게 하셨으며 나의 부친이신 문왕께서 큰 공을 세우사 마침내 천명에 부응하여 천하사방을 위무하시게 되었소. 큰 나라는 그 힘을 두려워하고 작은 나라는 그 덕을 사모하길 물경 9년이 되었으나 완전한 대통(大統)을 이루지 못하고 돌아가셨소. 이제 나 발(發)이 그 일을 완수하였소이다.”

5-7. “천명을 삼가 받들어 동정(東征)을 단행하여 저 사녀(士女, 남녀, 혹은 백성의 의미)들을 편안하게 하니 사녀들이 광주리에 검은색 누런색의 비단을 담아 바쳐 우리 주 왕실을 빛나게 하였소. 이는 하늘의 아름다움이 진동한 것이기에 우리 주(周)에 귀부한 것이오이다.”

5-9. 작위는 다섯으로(공·후·백·자·남(公·侯·伯·子·男)을 가리킴), 분토(分土, 토지를 나눠 줌)는 셋으로(공·후는 100리, 백은 70리, 자·남은 50리) 하였다. 고급 관료는 현인으로, 실무 관료는 유능한 이로 배치했다. 백성에게 오륜을 가르치고 섭생과 상례 제례를 잘

지키도록 했으며 신의(信義)를 강조하고 덕있는 이를 높이며 공있는 이에게 보상하니 왕께서 가만히 앉아 계셔도 천하가 순치(順治)되었다.

6. 홍범(洪範, 큰 규범)

6-1.

백문 원문

惟十有三祀王訪于箕子

현토 원문

惟十有三祀에 王이 訪于箕子하시다

번역

무왕 13년에 왕께서 기자(箕子)를 방문하셨다.

6-2.

난자(難字)

騭: 정할즐 / 敍: 펼서

백문 원문

王乃言曰嗚呼箕子惟天陰騭下民相協厥居我不知其彝倫攸敍

현토 원문

王이 乃言曰 嗚呼라 箕子아 惟天이 陰騭下民하사 相協厥居하시니 我는 不知其彝倫의 攸敍하노라

번역

왕께서 말씀하셨다: “아아, 기자여, 하느님은 백성들이 지키고 가꾸어야 할 덕목을 정하사 그들의 삶을 도와 화합하게 하시는데, 나

는 그 지키고 가꾸어야 할 덕목이 나오게 된 연유와 내용을 세세히 알지 못하오. 그대의 가르침이 필요하오."

6-3.

난자(難字)

陻: 막을인 / 汨: 어지러울골 / 斁: 무너질두 / 殛: 귀양갈극 / 疇: 무리주

백문 원문

言曰我聞在昔鯀陻洪水汨陳其五行帝乃震怒不畀洪範九疇彝倫攸斁鯀則殛死禹乃嗣興天乃錫禹洪範九疇彝倫攸敍

현토 원문

箕子 乃言曰 我聞하니 在昔鯀이 陻洪水하여 汨陳其五行한대 帝乃震怒하사 不畀洪範九疇하시니 彝倫의 攸斁니라 鯀則殛死어늘 禹乃嗣興하신대 天乃錫禹洪範九疇하시니 彝倫의 攸敍니라

번역

기자가 답하였다: "제가 들으니, 옛적에 곤(鯀)이 홍수를 순리대로 다스리지 않아 오행을 어지럽히자 하느님께서 진노하여 홍범구주(洪範九疇)를 내려주지 않으셨고, 이로 말미암아 강상(綱常)의 차서와 윤리가 세상에 펴지지 못했다고 하더이다. 곤(鯀)이 귀양 가 죽고 우(禹)가 뒤이어 임무를 완수함에 하느님이 우에게 홍범구주를 내리사 강상의 차서와 윤리가 세상에 펴지게 되었다 하더이다."

6-4.

백문 원문

初一曰五行次二曰敬用五事次三曰農用八政次四曰協用五紀次五

曰建用皇極次六曰乂用三德次七曰明用稽疑次八曰念用庶徵次九曰嚮用五福威用六極

현토 원문

初一은 曰五行이요 次二는 曰敬用五事요 次三은 曰農用八政이요 次四는 曰協用五紀요 次五는 曰建用皇極이요 次六은 曰乂用三德이요 次七은 曰明用稽疑요 次八은 曰念用庶徵이요 次九는 曰嚮用五福이요 威用六極이니라

번역

"홍범구주의 내용은 다음과 같나이다. 첫째는 오행(五行)이고, 둘째는 오사(五事)를 경건히 함이며, 셋째는 농사에 팔정(八政)을 씀이며, 넷째는 오기(五紀)를 합쳐 쓰는 것이며, 다섯째는 황극(皇極)을 세우는 것이며, 여섯째는 삼덕(三德)으로써 다스리는 것이며, 일곱째는 계의(稽疑)로써 의문을 밝히는 것이며, 여덟째는 서징(庶徵)으로써 상고함이며, 아홉째는 오복(五福)으로써 지향점을 삼고 육극(六極)으로써 위엄을 보이는 것입니다."

6-5.

백문 원문

一五行一曰水二曰火三曰木四曰金五曰土水曰潤下火曰炎上木曰曲直金曰從革土爰稼穡潤下作鹹炎上作苦曲直作酸從革作辛稼穡作甘

현토 원문

一五行은 一曰水요 二曰火요 三曰木이요 四曰金이요 五曰土니라 水曰潤下요 火曰炎上이요 木曰曲直이요 金曰從革이요 土爰稼穡이니라 潤下는 作鹹하고 炎上은 作苦하고 曲直은 作酸하고 從

革은 作辛하고 稼穡은 作甘이니라

번역

"첫째의 오행이란 수(水)·화(火)·목(木)·금(金)·토(土)입니다. 수는 윤택하게 하면서 아래로 흐르고, 화는 타오르게 하면서 위로 올라가며, 목은 굽게 하면서도 펴주며, 금은 순종하면서도 변혁시키며, 토는 곡식을 심어 거두게 해줍니다. 윤택하게 하면서 아래로 흐르면 짠맛이 되고, 타오르게 하면서 위로 올라가면 쓴맛이 되며, 굽게 하면서 펴주면 신맛이 되고, 순종하면서 변혁시키면 매운맛이 되며, 심어 거두게 하면 단맛이 됩니다."

6-6.

백문 원문

二五事一曰貌二曰言三曰視四曰聽五曰思貌曰恭言曰從視曰明聽曰聰思曰睿恭作肅從作乂明作晳聰作謀睿作聖

현토 원문

二五事는 一曰貌요 二曰言이요 三曰視요 四曰聽이요 五曰思니라 貌曰恭이요 言曰從이요 視曰明이요 聽曰聰이요 思曰睿니라 恭은 作肅하며 從은 作乂하며 明은 作晳하며 聰은 作謀하며 睿는 作聖이니라

번역

"둘째의 오사란 모(貌)·언(言)·시(視)·청(聽)·사(思)입니다. 모는 공손해야 하고, 언은 순후해야 하며, 시는 분명해야 하고, 청은 명확해야 하며, 사는 슬기로와야 합니다. 공손하면 엄숙해지고, 순후하면 다스려지며, 분명하면 명철해지고, 명확하면 계책을 내게 되며, 슬기로우면 성스러워집니다."

6-7.

백문 원문

三八政一日食二日貨三日祀四日司空五日司徒六日司寇七日賓八日師

현토 원문

三八政은 一日食이요 二日貨요 三日祀요 四日司空이요 五日司徒요 六日司寇요 七日賓이요 八日師니라

번역

"셋째의 팔정이란 식(食)·화(貨)·사(祀)·사공(司空)·사도(司徒)·사구(司寇)·빈(賓)·사(師)입니다."

6-8.

백문 원문

四五紀一日歲二日月三日日四日星辰五日曆數

현토 원문

四五紀는 一日歲요 二日月이요 三日日이요 四日星辰이요 五日曆數니라

번역

"넷째의 오기란 세(歲)·월(月)·일(日)·성진(星辰)·역수(曆數)입니다."

6-9.

백문 원문

五皇極皇建其有極斂時五福用敷錫厥庶民惟時厥庶民于汝極錫汝保極

현토 원문

五皇極은 皇建其有極이니 斂時五福하여 用敷錫厥庶民하면 惟

時厥庶民이 于汝極에 錫汝保極하리라

번역

"다섯째의 황극은 임금이 인륜의 표준을 세우는 것을 이릅니다. 임금이 인륜의 표준을 세우게 되면 오복이 모이고, 임금은 이 모인 오복을 백성들에게 나눠줍니다. 그리하면 백성들은 임금이 보여준 인륜의 표준을 본받아 길이 보존하여 지킬 것입니다."

6-10.

백문 원문

凡厥庶民無有淫朋人無有比德惟皇作極

현토 원문

凡厥庶民이 無有淫朋하며 人無有比德은 惟皇이 作極일새니라

번역

"나아가 백성들은 사사로이 편당을 짓지 않을 것이며, 벼슬에 있는 이들 또한 패거리를 결성하는 일이 없을 것입니다. 이는, 다시 말씀드리지만, 임금이 인륜의 표준을 세웠기 때문입니다."

6-11.

난자(難字)

罹: 걸릴리

백문 원문

凡厥庶民有猷有爲有守汝則念之不協于極不罹于咎皇則受之而康而色曰予攸好德汝則錫之福時人斯其惟皇之極

현토 원문

凡厥庶民이 有猷 有爲 有守를 汝則念之하며 不協于極이라도

不罹于咎어든 皇則受之하라 而康而色하여 曰予攸好德이라커든 汝則錫之福하면 時人이 斯其惟皇之極하리라

번역

“백성들이 생각을 내고 일을 꾸미고 지키려 하는 것을 임금은 늘 생각하여 그것들이 비록 임금이 세운 표준에 맞지 않더라도 크게 허물 삼을 것이 없으면 포용해야 합니다. 저들의 안색이 부드러우며 선을 좋아한다 말하면 임금은 저들에게 복(여기서는 작록(爵祿)의 의미)을 주어야 합니다. 그리하면 저들의 말과 행동은 임금이 세우신 표준에 들어맞게 될 것입니다.”

6-12.

난자(難字)

煢: 외로울경

백문 원문

無虐煢獨而畏高明

현토 원문

無虐煢獨하고 而畏高明하라

번역

“외롭고 힘없는 자를 무시하지 말며 힘 있고 지위 높은 자를 두려워 마십시오.”

6-13.

난자(難字)

羞: 나아갈수 / 穀: 착할곡 / 而: 너이 / 辜: 죄고

백문 원문

人之有能有爲使羞其行而邦其昌凡厥正人旣富方穀汝弗能使有好于而家時人斯其辜于其無好德汝雖錫之福其作汝用咎

현토 원문

人之有能有爲를 使羞其行하면 而邦이 其昌하리라 凡厥正人은 旣富오사 方穀이니 汝弗能使有好于而家하면 時人이 斯其辜리라 于其無好德에 汝雖錫之福이라도 其作汝用咎리라

번역

"임금이 능력있고 의욕있는 이들에게 마음껏 능력과 의욕을 펼치게 하면 나라는 번창하게 될 것입니다. 벼슬에 있는 이들은 의식이 풍족할 때 선행을 할 수 있습니다. 그들에게 의식을 풍족하게 제공해주지 못하면 그들은 그릇된 길로 들어설 것입니다. 선덕(善德)을 좋아하지 않는 이들에게 작록(爵祿)을 내리는 것은 작악(作惡)한 이들을 채용하는 것과 같습니다."

6-14.

난자(難字)

陂: 기울어질피 / 側: 기울측

백문 원문

無偏無陂遵王之義無有作好遵王之道無有作惡(오)遵王之路無偏無黨王道蕩蕩無黨無偏王道平平無反無側王道正直會其有極歸其有極

현토 원문

無偏無陂하여 遵王之義하며 無有作好하여 遵王之道하며 無有作惡(오)하여 遵王之路하라 無偏無黨하면 王道蕩蕩하며 無黨無偏하면 王道平平하며 無反無側하면 王道正直하리니 會其有極하

여 歸其有極하리라

번역

"편벽되게 행동하지 않는 왕 된 자의 의리를 따르며, 사사로이 좋아함이 없는 왕된 자의 도를 따르며, 사사로이 미워함이 없는 왕된 자의 길을 걸으소서. 불편부당(不偏不黨)하면 왕도는 넓고 멀게 펼쳐질 것이며, 불편부당(不偏不黨)하면 왕도는 평이하게 펼쳐질 것입니다. 사리에 어긋나거나 모나지 않으면 왕도는 바르고 곧게 펴질 것입니다. 그리하면 모든 것이 임금이 세우신 표준에 모이고 그 표준으로 귀부할 것입니다."

6-15.

백문 원문

曰皇極之敷言是彝是訓于帝其訓

현토 원문

曰皇極之敷言이 是彝是訓이니 于帝其訓이시니라

번역

"임금이 세우신 표준에 대해 부연한 말들은 정훈(正訓)이니 곧 하느님의 가르침입니다."

6-16.

백문 원문

凡厥庶民極之敷言是訓是行以近天子之光曰天子作民父母以爲天下王

현토 원문

凡厥庶民이 極之敷言을 是訓是行하면 以近天子之光하여 曰 天子作民父母하사 以爲天下王이라하리라

번역

"백성들이 임금이 세우신 표준에 대해 부연한 말들을 깊이 인식하고 실천하면 천자의 덕광(德光)에 가까워져 이렇게 말할 것입니다: '천자께서 백성의 부모가 되어 천하의 왕 노릇을 하시네'"

6-17.

난자(難字)

燮: 화할섭

백문 원문

六三德一曰正直二曰剛克三曰柔克平康正直彊弗友剛克燮友柔克沈潛剛克高明柔克

현토 원문

六三德은 一曰正直이요 二曰剛克이요 三曰柔克이니 平康은 正直이요 彊弗友는 剛克하고 燮友는 柔克하며 沈潛은 剛克하고 高明은 柔克이니라

번역

"여섯째의 삼덕은 정직(正直)·강극(剛克)·유극(柔克)입니다. 평강한 자는 정직으로 대하고, 강경하여 불순(不順)한 자는 강(剛)으로 다스리며, 온화하여 순종하는 자는 유(柔)로 다스리고, 침잠(沈潛)하는 자는 강으로 다스리며, 고명(高明)한 자는 유로 다스려야 합니다."

6-18.

백문 원문

惟辟作福惟辟作威惟辟玉食臣無有作福作威玉食

현토 원문

惟辟이사 作福하며 惟辟이사 作威하며 惟辟이사 玉食하나니 臣無有作福作威玉食이니라

번역

"임금이 복을 내리고 위엄을 보이며 옥식(玉食, 맛있는 음식)을 받아야지 신하가 그렇게 하면 안 됩니다."

6-19.

난자(難字)

僭: 어그러질참 / 忒: 어그러질특

백문 원문

臣之有作福作威玉食其害于而家凶于而國人用側頗僻民用僭忒

현토 원문

臣之有作福作威玉食하면 其害于而家하며 凶于而國하여 人用側頗僻하며 民用僭忒하리라

번역

"신하가 복을 내리고 위엄을 보이며 옥식을 받게 되면 그 해가 왕실과 나라에 끼칠 것입니다. 그리하면 신하들은 편벽된 행동을 할 것이며, 백성 또한 참람되고 도리에 어긋난 짓을 할 것입니다."

6-20.

백문 원문

七稽疑擇建立卜筮人乃命卜筮

현토 원문

七稽疑는 擇建立卜筮人하고서 乃命卜筮니라

번역

"일곱째의 계의(稽疑)는 지공무사(至公無私)한 복서인(卜筮人, 점치는 사람)을 선발하여 점을 치게 하는 것입니다."

6-21.

난자(難字)

驛: 끊어질역

백문 원문

曰雨曰霽曰蒙曰驛曰克

현토 원문

曰雨와 曰霽와 曰蒙과 曰驛과 曰克이며

번역

"복조(卜兆, 점으로 보여지는 조짐)엔 다섯 가지가 있으니, 우(雨)·제(霽)·몽(蒙)·역(驛)·극(克)입니다. 우는 수(水)에 나타날 조짐을, 제는 화(火)에 나타날 조짐을, 몽은 목(木)에 나타날 조짐을, 역은 금(金)에 나타날 조짐을, 극은 토(土)에 나타날 조짐을 말해줍니다."

6-22.

백문 원문

曰貞曰悔

현토 원문

曰貞과 曰悔니라

번역

"서점(筮占, 시초로 치는 점)엔 정(貞)과 회(悔)가 있으니, 정은 내괘(內卦, 아래에 있는 괘) 혹은 우괘(遇卦, 처음 얻은 괘)이고, 회는 외괘(外卦, 위에 있는 괘) 혹은 지괘(之卦, 처음 얻은 괘가 변한 괘)입니다."

6-23.

백문 원문

凡七卜五占用二衍忒

현토 원문

凡七은 卜五요 占用二니 衍忒하나니라

번역

"이상의 일곱 가지(거북점 다섯 가지, 시초점 두 가지)로 인사(人事) 과오의 결과를 예측합니다."

6-24.

백문 원문

立時人作卜筮三人占則從二人之言

현토 원문

立時人하여 作卜筮하되 三人이 占이어든 則從二人之言이니라

번역

"지공무사한 복서인을 세워 점을 치되 세 사람이 치게 하고 그 중 근사한 두 사람의 결과를 따릅니다."

6-25.

백문 원문

汝則有大疑謀及乃心謀及卿士謀及庶人謀及卜筮

현토 원문

汝則有大疑어든 謀及乃心하며 謀及卿士하며 謀及庶人하며 謀及卜筮하라

번역

"큰 의심꺼리가 있으시면 스스로 헤아려 보시고 경사(卿士)들과 상의해 보시고 서인(庶人)들의 의견을 들어보시고 복서(卜筮)로도 짐작해 보소서."

6-26.

백문 원문

汝則從龜從筮從卿士從庶民從是之謂大同身其康彊子孫其逢吉

현토 원문

汝則從하며 龜從하며 筮從하며 卿士從하며 庶民從이면 是之謂大同이니 身其康彊하며 子孫이 其逢吉하리라

번역

"스스로 괜찮다 생각하시고 복서의 결과도 괜찮다 나오고 경사들도 찬성하며 서인들도 호응하면 이는 '크게 하나 됨[대동(大同)]'이니 임금께서 평안하심은 물론 자손들도 길할 것입니다."

6-27.

백문 원문

汝則從龜從筮從卿士逆庶民逆吉

현토 원문

汝則從하며 龜從하며 筮從이요 卿士逆하며 庶民이 逆하여도 吉하리라

번역

"스스로 괜찮다 생각하시고, 복서의 결과도 괜찮다 나오면 경사와 서인들이 따르지 않아도 무탈하리이다."

6-28.

백문 원문

卿士從龜從筮從汝則逆庶民逆吉

현토 원문

卿士從하며 龜從하며 筮從이요 汝則逆하며 庶民이 逆하여도 吉하리라

번역

"경사가 찬성하고 복서의 결과도 괜찮으면 임금과 서인들이 따르지 않아도 무탈하리이다."

6-29.

백문 원문

庶民從龜從筮從汝則逆卿士逆吉

현토 원문

庶民이 從하며 龜從하며 筮從이요 汝則逆하며 卿士逆하여도 吉하리라

번역

"서인들이 따르고 복서의 결과도 괜찮으면 임금과 경사들이 따르지 않아도 무탈하리이다."

6-30.

백문 원문

汝則從龜從筮逆卿士逆庶民逆作內吉作外凶

현토 원문

汝則從하며 龜從이요 筮逆하며 卿士逆하며 庶民이 逆하면 作內는 吉하고 作外는 凶하리라

번역

"스스로 괜찮다 생각하시고 거북점의 결과도 괜찮으나 시초점의 결과는 좋지 않으며 경사와 서민들이 마땅하게 생각하지 않으면 내사(內事)는 길하나 외사(外事)는 흉할 것입니다."

6-31.

백문 원문

龜筮共違于人用靜吉用作凶

현토 원문

龜筮共違于人하면 用靜은 吉하고 用作은 凶하리라

번역

"복서의 결과가 모든 이들이 생각하는 것과 어긋나면 평상의 일만 진행하고 새로운 일은 도모하지 않는 것이 좋습니다."

6-32.

난자(難字)

燠: 더울욱 / 廡: 무성할무

백문 원문

八庶徵曰雨曰暘曰燠曰寒曰風曰時五者來備各以其敍庶草蕃廡

현토 원문

八庶徵은 曰雨와 曰暘과 曰燠과 曰寒과 曰風과 曰時니 五者來備하되 各以其敍하면 庶草도 蕃廡하리라

번역

"여덟째의 서징(庶徵)은 우(雨)·양(暘)·욱(燠)·한(寒)·풍(風)·시(時)니 다섯 가지[우·양·욱·한·풍]가 골고루 절기에 맞게 펼쳐지면 뭇 풀이 무성하게 자랍니다."

6-33.

백문 원문

一極備凶一極無凶

현토 원문

一이 極備하여도 凶하며 一이 極無하여도 凶하니라

번역

"이 중 어느 하나가 지나치게 많거나 없으면 흉합니다."

6-34.

백문 원문

曰休徵曰肅時雨若曰乂時暘若曰哲時燠若曰謀時寒若曰聖時風若曰咎徵曰狂恒雨若曰僭恒暘若曰豫恒燠若曰急恒寒若曰蒙恒風若

현토 원문

曰休徵은 曰肅에 時雨若하며 曰乂에 時暘이 若하며 曰哲에 時燠이 若하며 曰謀에 時寒이 若하며 曰聖에 時風이 若이니라 曰咎徵은 曰狂에 恒雨若하며 曰僭에 恒暘이 若하며 曰豫에 恒燠이 若하며 曰急에 恒寒이 若하며 曰蒙에 恒風이 若이니라

번역

"아름다운 징조란 경건함에 비가 때맞추어 내리고 사리에 맞음에 제 때에 날이 개이며 현명함에 제 때에 맞게 따뜻하며 적절히 도모함에 제 때에 차가우며 성스러움에 제 때에 바람이 부는 것입니다. 불길한 징조란 황음무도함에 항상 비가 내리며 참람됨에 항상 개어 있으며 나태함에 항상 더우며 촉급함에 항상 차가우며 몽매함에 항상 바람이 부는 것입니다."

6-35.

백문 원문

曰王省惟歲卿士惟月師尹惟日

현토 원문

曰王省은 惟歲요 卿士는 惟月이요 師尹은 惟日이니라

번역

"임금이 살펴야 할 것은 해[歲]이며, 경사(卿士)가 살펴야 할 것은 달[月]이며, 사윤(師尹)이 살펴야 할 것은 날[日]입니다."

6-36.

백문 원문

歲月日時無易百穀用成乂用明俊民用章家用平康

현토 원문

歲月日에 時無易하면 百穀用成하며 乂用明하며 俊民이 用章하며 家用平康하리라

번역

"해와 달과 날에 다섯 가지[우·양·욱·한·풍]가 때에 맞춰 펼쳐지

고 뒤섞이지 않으면 백곡이 무르익고 정사가 분명해지며 준걸이 제 자리를 잡고 왕실이 평안해질 것입니다."

6-37.

백문 원문

日月歲時旣易百穀用不成乂用昏不明俊民用微家用不寧

현토 원문

日月歲에 時旣易하면 百穀用不成하며 乂用昏不明하며 俊民이 用微하며 家用不寧하리라

번역

"해와 달과 날에 다섯 가지[우·양·욱·한·풍]가 때에 맞지 않게 뒤섞여 펼쳐지면 백곡이 부실하고 정사가 혼탁해지며 준걸이 푸대접 받고 왕실도 불안할 것입니다."

6-38.

백문 원문

庶民惟星星有好風星有好雨日月之行則有冬有夏月之從星則以風雨

현토 원문

庶民은 惟星이니 星有好風하며 星有好雨니라 日月之行은 則有冬有夏하니 月之從星으로 則以風雨니라

번역

"백성은 별과 같습니다. 별에는 바람을 좋아하는 것이 있고 비를 좋아하는 것이 있습니다. 해와 달의 운행에 따라 겨울과 여름이 있듯 달이 별을 따르는 것으로 바람과 비를 알 수 있습니다."

6-39.

백문 원문

九五福一曰壽二曰富三曰康寧四曰攸好德五曰考終命

현토 원문

九 五福은 一曰壽요 二曰富요 三曰康寧이요 四曰攸好德이요 五曰考終命이니라

번역

"아홉 째의 오복은 수(壽)·부(富)·강녕(康寧)·유호덕(攸好德)·고종명(考終命)입니다."

6-40.

백문 원문

六極一曰凶短折二曰疾三曰憂四曰貧五曰惡六曰弱

현토 원문

六極은 一曰凶短折이요 二曰疾이요 三曰憂요 四曰貧이요 五曰惡이요 六曰弱이니라

번역

"아홉 째의 육극(六極)은 흉단절(凶短折, 흉은 제명에 못 죽는 것, 단절은 요절을 말함)·질(疾)·우(憂)·빈(貧)·악(惡)·약(弱)입니다."

7. 여오(旅獒, 서려(西旅)에서 바친 큰 개)

7-1.

난자(難字)

獒: 큰개오

백문 원문

惟克商遂通道于九夷八蠻西旅底貢厥獒太保乃作旅獒用訓于王

현토 원문

惟克商하시니 遂通道于九夷八蠻이어늘 西旅底貢厥獒한대 太保乃作旅獒하여 用訓于王하니라

번역

무왕께서 상(商)을 정벌하자 구이팔만(九夷八蠻, 외방(外方)의 많은 이민족이란 의미)이 스스로 찾아왔다. 서려(西旅)에서 온 사신이 오(獒)라는 개를 바쳤다. 태보(太保, 소공(召公)인 석(奭))가 '여오(旅獒)'를 지어 임금을 경계했다.

7-2.

백문 원문

曰嗚呼明王愼德四夷咸賓無有遠邇畢獻方物惟服食器用

현토 원문

曰 嗚呼라 明王이 愼德이어시든 四夷咸賓하여 無有遠邇히 畢獻方物하나니 惟服食器用이니이다

번역

"아아, 현철한 왕이 삼가 덕을 닦으면 사이(四夷, 사방의 이민족)가 모두 빈객이 되어 원근에 관계없이 모두 그 나라의 특산물을 바쳤습니다. 그러나 그것은 모두 복식(服食)과 기용(器用, 기물)으로 신이(新異)한 물건은 아니었습니다."

7-3.

백문 원문

王乃昭德之致于異姓之邦無替厥服分寶玉于伯叔之國時庸展親人不易(이)物惟德其物

현토 원문

王이 乃昭德之致于異姓之邦하사 無替厥服하시며 分寶玉于伯叔之國하사 時庸展親하시면 人不易(이)物하여 惟德其物하리이다

번역

"임금께서는 외방에서 보내온 특산물은 이성(異姓)의 제후에게 보내 더욱 일에 매진케 격려하시고, 국중의 보물은 동성의 제후에게 보내 친분을 더욱 도탑게 하시면, 받은 이들은 그 물건을 가볍게 여기지 아니하고 임금의 덕으로 여길 것입니다."

7-4.

백문 원문

德盛不狎侮狎侮君子罔以盡人心狎侮小人罔以盡其力

현토 원문

德盛은 不狎侮하나니 狎侮君子하면 罔以盡人心하고 狎侮小人하면 罔以盡其力하리이다

번역

"성덕(盛德)한 임금은 상대를 함부로 대하지 않습니다. 군자를 함부로 대하면 그는 자신의 능력을 다하지 않을 것이며, 소인을 함부로 대하면 그는 자신의 일에 최선을 다하지 않을 것입니다."

7-5.

백문 원문

不役耳目百度惟貞

현토 원문

不役耳目하사 百度를 惟貞하소서

번역

“이목(耳目)의 즐거움을 멀리하여 법도를 바르게 집행하소서.”

7-6.

난자(難字)

玩: 장난할완

백문 원문

玩人喪德玩物喪志

현토 원문

玩人하면 喪德하고 玩物하면 喪志하리이다

번역

“사람을 업수이 여겨 함부로 대하면 덕을 잃게 되고, 물건에 탐닉하면 뜻을 잃게 되나이다.”

7-7.

백문 원문

志以道寧言以道接

현토 원문

志以道寧하시며 言以道接하소서

번역

“뜻을 도(道)로 통제하시면 망발(妄發, 말과 행동을 함부로 함)이 없을 것이고, 말을 도로 통제하시면 망수(妄受, 모욕을 당함)함이 없을 것입니다."

7-8.

백문 원문

不作無益害有益功乃成不貴異物賤用物民乃足犬馬非其土性不畜(휵)珍禽奇獸不育于國不寶遠物則遠人格所寶惟賢則邇人安

현토 원문

不作無益하여 害有益하면 功乃成하며 不貴異物하고 賤用物하면 民乃足하며 犬馬를 非其土性이어든 不畜(휵)하시며 珍禽奇獸를 不育于國하소서 不寶遠物하면 則遠人이 格하고 所寶惟賢이면 則邇人이 安하리이다

번역

"무익한 일로 유익한 일을 다치게 함이 없으면 공이 절로 이루어질 것이며 기이한 물건보다 일용의 기물을 귀히 여긴다면 백성의 살림살이는 절로 풍족해질 것입니다. 견마(犬馬)란 제 땅에서 난 것이 아니면 기르지 마시며, 외산(外産)의 특이한 금수(禽獸)도 기르지 마소서. 낯선 먼 나라의 물건을 보배로이 여기지 않으면 낯선 먼 나라 사람이 제 발로 이를 것입니다. 오직 현명한 이를 보물로 여기소서. 그리하면 가까운 이들이 편안해 할 것입니다."

7-9.

난자(難字)

仞: 길인 / 虧: 이지러질휴 / 簣: 삼태기궤

백문 원문

嗚呼夙夜罔或不勤不矜細行終累大德爲山九仞功虧一簣

현토 원문

嗚呼라 夙夜에 罔或不勤하소서 不矜細行하시면 終累大德하여 爲山九仞에 功虧一簣하리이다

번역

"아아, 아침부터 밤까지 조금이라도 삼가지 않음이 없으셔야 합니다. 작은 행실 하나를 삼가지 않으면 그것이 대덕(大德)에 누를 끼칠 수 있나이다. 구인(九仞)의 산도 한 삼태기 흙 때문에(한 삼태기 흙이 부족하여) 미완성 될 수 있나이다."

7-10.

난자(難字)

迪: 행할적

백문 원문

允迪玆生民保厥居惟乃世王

현토 원문

允迪玆하시면 生民이 保厥居하여 惟乃世王하리이다

번역

"진실로 이를 명심하신다면 만백성이 편안히 지내고 임금의 자손 또한 대대로 나라를 잘 유지할 수 있을 것입니다."

8. 금등(金縢, 쇠줄로 봉하다)

8-1.

백문 원문

既克商二年王有疾弗豫

현토 원문

既克商二年에 王有疾하사 弗豫하시다

번역

무왕께서 상(商)을 정벌하고 2년이 지났을 때 병이 생겨 힘들어하셨다.

8-2.

백문 원문

二公曰我其爲王穆卜

현토 원문

二公曰 我其爲王하여 穆卜하리라

번역

태공과 소공이 말하였다: "왕을 위하여 점을 쳐 봅시다."

8-3.

난자(難字)

戚: 근심할척

백문 원문

周公曰未可以戚我先王

현토 원문

周公曰 未可以戚我先王이라하시고

번역

주공이 말하였다: "점을 치는 것은 돌아가신 선대 왕들을 근심스

럽게 하는 것입니다. 바람직하지 않습니다."

8-4.

난자(難字)

墠: 터닦을선 / 植: 둘치

백문 원문

公乃自以爲功爲三壇同墠爲壇於南方北面周公立焉植(치)璧秉珪乃告大王王季文王

현토 원문

公이 乃自以爲功하사 爲三壇호되 同墠하고 爲壇於南方호되 北面하고 周公立焉하사 植(치)璧秉珪하사 乃告大王王季文王하시다

번역

공이 이 근심스런 상황을 자신이 해결해야 할 일로 자임했다. 세 개의 단을 동일한 높이로 남쪽을 향해 쌓고, 북쪽을 향해 한 개의 단을 쌓아 주공이 그곳에 섰다. 벽(璧. 신에게 드리는 예물 격의 옥)을 마련하고 규(珪, 신에게 예를 표할 때 지니던 홀(笏))를 잡고서 세 분(태왕·왕계·문왕) 선대왕에게 고하였다.

8-5.

난자(難字)

遘: 만날구

백문 원문

史乃冊祝曰惟爾元孫某遘厲虐疾若爾三王是有丕子之責于天以旦代某之身

현토 원문

史乃冊祝曰 惟爾元孫某 遘厲虐疾하니 若爾三王은 是有丕子之責于天하시니 以旦으로 代某之身하소서

번역

사관이 그 고유문(告由文)을 다음과 같이 기록하였다: "원손(元孫, 장손자) 모(某, 아무개. 무왕의 이름을 대신한 명칭)가 학질(虐疾)에 걸려 힘들어하고 있습니다. 삼왕께서는 하늘에서 원손을 보살필 책임을 맡고 계십니다. 만일 원손의 명을 굳이 거두시겠다면 저 단(旦)으로 모(某)를 대신케 하옵소서."

8-6.

백문 원문

予仁若考能多材多藝能事鬼神乃元孫不若旦多材多藝不能事鬼神

현토 원문

予仁若考라 能多材多藝하여 能事鬼神이어니와 乃元孫은 不若旦의 多材多藝하여 不能事鬼神하리이다

번역

"저 단은 삼왕께 인순(仁順)하고 다재다능하여 신령을 잘 섬길 수 있지만, 원손은 저만 못하기에 신령을 잘 섬기지 못할 것입니다."

8-7.

난자(難字)

敷: 펼부

백문 원문

乃命于帝庭敷佑四方用能定爾子孫于下地四方之民罔不祗畏嗚呼

無墜天之降寶命我先王亦永有依歸

현토 원문

乃命于帝庭하사 敷佑四方하사 用能定爾子孫于下地하신대 四方之民이 罔不祗畏하나니 嗚呼라 無墜天之降寶命이라사 我先王도 亦永有依歸하시리이다

번역

"하느님께서 모에게 명하사 사방을 보우(保佑)케 하여 천하의 백성들을 안정되게 하시니 모가 이 일을 능히 해내어 사방의 백성들이 모를 경외하지 아니함이 없나이다. 아아, 하늘이 내리신 이 명을 끝까지 실추시키지 않아야 세 분 선왕께서도 길이 제사를 받으실 것입니다."

8-8.

백문 원문

今我卽命于元龜爾之許我我其以璧與珪歸俟爾命爾不許我我乃屛璧與珪

현토 원문

今我卽命于元龜호리니 爾之許我인댄 我其以璧與珪로 歸俟爾命이어니와 爾不許我인댄 我乃屛璧與珪호리라

번역

"이제 구복(龜卜, 거북점)으로 세 분의 명을 기다릴 것입니다. 세 분께서 저의 요청을 허락하신다면 앞으로도 벽과 규로 당신들을 섬기며 명을 듣겠지만, 그렇지 않으시면 벽과 규를 감추고 당신들의 명을 듣지 않을 것입니다."

8-9.

난자(難字)

習: 거듭습 / 籥: 자물쇠약

백문 원문

乃卜三龜一習吉啓籥見書乃幷是吉

현토 원문

乃卜三龜하니 一習吉이어늘 啓籥見書하니 乃幷是吉하더라

번역

세 개의 거북으로 점을 쳤다. 한결같이 길했다. 점서(占書, 점술을 기록한 책)를 열어보니 모두 길했다.

8-10.

백문 원문

公曰體王其罔害予小子新命于三王惟永終是圖玆攸俟能念予一人

현토 원문

公曰 體는 王其罔害로소니 予小子新命于三王하여 惟永終을 是圖호리니 玆攸俟니 能念予一人이샷다

번역

공이 말했다: "점에 왕께 아무런 해가 없을 것이 나타났다. 이제 세 분한테서 새로운 명을 받아 길이 주나라를 다스리실 수 있을 것이다. 이는 하느님께 고대하던 바로 하느님께서 우리 임금을 깊이 생각해 주신 것이다."

8-11.

난자(難字)

縢: 봉할등 / 瘳: 병나을추

백문 원문

公歸乃納冊于金縢之匱中王翼日乃瘳

현토 원문

公歸하사 乃納冊于金縢之匱中하시니 王翼日에 乃瘳하시다

번역

공이 돌아와 축원했던 것과 결과를 적은 글을 쇠사슬로 봉인하는 궤 속에 넣어 두었다. 왕께서 다음 날 쾌차하셨다.

8-12.

백문 원문

武王旣喪管叔及其羣弟乃流言於國曰公將不利於孺子

현토 원문

武王이 旣喪이어시늘 管叔이 及其羣弟로 乃流言於國曰 公將不利於孺子하리라

번역

무왕이 돌아가신 후 관숙(管叔)과 여러 아우들이 나라안에 이런 유언비어를 퍼뜨렸다: '주공이 장차 어린 왕을 위해하려 한다.'

8-13.

난자(難字)

辟: 피할피

백문 원문

周公乃告二公曰我之弗辟我無以告我先王

현토 원문

周公이 乃告二公曰 我之弗辟면 我無以告我先王이라하시고

번역

이에 주공이 이공(二公, 태공과 소공)에게 말했다: "지금 상황에서 내가 몸을 피하지 않으면 불의한 일이 일어나 후일 지하에서 선대 왕들을 뵐 낯이 없을 듯합니다."

8-14.

백문 원문

周公居東二年則罪人斯得

현토 원문

周公이 居東二年에 則罪人을 斯得하시다

번역

주공이 동쪽에 피신한 지 2년이 지나서야 성왕께서 누가 죄인인지를 알게 되셨다.

8-15.

난자(難字)

貽: 줄이 / 鴟: 솔개치 / 鴞: 올빼미효 / 誚: 꾸짖을초

백문 원문

于後公乃爲詩以貽王名之曰鴟鴞王亦未敢誚公

현토 원문

于後에 公이 乃爲詩하여 以貽王하시고 名之曰 鴟鴞라하시니 王亦未敢誚公하시다

번역

그 뒤 주공이 시를 지어 성왕께 바쳤는데 제목을 '치효(鴟鴞, 올빼미)'라 하였다. 성왕께서 더는 주공을 무어라 탓하지 않으셨다.

8-16.

난자(難字)

偃: 누울언 / 弁: 갓변

백문 원문

秋大熟未穫天大雷電以風禾盡偃大木斯拔邦人大恐王與大夫盡弁以啓金縢之書乃得周公所自以爲功代武王之說

현토 원문

秋大熟하여 未穫이어늘 天이 大雷電以風하니 禾盡偃하며 大木이 斯拔이어늘 邦人이 大恐하더니 王이 與大夫盡弁하사 以啓金縢之書하사 乃得周公所自以爲功하여 代武王之說하시다

번역

가을 수확철에 아직 수확이 제대로 이루어지지도 않았는데 하늘에서 뇌성벽력이 치고 바람이 불어 벼들이 다 쓰러지고 큰 나무들이 뽑혀 나자빠졌다. 국인이 모두 크게 두려워했다. 왕께서 대부들과 함께 모두 변(弁)을 쓰고 금등의 글을 열어보게 되었다. 그때 주공이 무왕 발병 당시 축원했던 것과 결과를 적은 글을 보게 되었다.

8-17.

백문 원문

二公及王乃問諸史與百執事對曰信噫公命我勿敢言

현토 원문

二公及王이 乃問諸史與百執事하신대 對曰 信하니이다 噫라 公命이어시늘 我勿敢言이로소이다

번역

이공(二公, 태공과 소공)과 왕이 사관과 복서를 담당하는 자들에게 글의 진위에 대해 물으니 모두 사실 그대로라면서 주공이 함구하도록 명하여 말하지 못했던 것이라고 대답했다.

8-18.

난자(難字)

沖: 어릴충 / 逆: 맞이할역

백문 원문

王執書以泣曰其勿穆卜昔公勤勞王家惟予沖人弗及知今天動威以彰周公之德惟朕小子其新逆我國家禮亦宜之

현토 원문

王이 執書以泣曰 其勿穆卜이로다 昔에 公이 勤勞王家어시늘 惟予沖人이 弗及知러니 今天이 動威하사 以彰周公之德하시니 惟朕小子其新逆이 我國家禮에 亦宜之라하시고

번역

왕께서 글을 들고 눈물을 흘리시며 말씀하셨다: "점을 칠 필요 없도다. 과거 공께서 왕실을 위해 이토록 애쓰셨거늘 나 어리석은 사람은 그것을 알지 못하고 되려 의심을 했다. 이제 하느님이 기상이변으로 주공의 덕을 현창하셨으니 내 마땅히 그분을 친히 모셔옴이 국가의 예에 합당할 것이다."

8-19.

백문 원문

王出郊天乃雨反風禾則盡起二公命邦人凡大木所偃盡起而築之歲則大熟

현토 원문

王이 出郊하신대 天乃雨하여 反風하니 禾則盡起어늘 二公이 命邦人하여 凡大木所偃을 盡起而築之하니 歲則大熟하니라

번역

왕께서 주공을 맞이하기 위해 교외로 나가시니 하늘에서 비가 내려 바람을 반대로 불게 해 벼들이 다시 일어났다. 이공이 국인들에게 명하여 큰 나무 쓰러진 것을 다 일으켜 세웠다. 그해 풍년이 들었다.

9. 대고(大誥, 크게 고하다)

9-1.

백문 원문

王若曰猷大誥爾多邦越爾御事弗弔天降割于我家不少延洪惟我幼沖人嗣無疆大歷服弗造哲迪民康矧曰其有能格知天命

현토 원문

王若曰 猷라 大誥爾多邦과 越爾御事하노라 弗弔라 天이 降割于我家하사 不少延이어시늘 洪惟我幼沖人이 嗣無疆大歷服하여 弗造哲하여 迪民康이온 矧曰其有能格知天命가

번역

왕께서 이같이 말씀하셨다: "아아, 그대 여러 나라의 임금과 어사(御事)들에게 크게 고하노라. 하느님의 구휼(救恤)을 얻지

못해 지체없이 하느님이 내리신 어려움을 받게 되었다(무왕의 타계를 이름). 생각해 보건대, 나 어리고 부족한 사람이 이 큰 전통과 영토를 물려받은 뒤 백성을 현명하게 평안의 길로 인도하지 못하고 있는데 내 어찌 감히 천명(天命)을 헤아려 알 수 있다고 말할 수 있으리오.”

9-2.

난자(難字)

敷: 펼부 / 賁: 꾸밀비

백문 원문

已予惟小子若涉淵水予惟往求朕攸濟敷賁敷前人受命玆不忘大功予不敢閉于天降威用

현토 원문

已아 予惟小子 若涉淵水호니 予惟往은 求朕攸濟니라 敷賁하며 敷前人受命은 玆不忘大功이니 予不敢閉于天降威用이니라

번역

“그러나 지금 하려는 출정은 그만둘 수가 없노라. 나는 지금 심연(深淵)을 건널 때의 두려운 심정이나 그래도 출정에 나서는 것은 해야만 할 일이 있기 때문이다. 나라의 법식과 선대왕께서 받으신 천명을 널리 펼침은 그 위대한 공들을 잊지 않고자 해서이니 내 어찌 하느님이 내리신 위엄을 저버릴 수 있겠는가.”

9-3.

난자(難字)

蠢: 꿈틀거릴준

백문 원문

寧王遺我大寶龜紹天明卽命曰有大艱于西土西土人亦不靜越玆蠢

현토 원문

寧王이 遺我大寶龜하심은 紹天明이시니 卽命한대 曰 有大艱于西土라 西土人이 亦不靜이라하더니 越玆蠢이로다

번역

"선왕(무왕을 지칭)께서 나에게 보구(寶龜, 점을 치기 위한 큰 거북의 껍질)를 남겨 주신 것은 하느님의 밝은 지혜를 간취(看取)하라는 것이었다. 당시(무왕 사후를 가리킴) 점을 쳐 하느님의 명(命)을 접하니 '서토(西土, 주나라의 의미)에 어려움이 닥쳐 사람들이 동요하리라'는 내용이 나왔었다. 과연 이 점사대로 지금 저들(반란을 일으킨 관숙과 채숙을 가리킴)이 준동(蠢動)하고 있다."

9-4.

난자(難字)

腆: 두터울전 / 疵: 병들자

백문 원문

殷小腆誕敢紀其敍天降威知我國有疵民不康曰予復反鄙我周邦

현토 원문

殷小腆이 誕敢紀其敍하여 天降威나 知我國有疵하여 民不康하고 曰 予復이라하여 反鄙我周邦하나다

번역

"작은 분봉국이 된 은(殷)이 희미해진 옛 영화의 실마리를 다시 찾아 키우고자 하니 하느님이 위엄을 보여 경계하셨으나 저들은 우리나라에 흠이 있어(무왕의 동생들 간에 알력이 있는 것을 말함)

백성들이 평안하지 못한 것을 알고 '우리가 다시 옛 영화를 되찾으리라' 하고는 우리 주(周)를 업수이 여기고 있다."

9-5.

난자(難字)

獻: 어질헌 / 敉: 어루만질미

백문 원문

今蠢今翼日民獻有十夫予翼以于敉寧武圖功我有大事休朕卜幷吉

현토 원문

今蠢이어늘 今翼日에 民獻有十夫 予翼以于하여 敉寧武圖功하나니 我有大事休는 朕卜이 幷吉이니라

번역

"이제 저들이 준동하거늘 다음 날부터 열 명의 어진 이가 나를 도와 선왕께서 도모하신 공을 잇게 하니 나의 일에 큰 광영이 있을 것이 이미 점사에 나타났다."

9-6.

난자(難字)

播: 달아날파

백문 원문

肆予告我友邦君越尹氏庶士御事曰予得吉卜予惟以爾庶邦于伐殷逋播臣

현토 원문

肆予告我友邦君과 越尹氏庶士御事하여 曰 予得吉卜이라 予惟以爾庶邦으로 于伐殷의 逋播臣하노라

번역

"이제 여기 모인 군왕들과 윤씨(尹氏, 고위직 관료의 의미)·서사(庶士, 여러 관리)·어사(御事)들에게 고하노라. 내가 길복(吉卜, 좋은 점괘)을 얻었나니 그대들과 함께 저 도망쳐 겨우 명맥을 유지하는 은의 잔당들을 정벌하겠노라!"

9-7.

백문 원문

爾庶邦君越庶士御事罔不反曰艱大民不靜亦惟在王宮邦君室越予小子考翼不可征王害(할)不違卜

현토 원문

爾庶邦君과 越庶士御事 罔不反하여 曰 艱大하며 民不靜이 亦惟在王宮과 邦君室이라하며 越予小子考翼도 不可征이라하여 王은 害(할)不違卜 고하나다

번역

"그러나 많은 군왕들과 서사(庶士) 어사(御事)들이 나의 이 정벌을 반대하고 있다. '어려움이 크나이다. 백성들이 소요하고 있는 것은 저들 탓만이 아니라 왕실의 내부 잘못도 있기 때문입니다' 하며, 내가 존중하는 원로들도 반대하며 '왕께서는 어이하여 점사를 어기지 아니하시나이까'라고 한다."

9-8.

난자(難字)

毖: 수고로울비 / 恤: 근심휼

백문 원문

肆予沖人永思艱曰嗚呼允蠢鰥寡哀哉予造天役遺大投艱于朕身越予沖人不卬自恤義爾邦君越爾多士尹氏御事綏予曰無毖于恤不可不成乃寧考圖功

현토 원문

肆予沖人이 永思艱호니 曰 嗚呼라 允蠢이면 鰥寡哀哉나 予造는 天役이라 遺大投艱于朕身이시니 越予沖人은 不卬自恤이니라 義엔 爾邦君과 越爾多士와 尹氏와 御事綏予하여 曰無毖于恤이어다 不可不成乃寧考의 圖功이니라

번역

"미욱한 내가 생각해보니, 저들이 준동하면 가뜩이나 힘든 백성이 더욱 힘들어질 것이다. 내가 나서는 정벌은 하늘의 일을 대신하는 것이다. 하느님이 내게 힘든 과업을 주셨으니 나를 돌보며 안이하게 지낼 수 없다. 의당 그대들은 나를 도와 이렇게 말해야 하리라. '근심하고 머뭇거리지 마소서. 돌아가신 선왕께서 도모하셨던 공을 완성시키셔야 합니다.'"

9-9.

백문 원문

已予惟小子不敢替上帝命天休于寧王興我小邦周寧王惟卜用克綏受玆命今天其相民矧亦惟卜用嗚呼天明畏弼我丕丕基

현토 원문

已아 予惟小子 不敢替上帝命이로니 天休于寧王하사 興我小邦周하실새 寧王이 惟卜을 用하사 克綏受玆命하시며 今天이 其相民하심에도 矧亦惟卜을 用이온여 嗚呼라 天明畏는 弼我丕丕基시니라

번역

“이 일은 그만둘 수 없으니, 나는 하느님의 명을 폐할 수 없노라. 하느님이 선왕(무왕을 지칭)을 아름다이 여기사 우리 소국 주(周)를 흥기시키실 때 선왕께서도 점을 치사 하느님의 명을 편안히 받으셨다. 이제 하느님이 백성을 도우려 하심에도 점을 쳤나니, 점을 폐할 수 있겠는가! 아아, 하느님의 분명하고도 엄숙한 명은 우리의 크나큰 기업(基業, 토대가 되는 중요한 일)을 반드시 도우실 것이다.”

9-10.

난자(難字)

閟: 막을비 / 棐: 도울비 / 忱: 정성핌

백문 원문

王曰爾惟舊人爾丕克遠省爾知寧王若勤哉天閟毖我成功所予不敢不極卒寧王圖事肆予大化誘我友邦君天棐忱辭其考我民予曷其不于前寧人圖功攸終天亦惟用勤毖我民若有疾予曷敢不于前寧人攸受休畢

현토 원문

王曰 爾惟舊人이라 爾丕克遠省하나니 爾知寧王若勤哉인저 天閟毖는 我成功所니 予不敢不極卒寧王圖事니라 肆予大化誘我友邦君하노니 天棐忱辭는 其考我民이니 予曷其不于前寧人에 圖功攸終이리오 天亦惟用勤毖我民이라 若有疾하시나니 予는 曷敢不于前寧人攸受休에 畢호리오

번역

“그대 구인(舊人, 무왕을 도왔던 노대신들을 지칭)들이여, 그대들은 선왕 당시의 일들을 잘 알 터이니 선왕께서 얼마나 노고가 많으셨는지 잘 알 것이오. 하늘이 막고 어렵게 하는 일은 우리가 공을

이룰 기회이니 나는 선대왕께서 도모하시려던 일을 완수하지 않을 수 없소. 내 그대들에게 간곡히 고하노니 하늘이 내리는 정성스런 말씀은 백성들에게서 징험할 수 있나니 내 어찌 선대왕께서 하시려던 일에 마침표를 찍지 않을 수 있으리오. 하느님 또한 우리 백성들이 힘들어 하시는 것에 환자를 치료하듯 애타 하시니 내 어찌 선왕께서 받으신 천명에 마침표를 찍지 않을 수 있으리오."

9-11.

난자(難字)

底: 이룰지 / 菑: 밭일굴치 / 敉: 어루만질미

백문 원문

王曰若昔朕其逝朕言艱日思若考作室旣底法厥子乃弗肯堂矧肯構厥父菑厥子乃弗肯播矧肯穫厥考翼其肯曰予有後弗棄基肆予曷敢不越卬敉寧王大命

현토 원문

王曰 若昔에 朕其逝할새 朕言艱하여 日思호니 若考作室하여 旣底法이어든 厥子乃弗肯堂이온 矧肯構아 厥父菑어든 厥子乃弗肯播온 矧肯穫가 厥考翼은 其肯曰 予有後호니 弗棄基아 肆予는 曷敢不越卬하여 敉寧王大命호리오

번역

"이 출정에 앞서 나도 이 정벌이 어렵다고 말하며 날마다 생각해 보았다. 그러나 결코 그만둘 수 없다고 결론을 내렸다. 이번 출정은 집 짓는 일과 농사짓는 일에 비유할 수 있다. 선친이 집을 짓고자 하여 집의 규모를 마련해 놓았는데 자식이 집터를 다지지 않는다면 건물도 세우지 못할 것이 분명하다. 선친이 밭을 일궈 놓았는데 자

식이 씨앗을 뿌리지 않는다면 수확을 못 할 것이 분명하다. 그대 구인(舊人)들은 하늘에 계신 선왕께서 '내게 후사가 있어 나의 기업(基業)을 어그러뜨리지 않을 것이다'라고 말씀하시리라 자신할 수 있겠는가! 이러므로 나는 선왕의 대명(大命)을 완수하려 이 정벌을 단행하지 않을 수 없다."

9-12.

백문 원문

若兄考乃有友伐厥子民養其勸弗救

현토 원문

若兄考의 乃有友 伐厥子어든 民養은 其勸하고 弗救아

번역

"돌아간 부형의 친구들이 그의 아들을 공격하거늘 돌아간 부형의 수족들이 그 공격을 방조하며 아들을 구하려 애쓰지 않는 일이 있을 수 있겠는가?"

9-13.

백문 원문

王曰嗚呼肆哉爾庶邦君越爾御事爽邦由哲亦惟十人迪知上帝命越天棐忱爾時罔敢易(역)法矧今天降戾于周邦惟大艱人誕鄰胥伐于厥室爾亦不知天命不易

현토 원문

王曰 嗚呼라 肆哉어다 爾庶邦君과 越爾御事아 爽邦은 由哲이며 亦惟十人이 迪知上帝命하며 越天이 棐忱이시니 爾時에 罔敢易(역)法하니 矧今에 天이 降戾于周邦하사 惟大艱人이 誕鄰하여

胥伐于厥室이온여 爾亦不知天命不易로다

번역

"아아, 그대들은 잘 들을지어다. 주(周)가 하느님의 명을 일신한 것은 선왕께서 현철하시고 현신 10인이 하느님의 명을 인지하고 행하며 하느님이 뒷받침해주시기 때문이었다. 그대들은 당시에도 위법하지 않았는데 더구나 지금같이 하느님이 우리 주에 어려움을 안겨주사 화근이 되는 자들이 가까이에서 왕실을 공격함에 있어서는 더더욱 그러해야 하지 않겠는가! 정벌을 반대하는 것은 그대들이 천명이 바뀌지 않을 것임을 알지 못하는 소이로다!"

9-14.

백문 원문

予永念曰天惟喪殷若穡夫予曷敢不終朕畝天亦惟休于前寧人

현토 원문

予永念하여 曰 天惟喪殷이 若穡夫시니 予는 曷敢不終朕畝하리오 天亦惟休于前寧人이시니라

번역

"내 깊이 생각하여 이르노니, 하느님이 은(殷)을 멸하려 하심은 농부가 잡초를 뽑으려는 거와 같다. 내 어찌 김매는 일을 끝마치지 않으리오. 하느님은 나로 하여금 선왕의 공을 마무리하게 하시려는 것이다."

9-15.

백문 원문

予曷其極卜敢弗于從率寧人有指疆土矧今卜并吉肆朕誕以爾東征

天命不僭卜陳惟若玆

현토 원문

予는 曷其極卜이며 敢弗于從호리오 率寧人한대 有指疆土어시늘 矧今에 卜幷吉이온여 肆朕이 誕以爾로 東征하노니 天命이 不僭이라 卜陳이 惟若玆하니라

번역

“내 어찌 점만을 믿고 그대들의 말을 가납치 않겠는가. 그러나 선왕의 공을 이루기 위해선 선왕께서 정하신 강토를 회복해야 하나니 출정에 앞서 점사가 길한데 어찌 머뭇거리겠는가. 이제 그대들과 더불어 동정(東征)에 나서고자 하나니 천명은 절대 어그러지 않는다. 점사가 이를 말해주지 않는가!”

10. 미자지명(微子之命, 미자에게 명하다)

10-1.

백문 원문

王若曰猷殷王元子惟稽古崇德象賢統承先王修其禮物作賓于王家與國咸休永世無窮

현토 원문

王若曰 猷라 殷王元子아 惟稽古하여 崇德하며 象賢하여 統承先王하여 修其禮物하여 作賓于王家하노니 與國咸休하여 永世無窮하라

번역

왕(성왕을 지칭)께서 다음과 같이 말씀하셨다: “아아, 은왕의 원자여, 옛일을 상고하고 덕있는 이를 높이며 어진 이를 본받고 선왕의 전통을 계승하고 전례(典禮)를 정비하라. 우리 왕가의 손님이

되게 하노니, 우리와 함께 아름다움을 길이 누리도록 하라."

10-2.

백문 원문

嗚呼乃祖成湯克齊聖廣淵皇天眷佑誕受厥命撫民以寬除其邪虐功加于時德垂後裔

현토 원문

嗚呼라 乃祖成湯이 克齊聖廣淵하신대 皇天이 眷佑어시늘 誕受厥命하사 撫民以寬하시며 除其邪虐하시니 功加于時하시며 德垂後裔하시니라

번역

"아아, 너희의 조상 탕왕은 엄숙하고 성스러우며 넓고 깊어 하느님이 돌보아주사 마침내 천명(天命)을 받게 되었다. 백성을 관용으로 대하고 사악하고 간특한 자들을 없애니 당대에 그 은혜가 사방에 드리웠고 덕은 그대까지 이르렀다."

10-3.

난자(難字)

歆: 흠향할흠

백문 원문

爾惟踐修厥猷舊有令聞恪愼克孝肅恭神人予嘉乃德曰篤不忘上帝時歆下民祗協庸建爾于上公尹玆東夏

현토 원문

爾惟踐修厥猷하여 舊有令聞하니 恪愼克孝하며 肅恭神人일새 予嘉乃德하여 曰篤不忘하노라 上帝時歆하시며 下民祗協할새 庸

建爾于上公하여 尹兹東夏하노라

번역

"그대는 삼가 도를 닦아 오래전부터 아름다운 소문이 있었으니 조신한 몸가짐으로 효를 행하며 엄숙한 태도로 신과 사람들을 대했다. 내 그대의 덕을 가상히 여겨 잊지 않았노라. 하느님께서 그대의 제사를 받으시며 백성들이 그대를 공경하고 협조하니 내 그대를 상공(上公)으로 삼아 이 동하(東夏, 송(宋)을 지칭)를 다스리게 하노라."

10-4.

난자(難字)

毗: 도울비 / 斁: 싫을역

백문 원문

欽哉往敷乃訓愼乃服命率由典常以蕃王室弘乃烈祖律乃有民永綏厥位毗予一人世世享德萬邦作式俾我有周無斁

현토 원문

欽哉하여 往敷乃訓하여 愼乃服命하여 率由典常하여 以蕃王室하며 弘乃烈祖하며 律乃有民하여 永綏厥位하여 毗予一人하여 世世享德하여 萬邦作式하여 俾我有周로 無斁케하라

번역

"공경하는 마음으로 가서 그대의 가르침을 베풀도록 하라. 예악전장(禮樂典章)을 삼가 법도에 맞게 시행하여 우리 왕실의 울타리가 되도록 하며, 그대 열조(烈祖)의 공덕을 넓히고 백성들을 잘 다스려 길이 그 지위를 지니도록 하라. 나를 도와 세세토록 덕을 베풀며 만방의 모범이 되어 우리 왕실이 기꺼워하도록 하라!"

10-5.

난자(難字)

替: 폐할체

백문 원문

嗚呼往哉惟休無替朕命

현토 원문

嗚呼라 往哉惟休하여 無替朕命하라

번역

"아아, 가서 아름다운 정사를 베풀어 나의 명을 헛되이 하지 말지어다!"

11. 강고(康誥, 강숙(康叔)에게 고하다)

11-1.

난자(難字)

播: 뿌릴파

백문 원문

惟三月哉生魄周公初基作新大邑于東國洛四方民大和會侯甸男邦采衛百工播民和見士(事)于周周公咸勤乃洪大誥治

현토 원문

惟三月哉生魄에 周公이 初基하사 作新大邑于東國洛하시니 四方民이 大和會어늘 侯甸男邦采衛百工이 播民和하여 見士(事)于周하더니 周公이 咸勤하사 乃洪大誥治하시다

번역

3월 16일 주공이 처음으로 기초를 잡아 동쪽 나라인 낙양에 새로

운 고을을 만들었는데 사방의 백성들이 기꺼운 마음으로 토목공사에 참여했다. 후·전·남·방·채·위·백공(侯·甸·男·邦·采·衛·百工, 여러 제후와 관료들)이 백성을 인솔하여 주(周, 여기서는 낙양을 가리킴)를 찾아 일을 도왔다. 주공이 이들의 공을 치하하고 크게 고하였다.

*이 부분은, 전통적으로, 뒤에 나오는 '낙고(洛誥)'에 들어있어야 하는 글인데, 착간으로 '강고(康誥)'에 편입된 것으로 보고 있다.

11-2.

백문 원문

王若曰孟侯朕其弟小子封

현토 원문

王若曰 孟侯朕其弟小子封아

번역

왕(무왕을 지칭)께서 다음과 같이 말씀하셨다: "맹후(孟侯, 제후의 우두머리)인 아우 봉(封)아!"

11-3.

백문 원문

惟乃丕顯考文王克明德愼罰

현토 원문

惟乃丕顯考文王이 克明德愼罰하시니라

번역

"훌륭하셨던 선친 문왕께서는 명덕신벌(明德愼罰, 덕을 밝히고 벌을 삼감)로 정사를 이끄셨다."

11-4.

난자(難字)

怙: 믿을호 / 殪: 죽일에

백문 원문

不敢侮鰥寡庸庸祗祗威威顯民用肇造我區夏越我一二邦以修我西土惟時怙冒聞于上帝帝休天乃大命文王殪戎殷誕受厥命越厥邦厥民惟時敘乃寡兄勗肆汝小子封在茲東土

현토 원문

不敢侮鰥寡하시며 庸庸하시며 祗祗하시며 威威하사 顯民하사 用肇造我區夏어시늘 越我一二邦이 以修하며 我西土惟時怙冒하여 聞于上帝하신대 帝休하사 天乃大命文王하사 殪戎殷이어시늘 誕受厥命하시니 越厥邦厥民이 惟時敘어늘 乃寡兄이 勗하니 肆汝小子封이 在茲東土하니라

번역

"환과(鰥寡, 홀아비와 과부. 호소할 곳 없는 불쌍한 사람들이란 의미)를 업수이 여기지 않으셨고, 등용해야 할 만한 사람을 등용하셨으며, 공경해야 할만한 사람을 공경하셨고, 위엄을 보여야 할 사람에겐 위엄을 보이셨다. 백성들이 우러르는 분이 되사 새로운 화하(華夏, 문명의 나라)를 만드시니 이를 본받아 주변의 우방이 변모하였다. 서방의 백성들이 부모처럼 믿고 하늘처럼 받들자 이 소문이 하느님에게까지 들렸다. 하느님께서 선친 문왕을 아름답게 여기사 마침내 대명(大命)을 내려 은(殷)을 치도록 하셨다. 선친 문왕께서 그 명을 받으시니 천하의 모든 나라와 백성들이 모두 흡족해했으며 이 형도 미력한 힘이나마 최선을 다해 선친 문왕을 도왔다. 하여 봉(封) 네가 이 동방의 땅에 있게 된 것이다."

11-5.

난자(難字)

遹: 따를휼 / 乂: 다스릴예 / 耇: 늙을구

백문 원문

王曰嗚呼封汝念哉今民將在祗遹乃文考紹聞衣德言往敷求于殷先哲王用保乂民汝丕遠惟商耇成人宅心知訓別求聞由古先哲王用康保民弘于天若德裕乃身不廢在王命

현토 원문

王曰 嗚呼라 封아 汝念哉어다 今民은 將在祗遹乃文考니 紹聞하며 衣德言하라 往敷求于殷先哲王하여 用保乂民하며 汝丕遠惟商耇成人하여 宅心知訓하며 別求聞由古先哲王하여 用康保民하라 弘于天하여 若德이 裕乃身이라야 不廢在王命하리라

번역

"아아, 봉아, 명심할지어다! 백성들은 선친 문왕을 공경하고 따랐나니, 너는 선친 문왕에 관해 들었던 바를 잘 승계하고 그분의 덕과 말씀을 잘 이해하도록 하여라. 임지에 가서는 과거 은의 현철했던 왕들의 언행을 널리 구하고 배워 백성을 보호하고 다스리는데 참고하도록 하여라. 은나라의 노성(老成)했던 인물들에게도 배워 마음을 수양하고 교훈을 익힐 것이며 이 외에도 옛 현철했던 왕들의 언행을 구하여 배우며 실천하여 백성을 편안하게 하고 지키는데 참고하도록 하여라. 하늘의 이치를 넓혀 덕이 몸에 넉넉하여야 너에게 부여한 나의 명을 길이 지킬 수 있을 것이다."

11-6.

난자(難字)

恫: 아플통 / 瘝: 병들환

백문 원문

王曰嗚呼小子封恫瘝乃身敬哉天畏棐忱民情大可見小人難保往盡乃心無康好逸豫乃其乂民我聞曰怨不在大亦不在小惠不惠懋不懋

현토 원문

王曰 嗚呼라 小子封아 恫瘝乃身하여 敬哉어다 天畏나 棐忱이어니와 民情은 大可見이나 小人은 難保니 往盡乃心하여 無康好逸豫라사 乃其乂民이니라 我聞호니 曰 怨은 不在大하며 亦不在小라 惠不惠하며 懋不懋니라

번역

"아아, 봉아, 백성들의 힘듦을 네 몸에 병이 있는 것처럼 생각하여 절박한 심정으로 대하도록 하여라. 천명(天命)은 두려운 것이나 정성을 다하면 하느님은 도와주신다. 백성들 호오(好惡)의 감정은 쉽게 볼 수 있으나 그들을 보호해 주기는 쉽지 않다. 임지에 가면 너의 마음의 정성을 다하고 안일(安逸)하지 않아야 백성을 제대로 다스릴 수 있을 것이다. 내 들으니 '원망은 큰일이나 작은 일에 달려 있지 않고, 이치에 따랐느냐 따르지 않았느냐 해야 할 일을 했느냐 하지 않았느냐에 달려있다'고 한다."

11-7.

백문 원문

已汝惟小子乃服惟弘王應保殷民亦惟助王宅天命作新民

현토 원문

已아 汝惟小子아 乃服은 惟弘王하여 應保殷民하며 亦惟助王하

여 宅天命하며 作新民이니라

번역

"아아, 봉아, 네가 할 일은 왕덕(王德)을 넓혀 은나라 백성을 화합시키고 보호하는 것이다. 또한 나를 도와 천명을 안정시키고 백성을 일신시키는 것이다."

11-8.

난자(難字)

眚: 모르고지은죄생 / 辜: 허물고

백문 원문

王曰嗚呼封敬明乃罰人有小罪非眚乃惟終自作不典式爾有厥罪小乃不可不殺乃有大罪非終乃惟眚災適爾既道極厥辜時乃不可殺

현토 원문

王曰 嗚呼라 封아 敬明乃罰하라 人有小罪라도 非眚이면 乃惟終이라 自作不典하여 式爾니 有厥罪小나 乃不可不殺이니라 乃有大罪라도 非終이면 乃惟眚災라 適爾니 既道極厥辜어든 時乃不可殺이니라

번역

"아아, 봉아, 벌의 시행을 삼가 분명히 하여라. 비록 작을 죄일지라도 모르고 지은 것이 아니라면 의도적으로 옳지 않은 짓을 하여 그리된 것이니 작다하여 용서해서는 안된다. 비록 큰 죄일지라도 모르고 지은 것이라면 의도적으로 옳지 않은 짓을 한 것이 아니니 그 정상(情狀)을 고백하거든 함부로 죽여서는 안 될 것이다."

11-9.

백문 원문

王曰嗚呼封有敍時乃大明服惟民其勅懋和若有疾惟民其畢棄咎若保赤子惟民其康乂

현토 원문

王曰 嗚呼라 封아 有敍라사 時乃大明服하여 惟民이 其勅懋和하리라 若有疾하면 惟民이 其畢棄咎하며 若保赤子하면 惟民이 其康乂하리라

번역

"아, 봉아, 형벌의 시행을 절도에 맞게 하여야 백성들이 크게 수긍하여 서로 조심하고 화순(和順)하려 노력할 것이다. 악을 제거하기를 몸의 질병을 없애는 것처럼 하면 백성들이 허물을 버리려 노력할 것이고, 백성들 보호하기를 어린아이 보호하듯 하면 백성들이 너의 통치를 편안히 여길 것이다."

11-10.

난자(難字)

劓: 코벨의 / 刵: 귀벨이

백문 원문

非汝封刑人殺人無或刑人殺人非汝封(又曰)劓刵人無或劓刵人

현토 원문

非汝封이 刑人殺人이니 無或刑人殺人하라 非汝封이 (又曰)劓刵人이니 無或劓刵人하라

번역

"아, 봉아, 사사로이 백성을 벌주거나 죽여서는 안된다. 절대 그러한 일이 있어서는 안된다. 아, 봉아, 사사로이 백성의 코를 베거나

귀를 베어서는 안된다. 절대 그러한 일이 있어서는 안된다."

11-11.

난자(難字)

臬: 법얼

백문 원문

王曰外事汝陳時臬司師玆殷罰有倫

현토 원문

王曰 外事에 汝陳時臬하여 司師玆殷罰有倫케하라

번역

"아, 봉아, 외사(外事, 관리들이 집행해야 할 일)에 이러한 법도가 잘 시행되도록 하여 유사(有司, 관리)들이 이 옛 은 땅에서의 처벌이 법도에 맞게 잘 시행되고 있다는 것을 배우게 하여라."

11-12.

난자(難字)

蔽: 결단할폐

백문 원문

又曰要囚服念五六日至于旬時丕蔽要囚

현토 원문

又曰 要囚를 服念五六日하며 至于旬時하여서 丕蔽要囚하라

번역

"아, 봉아, 중대한 처벌 사안은 5, 6일 동안 깊이 생각하고 10일이나 3개월 정도 지나 결단을 내리도록 하여라."

11-13.

백문 원문

王曰汝陳時臬事罰蔽殷彝用其義刑義殺勿庸以次汝封乃汝盡遜曰時敍惟曰未有遜事

현토 원문

王曰 汝陳時臬事하여 罰蔽殷彝호되 用其義刑義殺이요 勿庸以次汝封하라 乃汝盡遜하며 曰時敍라도 惟曰未有遜事라하라

번역

“아, 봉아, 형 집행에 관한 일을 처리할 때는 처벌과 결단을 옛은 땅의 상법(常法)에 맞게 할 것이니 반드시 의형(義刑)과 의살(義殺)을 시행해야 하고 너의 사사로운 감정에 따라 시행해서는 안 된다. 조심스러운 마음으로 적법하게 시행했을지라도 결코 ‘흡족하게 처리했다’고는 말하지 말아라.”

11-14.

백문 원문

已汝惟小子未其有若汝封之心朕心朕德惟乃知

현토 원문

已아 汝惟小子나 未其有若汝封之心하니 朕心朕德은 惟乃知니라

번역

“봉아, 네가 비록 어리나 너같이 선을 혹호하는 마음을 가진 이가 흔치 않다. 아울러 너는 나의 마음과 덕을 잘 알고 있다.”

11-15.

난자(難字)

暋: 강할민 / 憝: 원망할대

백문 원문

凡民自得罪寇攘姦宄殺越人于貨暋不畏死罔弗憝

현토 원문

凡民이 自得罪하여 寇攘姦宄하며 殺越人于貨하여 暋不畏死를 罔弗憝니라

번역

"어떤 자가 의도성을 가지고 도둑질을 하거나 간악한 행동을 하며 재물 때문에 사람을 죽이고 상하게 하면서 처벌을 무서워하지 않는다면, 백성들은 이 자를 증오하지 않음이 없을 것이다. 이런 자는 반드시 처벌하여야 한다."

11-16.

난자(難字)

弔: 나아갈적

백문 원문

王曰封元惡大憝矧惟不孝不友子弗祗服厥父事大傷厥考心于父不能字厥子乃疾厥子于弟弗念天顯乃弗克恭厥兄兄亦不念鞠子哀大不友于弟惟弔(적)玆不于我政人得罪天惟與我民彝大泯亂曰乃其速由文王作罰刑玆無赦

현토 원문

王曰 封아 元惡은 大憝니 矧惟不孝不友온여 子弗祗服厥父事하여 大傷厥考心하면 于父不能字厥子하여 乃疾厥子하리며 于弟弗念天顯하여 乃弗克恭厥兄하면 兄亦不念鞠子哀하여 大不友于弟하

리니 惟弔(적)玆요 不于我政人에 得罪하면 天惟與我民彝 大泯亂하리니 曰 乃其速由文王作罰하여 刑玆無赦하라

번역

"봉아, 큰 죄악을 저지르면 큰 지탄을 받는데 더구나 그 자가 불효하고 불우(不友, 형제간에 불화함)한 자라면 어떻겠느냐. 자식이 부모에게 불경하면 크게 부모의 마음을 상하게 할 것이니 그리되면 부모도 그 자식을 사랑하지 아니하고 미워할 것이다. 아우된 자가 하늘의 이치를 거슬러 형에게 공손하지 아니하면 형 또한 부모가 애써 기른 것을 생각지 않고 아우를 크게 미워할 것이다. 이런 지경에 이른 자를 처벌치 않는다면 백성들의 상도(常道)가 궤멸될 것이다. 이런 자는 신속하게 문왕께서 제정한 형벌을 내리고 절대로 용서치 말아라."

11-17.

난자(難字)

戞: 법알 / 瘝: 병들환

백문 원문

不率大戞矧惟外庶子訓人惟厥正人越小臣諸節乃別播敷造民大譽弗念弗庸瘝厥君時乃引惡惟朕憝已汝乃其速由玆義率殺

현토 원문

不率은 大戞이니 矧惟外庶子訓人과 惟厥正人과 越小臣諸節이 乃別播敷하여 造民大譽하여 弗念弗庸하여 瘝厥君이온여 時乃引惡이라 惟朕의 憝니 已아 汝乃其速由玆義하여 率殺하라

번역

"나라의 가르침을 따르지 않는 자들은 크게 법으로 다스려야 한

다. 외서자(外庶子, 외지를 다스리는 여러 왕자)로 백성을 가르쳐야 할 이들과 대소 관리들이 자기식의 가르침을 펴 백성들의 호응을 받으며 임금과 국법을 무시하여 임금에게 누를 끼치는 자들은 더욱 그러하다. 이는 악을 조장하는 행위로 내가 심히 미워하는 바이니 너는 이러한 자들을 이상의 의(義)에 따라 모두 처단해야 한다."

11-18.

백문 원문

亦惟君惟長不能厥家人越厥小臣外正惟威惟虐大放王命乃非德用乂

현토 원문

亦惟君惟長이 不能厥家人과 越厥小臣外正이요 惟威惟虐으로 大放王命하면 乃非德用乂니라

번역

"군장(君長, 임금)이 집안 사람과 대소 관리를 교화하여 다스리지 못하고 위세와 혹독함으로 다스려 천자의 명을 무색하게 한다면 이는 덕치가 아니다."

11-19.

백문 원문

汝亦罔不克敬典乃由裕民惟文王之敬忌乃裕民曰我惟有及則予一人以懌

현토 원문

汝亦罔不克敬典하여 乃由裕民호되 惟文王之敬忌로하여 乃裕民이요 曰我惟有及이라하면 則予一人이 以懌호리라

번역

"봉아, 너는 법을 존숭하여 백성들을 편안하게 하되 문왕께서 보이셨던 경기(敬忌, 공경하고 조심함)의 자세로 행해야 할 것이다. 네가 만일 '나도 문왕께 버금가게 하고 있다.'고 말한다면 나는 심히 기쁠 것이다."

11-20.

백문 원문

王曰封爽惟民迪吉康我時其惟殷先哲王德用康乂民作求矧今民罔迪不適不迪則罔政在厥邦

현토 원문

王曰 封아 爽惟民은 迪吉康이니 我는 時其惟殷先哲王德으로 用康乂民하여 作求니 矧今民이 罔迪不適이온여 不迪하면 則罔政在厥邦하리라

번역

"봉아, 생각건대 백성은 길강(吉康, 길하고 편안함. 여기서는 덕의 의미로 사용)으로 인도해야 하니, 나는 은나라의 현철했던 왕들의 덕을 따라 이 백성들을 편안하게 다스려 저들과 같은 왕이 되고자 한다. 더구나 지금 백성들이 나라의 가르침을 기꺼워하고 있는데 이들을 길강으로 인도하지 않는다면 나라에 정치가 실종된 것이라 할 수 있다."

11-21.

난자(難字)

戾: 그칠려 / 殛: 죽일극

백문 원문

王曰封予惟不可不監告汝德之說于罰之行今惟民不靜未戾厥心迪屢未同爽惟天其罰殛我我其不怨惟厥罪無在大亦無在多矧曰其尙顯聞于天

현토 원문

王曰 封 予惟不可不監이라 告汝德之說于罰之行하노니 今惟民이 不靜하여 未戾厥心하여 迪屢未同하니 爽惟天이 其罰殛我하시리니 我其不怨호리라 惟厥罪는 無在大하며 亦無在多하니 矧曰其尙顯聞于天이온여

번역

"봉아, 내 신중해지지 않을 수 없구나. 네게 다시 한번 형벌의 시행에 대해 조심스럽게 고하노니, 백성들이 미정(未靜, 심성이 완악(頑惡)함)하여 그 마음을 다스리지 못해 여러 차례 선의 길로 인도해도 동화되지 못하면 하늘은 저들을 벌주는 것이 아니라 나를 벌주실 터이니 내가 어찌 이를 원망할 수 있겠느냐. 저들의 죄는 큰 잘못과 많은 잘못에 있는 게 아니다. 바로 내 잘못에 있다. 더구나 지금 추문(醜聞) 예덕(穢德)이 하늘에 알려진 상황에서야 더 말할 것이 있겠느냐."

11-22.

난자(難字)

蔽: 결단할폐 / 忱: 정성침 / 瑕: 흠하 / 殄: 끊을진

백문 원문

王曰嗚呼封敬哉無作怨勿用非謀非彝蔽時忱丕則(칙)敏德用康乃心顧乃德遠乃猷裕乃以民寧不汝瑕殄

현토 원문

王曰 嗚呼라 封아 敬哉어다 無作怨하며 勿用非謀非彝하고 蔽時忱하여 丕則(칙)敏德하여 用康乃心하며 顧乃德하며 遠乃猷하며 裕乃以民寧하면 不汝瑕殄하리라

번역

“아아, 봉아, 경건할지어다. 원망 들을 일을 하지 말아라. 상도(常道)를 벗어난 꾀와 법을 쓰지 말고 오직 성심(誠心)으로 결단하며 선대의 유덕한 이들을 본받아 너의 마음을 평정(平定)하여라. 항상 너의 덕을 살펴보고 멀리 내다보도록 하여라. 너그러움으로 백성을 편안하게 하여라. 이리하면 네게 무슨 허물이 있어 후사가 끊기겠느냐.”

11-23.

백문 원문

王曰嗚呼肆汝小子封惟命不于常汝念哉無我殄享明乃服命高乃聽用康乂民

현토 원문

王曰 嗚呼라 肆汝小子封아 惟命은 不于常이니 汝念哉하여 無我殄享하여 明乃服命하며 高乃聽하여 用康乂民하라

번역

“아아, 봉아! 천명은 일정치 않아 선하면 얻고 불선하면 잃나니, 너는 나의 말을 깊이 생각하여 너에게 준 나라를 끊는 일이 없게 하여라. 내게 받고 들은 명을 명심하고 받들어 백성을 편안히 다스리도록 하여라.”

11-24.

백문 원문

王若曰往哉封勿替敬典聽朕告汝乃以殷民世享

현토 원문

王若曰 往哉封아 勿替敬典하여 聽朕의 告汝라사 乃以殷民으로 世享하리라

번역

"가거라, 봉아! 존숭해야 할 법을 폐하지 말고 내가 네게 고한 말들을 명심하여라. 그리하면 네가 길이 은나라 백성과 복락을 누리리라!"

12. 주고(酒誥, 술을 경계하다)

12-1.

백문 원문

王若曰明大命于妹邦

현토 원문

王若曰 明大命于妹邦하노라

번역

왕(무왕을 지칭)께서 다음과 같이 말씀하셨다: "매방(妹邦, 원뜻은 (술로) 흐릿해진 나라란 뜻이다. 여기서는 은나라를 지칭)에 대명(大命)을 밝히 고하노라."

12-2.

백문 원문

乃穆考文王肇國在西土厥誥毖庶邦庶士越少正御事朝夕曰祀茲酒惟天降命肇我民惟元祀

현토 원문

乃穆考文王이 肇國在西土하실새 厥誥毖庶邦庶士와 越少正御事하사 朝夕에 曰 祀茲酒니 惟天이 降命하사 肇我民하심은 惟元祀니라

번역

"경건한 선친 문왕께서 서토(西土, 서쪽 지역)에 나라를 세우셨을 때 여러 방군(邦君, 제후)과 지식인 그리고 소정(少正, 관료)과 어사(御事, 실무 관리)를 가르쳐 경계하셨다. 조석으로 그들에게 말씀하시길 '제사를 지낼 때만 이 술을 쓸 것이니, 하느님이 명을 내리사 백성들에게 술을 만들게 하신 것은 오직 큰 제사에 쓰게 하려 하신 것이다.'고 하셨다."

12-3.

백문 원문

天降威我民用大亂喪德亦罔非酒惟行越小大邦用喪亦罔非酒惟辜

현토 원문

天降威하사 我民이 用大亂喪德이 亦罔非酒의 惟行이며 越小大邦用喪이 亦罔非酒의 惟辜니라

번역

"이렇게도 말씀하셨다. '하느님이 위엄을 보이사 백성들이 크게 혼란하고 덕을 잃게 된 것은 대부분 이 술이 초래한 결과이며 작고 큰 나라들이 망한 것 또한 이 술이 초래한 불행 아닌 것이 없다.'"

12-4.

백문 원문

文王誥教小子有正有事無彝酒越庶國飮惟祀德將無醉

현토 원문

文王이 誥教小子와 有正有事하사되 無彝酒하라 越庶國이 飮호되 惟祀니 德將無醉하라

번역

"선친 문왕께서는 나어린 자들과 관료와 실무자들에게 다음과 같이 말씀하시기도 하셨다. '술을 일상사처럼 대하지 말라. 뭇 나라 백성들은 술을 마시되 제사 때만 마실 것이며, 이조차도 유념하여 취할 지경까지는 이르지 말라'"

12-5.

백문 원문

惟曰我民迪小子惟土物愛厥心臧聰聽祖考之彝訓越小大德小子惟一

현토 원문

惟曰 我民이 迪小子하되 惟土物愛하면 厥心이 臧하리니 聰聽祖考之彝訓하여 越小大德에 小子惟一하라

번역

"이렇게도 말씀하셨다. '백성들이여, 어린 자제들을 인도할 때 가색(稼穡, 농사)을 좋아하도록 하면 그들의 마음이 선해질 것이니 조고(祖考)의 상훈(常訓)을 귀담아 들어 소덕(小德, 작은 덕. 여기서는 술을 삼가는 것을 지칭)이나 대덕(大德, 큰 덕. 예의범절을 지켜 쌓은 덕성)을 똑같은 것으로 여기게 하라.'"

12-6.

난자(難字)

純: 오로지순 / 肇: 민첩할조 / 洗: 깨끗할선 / 腆: 두터울전

백문 원문

妹土嗣爾股肱純其藝黍稷奔走事厥考厥長肇牽車牛遠服賈(고)用孝養厥父母厥父母慶自洗腆致用酒

현토 원문

妹土아 嗣爾股肱하여 純其藝黍稷하여 奔走事厥考厥長하며 肇牽車牛하여 遠服賈(고)하여 用孝養厥父母하여 厥父母慶이어사 自洗腆하여 致用酒하라

번역

"매토(妹土) 사람들아, 부지런히 움직여 농사에 힘쓰고 바지런히 부모와 어른을 섬기며 우거(牛車)로 먼 지역까지 다니며 장사하여 부모를 효도로 봉양하라. 하여 부모가 기꺼워하시거든 깨끗이 하고 안주를 마련하여 술을 마시도록 하여라."

12-7.

난자(難字)

羞: 봉양할수 / 耈: 늙은이구 / 介: 도울개

백문 원문

庶士有正越庶伯君子其爾典聽朕教爾大克羞耈(惟君)爾乃飮食醉飽丕惟曰爾克永觀省作稽中德爾尙克羞饋祀爾乃自介用逸玆乃允惟王正事之臣玆亦惟天若元德永不忘在王家

현토 원문

庶士有正과 越庶伯君子아 其爾는 典聽朕教하라 爾大克羞耈(惟

君)이오사 爾乃飮食醉飽하라 丕惟曰 爾克永觀省하여 作稽中德이어사 爾尙克羞饋祀니 爾乃自介用逸이니라 玆乃允惟王正事之臣이며 玆亦惟天이 若元德하사 永不忘이 在王家하니라

번역

"뭇 지식인과 관료와 존경받는 군자들아, 나의 가르침을 경청하여라. 그대들은 노인을 크게 봉양하고서 마시고 먹도록 하여라. 늘 내면을 성찰하여 중도에 맞게 말하고 행동한 뒤에사 신명(神冥)께 음식을 올릴 수 있나니 그런 뒤에야 그에 걸맞게 (술을) 즐길 수 있을 것이다. 이러해야 진정한 왕의 신하이며 하느님도 흡족하게 여겨 이 왕실을 길이 잊지 않으실 것이다."

12-8.

백문 원문

王曰封我西土棐徂邦君御事小子尙克用文王敎不腆於酒故我至于今克受殷之命

현토 원문

王曰 封아 我西土棐徂邦君御事小子 尙克用文王敎하여 不腆於酒일새 故我至于今하여 克受殷之命이니라

번역

"아아, 봉아, 과거 서토(西土)에서 일을 돕던 여러 방군(邦君)과 어사(御事)·소자(小子)들은 문왕의 가르침을 잘 받들어 술에 흔들리지 않아 오늘날 내가 은나라의 명을 물려받게 된 것이다."

12-9.

백문 원문

王曰封我聞惟曰在昔殷先哲王迪畏天顯小民經德秉哲自成湯咸至于帝乙成王畏相惟御事厥棐有恭不敢自暇自逸矧曰其敢崇飮

현토 원문

王曰 封아 我聞하니 惟曰 在昔殷先哲王이 迪畏天顯小民하사 經德秉哲하사 自成湯으로 咸至于帝乙히 成王畏相이어시늘 惟御事厥棐有恭하여 不敢自暇自逸이온 矧曰其敢崇飮가

번역

"봉아, 나는 이런 말을 들었다. '옛 은나라의 현철(賢哲)했던 왕들은 천명(天命)을 따르고 백성을 보호하는 책무를 무겁게 여겼다. 덕을 닦고 어진 이들을 등용하여 탕임금으로부터 제을(帝乙)에 이르기까지 모두 왕덕(王德, 왕으로서 갖춰야 할 덕)을 완성하고 현상(賢相, 어진 재상)을 대우하니 어사(御事)들 또한 맡은 일에 최선을 다하고 공경의 자세를 갖춰 방일(放逸)함이 없었다. 이들이 술을 즐겼겠는가?'"

12-10.

난자(難字)

湎: 빠질면

백문 원문

越在外服侯甸男衛邦伯越在內服百僚庶尹惟亞惟服宗工越百姓里居罔敢湎于酒不惟不敢亦不暇惟助成王德顯越尹人祗辟

현토 원문

越在外服한 侯甸男衛邦伯과 越在內服한 百僚庶尹과 惟亞惟服과 宗工과 越百姓里居에 罔敢湎于酒하니 不惟不敢이라 亦不暇요

惟助成王德顯하며 越尹人祗辟하니라

번역

"당시 외복(外服)에 있는 후·전·남·위(侯·甸·男·衛)의 제후와 방백(邦伯) 및 내복(內服)에 있는 문무백관과 아(亞)와 복(服)과 종공(宗工)과 마을에 거주하는 백성들 모두 술에 빠진 이가 없었다. 단지 조심할 뿐 아니라 그럴 겨를이 없었으니 왕의 덕이 현창(顯彰)하길 힘썼으며 특히 고관들이 임금을 지극히 공경했기 때문이다."

12-11.

난자(難字)

酣: 취할감 / 衋: 아플혁 / 狠: 사나울한 / 速: 부를속 / 罹: 근심할리

백문 원문

我聞亦惟曰在今後嗣王酣身厥命罔顯于民祗保越怨不易(역)誕惟厥縱淫泆于非彝用燕喪威儀民罔不衋傷心惟荒腆于酒不惟自息乃逸厥心疾狠不克畏死辜在商邑越殷國滅無罹弗惟德馨香祀登聞于天誕惟民怨庶羣自酒腥聞在上故天降喪于殷罔愛于殷惟逸天非虐惟民自速辜

현토 원문

我聞호니 亦惟曰 在今後嗣王하여 酣身하여 厥命이 罔顯于民이요 祗保越怨이어늘 不易(역)하고 誕惟厥縱淫泆于非彝하여 用燕喪威儀한대 民이 罔不衋傷心이어늘 惟荒腆于酒하여 不惟自息乃逸하며 厥心疾狠하여 不克畏死하며 辜在商邑하여 越殷國滅無罹하니 弗惟德馨香祀 登聞于天이요 誕惟民怨庶羣自酒腥이 聞在上이라 故天降喪于殷하사 罔愛于殷은 惟逸이니 天非虐이라 惟民이

自速辜니라

번역

"나는 다음과 같은 말을 들었다. '지금 왕(주(紂)를 가리킴)은 술에 빠져 그의 명이 백성들에게 서지 않고 그가 받드는 일은 오로지 백성의 원성을 사는 것뿐이거늘, 마음을 바꾸지 아니하고 상도(常道)에 벗어난 짓을 기탄없이 하여 위의(威儀)를 상실했다. 백성들은 상심에 빠져있거늘 왕은 술에 빠져 방종한 태도를 고치지 않으며 심성은 거칠어져 죽음도 꺼리지 않고 있다. 그의 허물이 은나라를 덮어 나라가 망할 지경이 됐는데도 근심하지 않고 있다. 덕의 향기와 숭고한 제사가 하늘에 알려지지 않고, 백성들의 원망하는 소리와 술에서 비롯된 온갖 추한 소문만이 하늘에 알려졌다. 하늘은 마침내 은나라의 천명을 거두고 은을 돌보지 않으셨다.' 이는 왕의 술에서 비롯된 방탕 때문이니, 하늘이 버린 것이 아니요 왕 스스로가 자신을 버린 것이다."

12-12.

난자(難字)

撫: 어루만질무

백문 원문

王曰封予不惟若玆多誥古人有言曰人無於水監當於民監今惟殷墜厥命我其可不大監撫于時

현토 원문

王曰 封 予不惟若玆多誥라 古人이 有言曰 人은 無於水에 監이요 當於民에 監이라하니 今惟殷이 墜厥命하니 我其可不大監하여 撫于時아

번역

"봉아, 나는 본시 이렇게 많은 말을 하려던 것이 아니었다. 옛사람이 이르길 '물에 비춰보지 말고, 백성에게 비춰보라'고 했다. 은나라가 그 명을 실추시켰으니, 내 어찌 그것을 크게 거울삼아 지금을 경계하지 않을 수 있겠느냐!"

12-13.

난자(難字)

劼: 힘쓸활 / 圻: 지경은

백문 원문

予惟曰汝劼毖殷獻臣侯甸男衛矧太史友內史友越獻臣百宗工矧惟爾事服休服采矧惟若疇圻父(보)薄違農父若保宏父定辟矧汝剛制于酒

현토 원문

予惟曰 汝劼毖殷獻臣과 侯甸男衛니 矧太史友와 內史友와 越獻臣百宗工이온여 矧惟爾事인 服休服采온여 矧惟若疇인 圻父(보)薄違와 農父若保와 宏父定辟이온여 矧汝剛制于酒온여

번역

"너는 은나라의 현신[獻臣]과 후(侯)·전(甸)·남(男)·위(衛)의 제후들에게 술을 삼가도록 경계해야 할 것이다. 벗으로 삼는 태사(太史)와 내사(內史) 그리고 현신과 뭇 고위 관료들에게도 마찬가지로 그리해야 할 것이다. 네가 관심둬야 할 복휴(服休, 도를 논하는 신하)와 복채(服采, 주요 업무에 종사하는 신하)에게도 마찬가지이다. 명을 거스린 자를 처벌하는 은보(圻父)와 백성을 보호하는 책임을 맡은 농보(農父)와 백성의 주거를 책임지는 굉보(宏父) 또한 술을 삼가도록 경계해야 한다. 네가 술을 절제해야 하는 거야 두말할 나

위가 없다."

12-14.

백문 원문

厥或誥曰羣飮汝勿佚盡執拘以歸于周予其殺

현토 원문

厥或誥曰 羣飮이어든 汝勿佚하여 盡執拘하여 以歸于周하라 予其殺이니라

번역

"누군가 네게 '떼 지어 모여 술을 마시고 있습니다.'라고 고하거든 너는 절대 안이하게 대처하지 말고 잡아들여 나 있는 곳으로 보내도록 하여라. 나는 그들을 다 처단할 것이다."

12-15.

난자(難字)

湎: 빠질면

백문 원문

又惟殷之迪諸臣惟工乃湎于酒勿庸殺之姑惟敎之

현토 원문

又惟殷之迪諸臣惟工이 乃湎于酒어든 勿庸殺之하고 姑惟敎之하라

번역

"수(受, 주(紂)의 이름)가 그릇된 길로 인도한 은나라의 여러 신하들과 벼슬아치들이 술에 빠져 지내거든 죽이지 말고 우선 가르치도록 하여라."

12-16.

난자(難字)

蠲: 깨끗할견

백문 원문

有斯明享乃不用我教辭惟我一人弗恤弗蠲乃事時同于殺

현토 원문

有斯면 明享이어니와 乃不用我教辭하면 惟我一人이 弗恤하여 弗蠲乃事하여 時同于殺호리라

번역

"이상의 가르침을 잘 따른다면 분명한 보상이 따르겠지만 나의 가르침을 따르지 않는다면 너를 돕지 않고 네가 하려는 일도 고깝게 보아 사형(死刑)에 준해 너의 죄를 다스릴 것이다."

12-17.

백문 원문

王曰封汝典聽朕毖勿辨乃司民湎于酒

현토 원문

王曰 封아 汝典聽朕毖하라 勿辨乃司하면 民湎于酒하리라

번역

"봉아, 내가 한 경계의 말을 깊이 명심하여라. 유사(有司)를 다스리지 못하면 백성들은 또다시 술독에 빠질 것이다."

13. 자재(梓材, 좋은 목재)

13-1.

백문 원문

王曰封以厥庶民暨厥臣達大家以厥臣達王惟邦君

현토 원문

王曰 封아 以厥庶民과 暨厥臣으로 達大家하며 以厥臣으로 達王은 惟邦君이니라

번역

왕(무왕을 지칭)께서 말씀하셨다: "봉아, 중간에서 백성과 신하를 대가(大家, 권문세족)와 소통시키며 신하를 천자와 소통시키는 것이 방군(邦君, 제후)의 역할이다."

13-2.

난자(難字)

宥: 용서할유 / 戕: 해칠장

백문 원문

汝若恒越曰我有師師司徒司馬司空尹旅曰予罔厲殺人亦厥君先敬勞肆徂厥敬勞肆往姦宄殺人歷人宥肆亦見厥君事戕敗人宥

현토 원문

汝若恒越하여 曰 我有師師는 司徒와 司馬와 司空과 尹과 旅니 曰予罔厲殺人이라하라 亦厥君이 先敬勞니 肆徂厥敬老하라 肆往姦宄殺人歷人을 宥하면 肆亦見厥君事하여 戕敗人을 宥하리라

번역

"너는 말할 기회가 있을 때마다 이렇게 말하여라. '내가 관사(官師, 관리)로 높이 취급하는 이는 사도(司徒)와 사마(司馬)와 사공(司空)과 윤(尹, 우두머리 관리)과 여(旅, 여러 대부)이다.' 그리고 이같이 말하여라. '나는 사람을 모질게 하여 죽이는 것을 싫어한

다.' 방군은 항상 먼저 공경하고 위로하여야 하니 저들에게 그것을 행하도록 하여라. 지난날 간특한 짓을 했거나 살인을 했거나 죄인을 숨겨준 일이 있는 자들을 너그러이 용서하면 저들도 방군의 처사를 보고 남에게 해악을 끼친 자들을 너그러이 용서할 것이다."

13-3.

난자(難字)

恬: 편안할염

백문 원문

王啓監厥亂爲民曰無胥戕無胥虐至于敬寡至于屬婦合由以容王其效邦君越御事厥命曷以引養引恬自古王若玆監罔攸辟

현토 원문

王啓監하심은 厥亂이 爲民이니 曰 無胥戕하며 無胥虐하여 至于敬寡하며 至于屬婦하여 合由以容하라 王이 其效邦君과 越御事인댄 厥命은 曷以오 引養引恬이니라 自古로 王若玆하니 監은 罔攸辟이니라

번역

"선왕께서 감(監, 속국된 나라를 감시하는 기관)을 두신 것은 백성을 위해서였다. 감을 두면서 이렇게 말씀하셨다. '해치지 말고 함부로 대하지 말라. 힘없는 이들을 존중하며 홀로 된 여인네들이 제대로 살 수 있게 하여야 하니 이들을 방기해서는 안된다.' 선왕께서 방군과 어사(御事)에게 일의 성과를 물으실 때의 요점은 항상 양(養, 길러줌)과 염(恬, 편안함)이었다. 예로부터 왕들이 감에게 경계한 것도 이와 같았으니 감은 절대로 형벌을 사용하여 사람을 해쳐서는 안 된다."

13-4.

난자(難字)

菑: 밭일굴치 / 畎: 밭도랑견 / 墉: 담용 / 塗: 흙바를도 / 墍: 흙바를기 / 茨: 이엉자 / 樸: 나무등걸박 / 斲: 깎을착 / 雘: 단청할확

백문 원문

惟曰若稽田既勤敷菑惟其陳修爲厥疆畎若作室家既勤垣墉惟其塗墍茨若作梓材既勤樸斲惟其塗丹雘

현토 원문

惟曰 若稽田에 既勤敷菑인댄 惟其陳修하여 爲厥疆畎하며 若作室家에 既勤垣墉인댄 惟其塗墍茨하며 若作梓材에 既勤樸斲인댄 惟其塗丹雘이니라

번역

"밭을 일굴 때는 잡초를 제거했으면 땅을 평평히 골라 두둑과 고랑을 만들며, 집을 지을 때는 담을 쌓았으면 진흙을 바르고 지붕을 해 일며, 목재를 만들 때는 깎고 다듬었으면 단청을 발라야 한다. 이는 내가 한 일과 네가 할 일에 꼭 맞는 비유이니라."

13-5.

난자(難字)

夾: 가까울협

백문 원문

今王惟曰先王既勤用明德懷爲夾庶邦享作兄弟方來亦既用明德后式典集庶邦丕享

현토 원문

今王이 惟曰 先王이 旣勤用明德하사 懷爲夾하신대 庶邦享하여 作兄弟方來하여 亦旣用明德하니 后式典集하시면 庶邦이 丕享하리이다

번역

"이제 왕께서 '선왕(문왕과 무왕을 지칭)께서 명덕(明德)을 드러내사 먼 나라들을 품어 보듬으니 뭇 나라들이 예물을 바치며 형제국이 되어 그들 또한 명덕을 드러냈다. 후왕도 이를 본받으리라.' 하시면 뭇 나라들이 당시처럼 모두 예물을 바칠 것입니다."

*13-5, 6, 7장은 신하가 임금에게 올리는 말투로 앞서의 번역과 어투가 다르다. 채침은 이 부분에 탈간(脫簡, 죽간의 누락)이 있는 것 같다고 보았다.

13-6.

백문 원문

皇天旣付中國民越厥疆土于先王

현토 원문

皇天이 旣付中國民과 越厥疆土于先王하시니

번역

"하느님이 중국의 백성과 강토를 선왕께 맡기셨으니"

13-7.

백문 원문

肆王惟德用和懌先後迷民用懌先王受命

현토 원문

肆王은 惟德을 用하사 和懌先後迷民하사 用懌先王受命하소서

번역

“이제 왕께선 명덕을 드러내사 미욱한 백성들을 화합시키고 위로하여 천명을 받으셨던 선왕을 기쁘게 하소서.”

13-8.

백문 원문

已若茲監惟曰欲至于萬年惟王子子孫孫永保民

현토 원문

已若茲監하소서 惟曰 欲至于萬年惟王하사 子子孫孫이 永保民하노이다

번역

“이와 같이 살펴보소서. 영원히 왕실이 지속되어 자자손손이 길이 백성을 보호하길 바라옵니다.”

14. 소고(召誥, 소공(召公)이 고하다)

14-1.

백문 원문

惟二月既望越六日乙未王朝步自周則至于豐

현토 원문

惟二月既望越六日乙未에 王이 朝步自周하사 則至于豐하시다

번역

2월 21일 을미일에 왕(성왕을 지칭)께서 아침에 호경(鎬京)을 떠

나 풍(豐) 땅에 이르셨다.

14-2.

난자(難字)

越若來: 월약래. 어조사 / 朏: 초사흘비

백문 원문

惟太保先周公相宅越若來三月惟丙午朏越三日戊申太保朝至于洛卜宅厥其得卜則經營

현토 원문

惟太保先周公相宅하여 越若來三月惟丙午朏越三日戊申에 太保朝至于洛하여 卜宅하니 厥其得卜하여 則經營하니라

번역

태보(太保, 소공을 지칭)가 주공에 앞서 도읍 터를 살피게 되었다. 3월 병오 5일 무신일에 태보가 아침에 낙읍에 이르러 도읍 터의 길흉을 점쳤는데 길복(吉卜)을 얻어 도읍 공사를 시작하였다.

14-3.

난자(難字)

汭: 물가예

백문 원문

越三日庚戌太保乃以庶殷攻位于洛汭越五日甲寅位成

현토 원문

越三日庚戌에 太保乃以庶殷으로 攻位于洛汭하니 越五日甲寅에 位成하니라

번역

7일 경술일에 태보가 은나라 백성을 부역에 동원하여 낙숫가에 터를 닦아 11일 갑인일에 큰 틀(왼쪽에 종묘, 오른쪽에 사직단, 앞에 조정, 뒤에 저자를 위치시키는 것)을 완성하였다.

14-4.

백문 원문

若翼日乙卯周公朝至于洛則達觀于新邑營

현토 원문

若翼日乙卯에 周公이 朝至于洛하사 則達觀于新邑營하시다

번역

12일 을묘일에 주공이 아침에 낙읍에 이르러 새로 만든 터를 두루 살펴보았다.

14-5.

백문 원문

越三日丁巳用牲于郊牛二越翼日戊午乃社于新邑牛一羊一豕一

현토 원문

越三日丁巳에 用牲于郊하시니 牛二러라 越翼日戊午에 乃社于新邑하시니 牛一羊一豕一이러라

번역

14일 정사일에 교제(郊祭)에 희생을 썼는데, 소 두 마리였다. 15일 무오일에 낙읍 중앙에서 사제(社祭)를 지냈는데, 소 한 마리와 양 한 마리와 돼지 한 마리를 사용하였다.

14-6.

백문 원문

越七日甲子周公乃朝用書命庶殷侯甸男邦伯

현토 원문

越七日甲子에 周公이 乃朝用書하사 命庶殷侯甸男邦伯하시다

번역

21일 갑자일에 주공이 아침에 부역에 관한 명령서를 은나라 백성과 후복(侯服) 전복(甸服) 남복(男服)의 방백들에게 하달하였다.

14-7.

백문 원문

厥既命殷庶庶殷丕作

현토 원문

厥既命殷庶하시니 庶殷이 丕作하니라

번역

은나라 백성들에게 명령서가 통보되자 모두 흔연히 공사에 참여하였다.

14-8.

백문 원문

太保乃以庶邦冢君出取幣乃復入錫周公曰拜手稽首旅王若公誥告庶殷越自乃御事

현토 원문

太保乃以庶邦冢君으로 出取幣하여 乃復入錫周公하고 曰 拜手稽首하여 旅王若公하노니 誥告庶殷은 越自乃御事니이다

번역

태보가 여러 나라의 총군(冢君)들과 함께 성왕에게 바칠 폐백을 준비하여 주공에게 올리며 다음과 같이 말하였다: "삼가 부복하여 왕과 공께 아뢰니다. 은나라 백성에게 고유(告諭)하려면 어사(御事, 왕의 일을 집행하는 실무자란 뜻. 여기서는 왕을 대신한 간접 명칭으로 사용됨)부터 먼저 살펴야 할 것입니다."

14-9.

백문 원문

嗚呼皇天上帝改厥元子玆大國殷之命惟王受命無疆惟休亦無疆惟恤嗚呼曷其柰何弗敬

현토 원문

嗚呼라 皇天上帝 改厥元子玆大國殷之命하시니 惟王受命이 無疆惟休시나 亦無疆惟恤이시니 嗚呼曷其오 柰何弗敬이리오

번역

"아아, 하느님께서는 자신의 원자(元子, 여기서는 주(紂)를 가리킴)와 대국 은의 명을 거두셨습니다. 왕께서 새로운 천명을 받으셨으니 끝간데 없는 아름다운 일이나 또한 끝간데 없이 근심스런 일이기도 합니다. 아, 이러하니 어찌해야 하겠습니까? 오직 경(敬)의 자세를 가져야 할 뿐입니다."

14-10.

난자(難字)

瘝: 병들환 / 籲: 부를유 / 眷: 돌아볼권

백문 원문

天旣遐終大邦殷之命玆殷多先哲王在天越厥後王後民玆服厥命厥終智藏瘝在夫知保抱攜持厥婦子以哀籲天徂厥亡出執嗚呼天亦哀于四方民其眷命用懋王其疾敬德

현토 원문

天旣遐終大邦殷之命이라 玆殷多先哲王도 在天이어신마는 越厥後王後民이 玆服厥命하여 厥終에 智藏瘝在어늘 夫知保抱攜持厥婦子하여 以哀로 籲天하여 徂厥亡出執하니 嗚呼라 天亦哀于四方民이라 其眷命用懋하시니 王其疾敬德하소서

번역

"하느님이 대국 은의 명을 거두셨기에 비록 현철했던 은의 선왕들이 하늘에 있지만 어찌할 수 없었습니다. 저 후왕(後王, 주(紂)를 가리킴)과 후민(後民, 주를 가리킴. 하늘에 상대하여 지칭한 것임)이 명을 받았으나 종내는 지자(智者)들이 세상을 피하고 환자(瘝子, 병든 자. 졸렬한 자란 의미)만이 조정에 가득한 상황을 만들었습니다. 백성들은 처자식을 부둥켜 안고 하늘을 향해 섧게 울며 도망했고, 붙들린 이들은 모진 처벌을 받았습니다. 아아, 마침내 하느님도 이 백성들을 긍휼히 여기사 유덕한 이를 찾아 새로이 명을 내리시게 되었으니, 왕께서는 어찌 경건한 마음으로 덕을 베풀지 않으실 수 있겠습니까!"

14-11.

백문 원문

相古先民有夏天迪從子保面稽天若今時旣墜厥命今相有殷天迪格保面稽天若今時旣墜厥命

현토 원문

相古先民有夏컨대 天迪하시고 從子保어시늘 面稽天若이언마는 今時에 旣墜厥命하니이다 今相有殷컨대 天迪하시고 格保어시늘 面稽天若이어신마는 今時에 旣墜厥命하니이다

번역

"저 하나라를 보건데 하느님이 우임금을 인도하시고 아들도 보우해 주셨습니다. 우임금은 하느님의 마음을 헤아려 그 뜻을 잘 따라 후손이 지켜야 할 바를 정해 주었지만 후손에 이르러 그 천명을 실추시켰습니다. 은나라를 살펴보건데 역시 하느님이 인도하시고 바로잡아 보우해주셨습니다. 탕왕도 하느님의 마음을 헤아려 그 뜻을 잘 따라 후손이 지켜야 할 바를 정해 주었지만 후손에 이르러 그 천명을 실추시켰습니다."

14-12.

난자(難字)

沖: 어릴충 / 耈: 늙을구

백문 원문

今沖子嗣則無遺壽耈曰其稽我古人之德矧曰其有能稽謀自天

현토 원문

今沖子嗣하시니 則無遺壽耈하소서 曰其稽我古人之德이어늘사 矧曰其有能稽謀自天이온여

번역

"이제 어린 나이에 보위를 이으신 만큼 노성(老成)한 신하의 말에 귀를 기울이소서. '고인(古人)의 덕을 참고한 것이다' 하는 말도 귀 기울여야 하는데, '하늘에 이치에 근거한 것이다' 하는 노성한

신하의 말이야 두말할 나위가 있겠습니까?"

14-13.

난자(難字)

嵒: 험할암 / 諴: 화할함

백문 원문

嗚呼有王雖小元子哉其丕能諴于小民今休王不敢後用顧畏于民嵒

현토 원문

嗚呼라 有王은 雖小하시나 元子哉시니 其丕能諴于小民하여 今休하소서 王不敢後하사 用顧畏于民嵒하소서

번역

"아아, 왕께서는 비록 나어리시나 원자(元子, 하느님의 아들이란 의미)이시니 백성들과 크게 화합하시어 천하를 아름답게 하소서. 절대 경덕(敬德)을 게을리하지 마시고 백성들의 어려움을 돌아보고 유념하소서."

14-14.

백문 원문

王來紹上帝自服于土中旦曰其作大邑其自時配皇天毖祀于上下其自時中乂王厥有成命治民今休

현토 원문

王이 來紹上帝하사 自服于土中하소서 旦曰 其作大邑하여 其自時로 配皇天하며 毖祀于上下하며 其自時로 中乂라하나니 王이 厥有成命하시면 治民이 今休하리이다

번역

"왕께선 하느님의 뜻을 이으사 이 토중(土中, 천하의 중심이란 뜻. 낙읍을 가리킴)에서부터 정사를 시작하소서. 단(旦, 주공의 이름)도 말하길 '대읍(大邑, 큰 읍. 낙양을 지칭)을 이루었으니 지금부터 위대한 하느님을 모시고 천지신명께 경건한 마음으로 제를 지내며 이곳에서 정사를 시작해야 한다' 했습니다. 왕께서 하느님이 내려주신 명을 보유하신다면 정사의 공업이 찬연히 빛날 것입니다."

14-15.

난자(難字)

比: 가까울비 /介: 도울개 / 邁: 나아갈매

백문 원문

王先服殷御事比介于我有周御事節性惟日其邁

현토 원문

王이 先服殷御事하사 比介于我有周御事하사 節性하시면 惟日其邁하리이다

번역

"왕께서 먼저 은나라 어사(御事, 관료)들을 감복시켜 우리 주나라의 어사들과 친근히 지내며 일을 돕게 하고 그들의 성정을 절제시키시면 그들은 날로 선에 매진할 것입니다."

14-16.

백문 원문

王敬作所不可不敬德

현토 원문

王敬作所시니 不可不敬德이니이다

번역

"왕께서는 경(敬)을 몸과 마음이 항시 머물러야 할 처소로 삼으셔야 합니다. 덕을 공경히 닦지 않으면 안 됩니다."

14-17.

백문 원문

我不可不監于有夏亦不可不監于有殷我不敢知曰有夏服天命惟有歷年我不敢知曰不其延惟不敬厥德乃早墜厥命我不敢知曰有殷受天命惟有歷年我不敢知曰不其延惟不敬厥德乃早墜厥命

현토 원문

我는 不可不監于有夏며 亦不可不監于有殷이니 我不敢知하노니 曰 有夏服天命하여 惟有歷年가 我不敢知하노니 曰 不其延가 惟不敬厥德하여 乃早墜厥命하니이다 我不敢知하노니 曰有殷이 受天命하여 惟有歷年가 我不敢知하노니 曰 不其延가 惟不敬厥德하여 乃早墜厥命하니이다

번역

"하나라와 은나라를 거울로 삼지 않을 수 없습니다. 저는 하나라가 천명을 간직하여 얼마나 왕조를 유지했는가에 관심이 없습니다. 오직 관심이 있는 것은 덕을 간직하지 못해 천명을 일찍 실추시켜 천하를 잃었다는 사실입니다. 은나라가 천명을 간직하여 얼마나 왕조를 유지했는가에도 관심이 없습니다. 오직 관심이 있는 것은 덕을 간직하지 못해 천명을 일찍 실추시켜 천하를 잃었다는 사실입니다."

14-18.

백문 원문

今王嗣受厥命我亦惟茲二國命嗣若功王乃初服

현토 원문

今王이 嗣受厥命하시니 我亦惟茲二國命에 嗣若功이라하노니 王乃初服이온여

번역

"이제 왕께서 천명을 이어받으셨기에 저는 두 나라에서 천명을 잇는데 공이 있었던 이들을 본받으려 하고 있습니다. 더구나 지금은 왕께서 처음 정사를 시작하시려는 때이니 그 마음 더욱 간절합니다."

14-19.

난자(難字)

貽: 끼칠이

백문 원문

嗚呼若生子罔不在厥初生自貽哲命今天其命哲命吉凶命歷年知今我初服

현토 원문

嗚呼라 若生子 罔不在厥初生하여 自貽哲命하니 今天은 其命哲가 命吉凶가 命歷年가 知今我初服이니이다

번역

"아아, 지금의 상황은 자식을 낳았을 때 처음에 잘해야 좋은 운명을 만드는 것과 같으니, 이제 하느님이 우리에게 지혜를 주실 것인지 그렇지 않을 것인지 혹은 길하게 해주실 것인지 그렇지 않을 것인지 왕조의 수명을 길게 할 것인지 그렇지 않을 것인지는 우리

의 첫 정사가 어떠하냐에 달려 있습니다."

14-20.

백문 원문

宅新邑肆惟王其疾敬德王其德之用祈天永命

현토 원문

宅新邑하사 肆惟王이 其疾敬德하소서 王其德之用이 祈天永命이니이다

번역

"새 도읍에 머무시어 왕께서는 덕을 높이는 정사를 베푸소서. 그것만이 우리 왕조가 장수하길 하늘에 비는 유일한 방법입니다."

14-21.

난자(難字)

殄: 끊을진 / 戮: 죽일륙

백문 원문

其惟王勿以小民淫用非彝亦敢殄戮用乂民若有功

현토 원문

其惟王은 勿以小民의 淫用非彝로 亦敢殄戮用乂하소서 民若하여사 有功하리이다

번역

"왕이시여, 백성들이 상도를 벗어났다 하여 성급히 형벌을 사용하여 심하게 다스리지 마소서. 백성은 물과 같으니 순리로 인도하시면 좋은 결과가 있을 것입니다."

14-22.

백문 원문

其惟王位在德元小民乃惟刑用于天下越王顯

현토 원문

其惟王位 在德元하면 小民이 乃惟刑하여 用于天下라 越王에 顯하리이다

번역

"왕의 덕이 천하에 으뜸이면 백성들은 이를 본받아 천하가 모두 덕의 함양에 힘쓸 것이니 그리되면 왕의 덕은 더욱 현창할 것입니다."

14-23.

백문 원문

上下勤恤其曰我受天命丕若有夏歷年式勿替有殷歷年欲王以小民受天永命

현토 원문

上下勤恤하여 其曰호되 我受天命이 丕若有夏歷年하며 式勿替有殷歷年이라하나니 欲王은 以小民으로 受天永命하노이다

번역

"지금 상하가 백성을 구휼하는데 힘써 '우리가 받은 천명이 하나라의 오랜 역수(歷數, 지나온 세월)와 같고 은나라가 받았던 역수도 여기에 보태게 하자.' 하니, 부디 왕께서는 백성을 구휼하는 것으로 천명을 길이 보지(保持)하는 길을 삼으소서."

14-24.

백문 원문

拜手稽首曰予小臣敢以王之讎民百君子越友民保受王威命明德王末有成命王亦顯我非敢勤惟恭奉弊用供王能祈天永命

현토 원문

拜手稽首曰 予小臣은 敢以王之讎民과 百君子와 越友民으로 保受王威命明德하노니 王이 末有成命하시면 王亦顯하시리이다 我非敢勤이라 惟恭奉弊하여 用供王의 能祈天永命하노이다

번역

"삼가 두 손 모아 머리를 조아리며 아뢰나이다. '저는 저 은나라의 완악한 자들과 뭇 어사(御事) 서사(庶士)들과 협조적인 백성 모두와 함께 왕의 위명(威名)과 명덕(明德)을 받아 지킬 것입니다. 왕께서도 천명을 길이 보지하신다면 그 이름이 후대에 길이 빛날 것입니다. 저는 저에게 부여된 일을 결코 소홀히 하지 않을 것이옵니다. 삼가 공손히 폐백을 올리며 왕의 기천영명(祈天永命, 천명이 길이 지속되기를 기원함) 제사에 사용하시길 바라나이다."

15. 낙고(洛誥, 낙읍의 완성을 고하다)

15-1.

난자(難字)

復: 아뢸복 / 辟: 임금벽

백문 원문

周公拜手稽首曰朕復子明辟

현토 원문

周公이 拜手稽首曰 朕은 復子明辟하노이다

번역

주공이 머리를 조아려 절을 하며 말했다: "밝은 임금께 아뢰나이다."

15-2.

난자(難字)

胤: 이을윤

백문 원문

王如弗敢及天基命定命予乃胤保大相東土其基作民明辟

현토 원문

王이 如弗敢及天의 基命定命이실새 予乃胤保하여 大相東土호니 其基作民明辟이로소이다

번역

"임금께서 아직 하늘의 기명(基命, 시작해야 할 일)과 정명(定命, 마무리해야 할 일)을 손대지 못하고 계신 듯하기에 제가 태보(太保, 소공을 지칭)를 이어 동토(東土, 낙읍을 지칭)를 크게 둘러보니 밝은 임금께서 정사를 베푸실 터전이 될 만하다는 것을 알겠더이다."

15-3.

난자(難字)

瀍: 물이름전 / 伻: 심부름꾼팽

백문 원문

予惟乙卯朝至于洛師我卜河朔黎水我乃卜澗水東瀍水西惟洛食我又卜瀍水東亦惟洛食伻來以圖及獻卜

현토 원문

予惟乙卯에 朝至于洛師하여 我卜河朔黎水하며 我乃卜澗水東과

瀍水西호니 惟洛을 食하며 我又卜瀍水東호니 亦惟洛을 食할새 伻來하여 以圖及獻卜하노이다

번역

"12일 을묘일 아침에 낙읍에 이르러 하삭(河朔)과 여수(黎水)에서 점을 치고 간수(澗水) 동쪽과 전수(瀍水) 서쪽에서 점을 쳐보니 낙읍의 위치가 좋다고 나왔으며, 전수(瀍水) 동쪽에서 점을 쳐보니 이 또한 낙읍의 위치가 좋다고 나왔습니다. 이에 사자를 시켜 낙읍의 지도와 점사를 올리는 바입니다."

15-4.

백문 원문

王拜手稽首曰公不敢不敬天之休來相宅其作周匹休公旣定宅伻來來視予卜休恒吉我二人共貞公其以予萬億年敬天之休拜手稽首誨言

현토 원문

王이 拜手稽首曰 公이 不敢不敬天之休하사 來相宅하시니 其作周에 匹休삿다 公旣定宅하시고 伻來하여 來視予卜休恒吉하시니 我二人이 共貞이로다 公其以予로 萬億年을 敬天之休하실새 拜手稽首誨言하노이다

번역

성왕이 머리를 숙여 절하며 말했다: "공이 하늘의 아름다운 명을 공경하여 낙읍을 크게 살펴 주나라에 걸맞은 터를 조성하였습니다. 사자를 보내 길한 점괘를 알려주시니 우리 두 사람 모두에게 큰 복이라 하겠습니다. 공이 저에게 길이 하늘이 주신 아름다운 명을 삼가 받들라 하니 머리 숙여 그 가르침을 받겠습니다."

15-5.

백문 원문

周公曰王肇稱殷禮祀于新邑咸秩無文

현토 원문

周公曰 王이 肇稱殷禮하사 祀于新邑하사되 咸秩無文하소서

번역

주공이 말하였다: "임금께서는 성대한 예를 갖추어 새 도읍에서 제사를 올리시되 제책(祭冊)에 기록되지 않는 데까지 차례대로 다 지내소서."

15-6.

백문 원문

予齊百工伻從王于周予惟曰庶有事

현토 원문

予齊百工하여 伻從王于周하고 予惟曰庶有事라호이다

번역

"저는 문무백관들을 단속하여 주나라에서 임금께 순종(順從)토록 하고 이렇게 말했습니다. '임금께서 무슨 말씀이 있으실 것이다.'"

15-7.

백문 원문

今王卽命曰記功宗以功作元祀惟命曰汝受命篤弼

현토 원문

今王이 卽命曰 記功宗하여 以功으로 作元祀하라하시고 惟命曰 汝受命인댄 篤弼하라하소서

번역

"이제 임금께선 이렇게 하명 하소서. '훌륭한 공들을 기록하여 공의 차서에 맞게 원사(元祀, 최고의 제사)를 지낼 수 있도록 하라.' 또 이렇게 하명 하소서. '포상을 받을진대 더욱 왕실을 돈독히 보필하라.'"

15-8.

백문 원문

丕視功載乃汝其悉自教工

현토 원문

丕視功載니 乃汝其悉自教工이니이다

번역

"백관들에게 공적(功籍, 공을 기록한 장부)을 널리 보여주소서. 이는 임금께서 그 공과(功課, 공의 고하를 매김)의 공사(公私)를 백관들에게 가르치는 것입니다."

15-9.

난자(難字)

錟: 불탈염 / 灼: 불탈작

백문 원문

孺子其朋孺子其朋其往無若火始錟錟厥攸灼敘弗其絶

현토 원문

孺子는 其朋가 孺子其朋이면 其往이 無若火始錟錟이나 厥攸灼이 敘하여 弗其絶가

번역

"임금께서 사사로이 친애함이 있으시면 그 나쁜 결과는 저 불꽃과 같아 처음에는 미미하나 나중에는 걷잡을 수 없게 될 것입니다."

15-10.

난자(難字)

嚮: 향할향 / 惇: 도타울돈

백문 원문

厥若彝及撫事如予惟以在周工往新邑伻嚮卽有僚明作有功惇大成裕汝永有辭

현토 원문

厥若彝及撫事를 如予하여 惟以在周工으로 往新邑하여 伻嚮卽有僚하며 明作有功하며 惇大成裕하면 汝永有辭하리이다

번역

"상도(常道)를 지키고 정사를 돌봄을 제가 보여드린 바와 같이 하사 현재 주나라에 있는 관리들을 데리고 새 도읍으로 가셔서 그들로 하여금 임금의 의향을 잘 파악하여 일에 임하도록 하여 처결이 분명하고 백성을 보살피는데 힘써 성과가 있게되면 풍속이 크게 돈후해질 것입니다. 그리되면 임금의 아름다운 이름은 길이 후세에 전해질 것입니다."

15-11.

백문 원문

公曰 已 汝惟沖子 惟終

현토 원문

公曰 已아 汝惟沖子 惟終이어다

번역

주공이 말하였다: "아아, 임금께서는 선왕(문왕과 무왕)께서 마련한 공업의 토대를 완성하셔야 할 것입니다."

15-12.

난자(難字)

爽: 어그러질상

백문 원문

汝其敬識百辟享亦識其有不享享多儀儀不及物惟曰不享惟不役志于享凡民惟曰不享惟事其爽侮

현토 원문

汝其敬하여사 識百辟의 享하며 亦識其有不享이니 享은 多儀하니 儀不及物하면 惟曰不享이니 惟不役志于享하면 凡民이 惟曰不享이라하여 惟事 其爽侮하리이다

번역

"경(敬)으로 마음을 다스리사 제후들의 진심어린 조향(朝享, 조회하며 예물을 바침)과 그렇지 않음을 분별하소서. 조향엔 갖춰야 할 예식이 많은데 예식이 예물에 맞지 않으면 '조향하지 않은 것이다'라고 합니다. 제후들이 예식에 진정한 마음이 없으면 백성들도 '조향이 필요없다' 할 것입니다. 그리되면 임금이 펴시는 정사를 업수히 여기고 그르칠 것입니다."

15-13.

난자(難字)

棐: 도울비 / 薆: 힘쓸망 / 戾: 이를려

백문 원문

乃惟孺子頒朕不暇聽朕教汝于棐民彝汝乃是不薆乃時惟不永哉篤敍乃正父罔不若予不敢廢乃命汝往敬哉茲予其明農哉彼裕我民無遠用戾

현토 원문

乃惟孺子 頒朕의 不暇하여 聽朕의 教汝于棐民彝어다 汝乃是不薆하면 乃時惟不永哉인저 篤敍乃正父호되 罔不若予하면 不敢廢乃命하리니 汝往敬哉어다 茲予는 其明農哉로리니 彼裕我民하면 無遠用戾하리이다

번역

"임금께서는 저의 이 간절한 뜻을 받드사 제가 임금께 말씀드린 백성의 상도(常道)를 북돋는 일에 매진하소서. 그렇지 않으시면 천명을 길이 보존하지 못하리이다. 선왕을 돈독히 생각하시고 제가 보여드린 것처럼 정사를 행하신다면 임금의 천명이 지속될 것입니다. 부디 가셔서 경의 자세를 잃지 마소서. 저는 전원으로 돌아가 농사에 힘쓸 것입니다. 낙읍에서 백성들을 돈후하게 다스리신다면 먼 변방의 이족(夷族)들이 절로 주나라에 이를 것입니다."

15-14.

난자(難字)

師: 무리사

백문 원문

王若曰公明保予沖子公稱丕顯德以予小子揚文武烈奉答天命和恒四方民居師

현토 원문

王若曰 公이 明保予沖子하사 公稱丕顯德하사 以予小子로 揚文武烈하며 奉答天命하며 和恒四方民하여 居師하시다

번역

성왕께서 다음과 같이 말씀하셨다: "공께서 어린 저를 밝게 보우하며 명덕을 크게 드러내어 어린 저로 하여금 선왕의 업적을 선양하고 천명에 부응하며 천하 백성들을 길이 화합하게 하여 국중에 거하게 하였습니다."

15-15.

난자(難字)

將: 클장 / 稱: 거행할칭

백문 원문

惇宗將禮稱秩元祀咸秩無文

현토 원문

惇宗將禮하여 稱秩元祀호되 咸秩無文하시다

번역

"큰 공 있는 이들을 크게 예우하여 차서에 맞게 원사(元祀)를 지내게 하였으며 제책(祭冊)에 있지 아니한 것에도 제를 지내도록 하였습니다."

15-16.

난자(難字)

旁: 사방방 / 迓: 맞을아 / 衡: 치평할형

백문 원문

惟公德明光于上下勤施于四方旁作穆穆迓衡不迷文武勤教予沖子夙夜毖祀

현토 원문

惟公德이 明光于上下하며 勤施于四方하여 旁作穆穆迓衡하여 不迷文武勤教하시니 予沖子는 夙夜에 毖祀로다

번역

"공의 덕은 천지간에 뚜렷이 빛나며 사방에 널리 베풀어져 조화롭고 경건한 정치가 되어 선왕의 애쓰시던 가르침에 누를 끼치지 않았으니 제가 할 일이라곤 그저 아침저녁으로 제사를 게을리하지 않는 것 뿐입니다."

15-17.

백문 원문

王曰公功棐迪篤罔不若時

현토 원문

王曰 公功은 棐迪이 篤하니 罔不若時어다

번역

"공은 나를 돕고 인도한 공이 돈독합니다. 이러한 공이 지속되어야 할 것입니다."

15-18.

백문 원문

王曰公予小子其退卽辟于周命公後

현토 원문

王曰 公아 予小子는 其退하여 卽辟于周하고 命公後호리라

번역

“저는 물러나 주나라(여기서는 호경(鎬京)을 가리킴)에 갈 것입니다. 공께서 이곳에 남아 낙읍을 잘 다스려주기 바랍니다.”

15-19.

난자(難字)

敉: 다스릴미

백문 원문

四方迪亂未定于宗禮亦未克敉公功

현토 원문

四方이 迪亂이어늘 未定于宗禮라 亦未克敉公功이로라

번역

“사방이 개척되어 다스려졌으나 아직 으뜸 공훈을 세운 이에게 베푸는 예식이 정해지지 않았습니다. 하여 아직도 공(公)의 공(功)을 치하하지 못하고 있습니다.”

15-20.

난자(難字)

將: 클장 / 誕: 클탄

백문 원문

迪將其後監我士師工誕保文武受民亂爲四輔

현토 원문

迪將其後하여 監我士師工하여 誕保文武受民하여 亂爲四輔어다

번역

"후사(後事)를 더 도모하여 모든 문무백관이 이를 본받게 하고, 선왕에게서 받은 백성들을 크게 보호하여 이끌어 주(周)를 보호하는 사방의 울타리[四輔(사보)]가 되소서."

15-21.

난자(難字)

將: 받들장 / 祇: 공경지 / 斁: 싫어할역

백문 원문

王曰公定予往已公功肅將祇歡公無困哉我惟無斁其康事公勿替刑四方其世享

현토 원문

王曰 公定이어든 予往已니 公功을 肅將祇歡하나니 公無困哉어다 我惟無斁其康事하노니 公勿替刑하면 四方其世享하리라

번역

"공은 이곳에 머무르십시오. 저는 호경으로 돌아갈 것입니다. 이곳 백성들이 공(公)의 공(功)을 경건하게 받들며 기뻐하니 공은 명농(明農, 전원에 귀의함)같은 언사로 저를 힘들게 하지 마소서. 저는 공이 베풀 백성을 편안히 하는 일들을 기꺼워할 것입니다. 공이 문무백관이 본받을 일을 폐하지 않는다면 사방의 백성은 대대로 그 복택(福澤)을 누릴 것입니다."

15-22.

백문 원문

周公拜手稽首曰王命予來承保乃文祖受命民越乃光烈考武王弘朕恭

현토 원문

周公이 拜手稽首曰 王命予來하사 承保乃文祖受命民과 越乃光烈考武王하시니 弘朕恭이샷다

번역

주공이 머리를 조아려 절하고 말하였다: "임금께서 저를 이곳에 오게 하여 문왕께서 천명을 받아 얻은 백성과 위대한 업적을 쌓은 무왕의 일을 승계하여 유지케 하시니 저의 임금 섬기는 공손한 태도를 대단하게 여기신 것으로 생각합니다."

15-23.

난자(難字)

獻: 어질헌

백문 원문

孺子來相宅其大惇典殷獻民亂爲四方新辟作周恭先曰其自時中乂萬邦咸休惟王有成績

현토 원문

孺子來相宅하시니 其大惇典殷獻民하사 亂爲四方新辟하사 作周恭先하소서 曰 其自時로 中乂하여 萬邦이 咸休하면 惟王이 有成績하시리이다

번역

"임금께서 이곳을 둘러보셨으니 이제 치국의 법도와 은나라의 현재(賢才)들을 크게 다듬고 진작시켜 천하의 새로운 임금이 되사 주(周)나라의 공손한 왕의 솔선이 되소서. 이 중토(中土)를 선치(善治)하사 만방이 모두 아름다이 다스려진다면 이는 모두가 칭송할 임금의 공적이 될 것입니다."

15-24.

난자(難字)

孚: 성실할부 / 刑: 법형 / 單: 다할단

백문 원문

予旦以多子越御事篤前人成烈答其師作周孚先考朕昭子刑乃單文祖德

현토 원문

予旦은 以多子와 越御事로 篤前人成烈하여 答其師하여 作周孚先하여 考朕昭子刑하여 乃單文祖德하리이다

번역

"저 단(旦)은 여러 경대부 어사(御事)와 더불어 선왕께서 이루신 업적을 더욱 도탑게 하여 백성들의 기대에 부응할 것입니다. 주(周)나라의 신실한 신하의 솔선이 되겠나이다. 임금께서 본받을 수 있는 신하가 되어 문왕께서 보여주신 덕을 그대로 구현하겠나이다."

15-25.

난자(難字)

秬: 검은기장거 / 鬯: 술이름창 / 卣: 술그릇유 / 禋: 공경할인

백문 원문

伻來毖殷乃命寧予以秬鬯二卣曰明禋拜手稽首休享

현토 원문

伻來毖殷하시고 乃命寧予하사되 以秬鬯二卣하시고 曰明禋하노니 拜手稽首하여 休享하노라하시다

번역

"임금께서는 사람을 보내 은나라 백성들을 신칙(申飭)하시고 검은 기장과 울금으로 빚은 술 두 잔으로 저를 위무하시며 '이것은

명결(明潔)하므로 경건하게 제사지내는 술이니, 삼가 머리 숙여 절하며 아름다운 술로 향례(享禮)를 올립니다' 하셨습니다."

15-26.

난자(難字)

宿: 향례숙 / 禋: 제사이름인

백문 원문

予不敢宿則禋于文王武王

현토 원문

予不敢宿하여 則禋于文王武王호이다

번역

"저는 감히 이를 받을 수 없어 선왕이신 문왕 무왕께 이를 돌려 제(祭)를 지냈습니다."

15-27.

난자(難字)

遘: 만날구 / 厭: 배부를염

백문 원문

惠篤敍無有遘自疾萬年厭于乃德殷乃引考

현토 원문

惠篤敍하여 無有遘自疾하여 萬年에 厭于乃德하며 殷乃引考케 하소서

번역

"선왕이신 문왕와 무왕의 도를 수순(隨順)하사 돈독히 하여 질병을 만나거나 해를 입는 일이 없으시고 자손이 길이 임금의 덕에 배

부르게 하시며 은나라 백성들도 길이 장수하게 하소서."

15-28.

백문 원문

王伻殷乃承敍萬年其永觀朕子懷德

현토 원문

王이 伻殷으로 乃承敍萬年하여 其永觀朕子하여 懷德케하소서

번역

"임금께서는 은나라 백성들로 하여금 길이 가르침을 잘 받들어 임금의 실천하심을 보고 임금의 덕을 길이 사모하게 하소서."

15-29.

난자(難字)

烝: 제사이름증 / 騂: 붉을성 / 禋: 제사이름인 / 格: 이를격 / 祼: 강신할관

백문 원문

戊辰王在新邑烝祭歲文王騂牛一武王騂牛一王命作冊逸祝冊惟告周公其後王賓殺禋咸格王入太室祼

현토 원문

戊辰에 王이 在新邑하사 烝祭하시니 歲러니 文王이 騂牛一이며 武王에 騂牛一이러라 王命作冊하신대 逸이 祝冊하니 惟告周公其後러라 王賓이 殺禋이라 咸格이어늘 王이 入太室하여 祼하시다

번역

12월 무진(戊辰) 일에 임금이 신읍(新邑, 낙읍을 지칭)에서 증제(烝祭)를 지내니, 한 해에 한 번 지내는 성대한 제사였다. 문왕과

무왕께 각기 붉은 소 한 마리를 썼다. 왕이 축문을 짓게 했는데 일(逸, 사관의 이름)이 축문을 기록해 놓았다. 축문의 주 내용은 주공이 낙읍에 남아 다스리게 했다는 것을 고하는 것이었다. 희생을 잡아 지내는 제사에 참여할 손[賓]들이 다 이르자 왕이 태실(太室)에 들어가 강신제를 지냈다.

15-30.

백문 원문

王命周公後作冊逸誥在十有二月

현토 원문

王이 命周公後하사 作冊이어시늘 逸이 誥하니 在十有二月이러라

번역

임금이 주공에게 낙읍에 남아 후사(後事)를 돌보도록 하는 축문을 짓게 했는데, 일(逸)이 그것을 주공에게 고했다. 12월이었다.

15-31.

백문 원문

惟周公誕保文武受命惟七年

현토 원문

惟周公이 誕保文武受命을 惟七年하시다

번역

주공이 문왕과 무왕이 받은 천명을 크게 보존하였다. 주공은 수명(受命)한 지 7년 후 서거했다.

16. 다사(多士, 많은 재사(才士)들)

16-1.

백문 원문

惟三月周公初于新邑洛用告商王士

현토 원문

惟三月에 周公이 初于新邑洛에 用告商王士하시다

번역

3월에 주공이 처음으로 새 도읍인 낙(洛)에서 상왕(商王)의 재사(才士)들을 불러 고하였다.

16-2.

백문 원문

王若曰爾殷遺多士弗弔旻天大降喪于殷我有周佑命將天明威致王罰勅殷命終于帝

현토 원문

王若曰 爾殷遺多士아 弗弔라 旻天이 大降喪于殷이어시늘 我有周佑命하여 將天明威하여 致王罰하여 勅殷命하여 終于帝하소라

번역

왕께서 이와 같이 말씀하셨다: "그대 은의 유사(遺士, 왕조를 잃어버린 재사)들이여, 하느님이 은을 돌아보지 않으사 은나라에 망조가 들었고 대신 우리 주(周)가 천명을 받아 하느님의 밝은 위엄을 받들어 주(紂)에 대한 주벌(誅罰)을 단행해 은의 그릇된 일들을 바로잡아 하느님의 명을 완수하였다."

16-3.

난자(難字)

弋: 취할익 / 畀: 줄비

백문 원문

肆爾多士非我小國敢弋殷命惟天不畀允罔固亂弼我我其敢求位

현토 원문

肆爾多士아 非我小國이 敢弋殷命이라 惟天不畀는 允罔固亂이라 弼我시니 我其敢求位아

번역

"그대 재사들이여, 우리 소국 주(周)가 은의 천명을 탐낸 것이 아니라 하느님이 은의 혼란을 더 이상 방치할 수 없어 은의 천명을 거두어 우리에게 주신 것이다. 우리가 어찌 천자의 자리를 탐했겠느냐."

16-4.

백문 원문

惟帝不畀惟我下民秉爲惟天明畏

현토 원문

惟帝不畀는 惟我下民의 秉爲 惟天明畏일새니라

번역

"하느님이 은의 천명을 거두신 것은 백성들이 일상 행동을 하며 하늘의 분명한 위엄을 두려워하기 때문이었다."

16-5.

백문 원문

我聞曰上帝引逸有夏不適逸則惟帝降格嚮于時夏弗克庸帝大淫泆有辭惟時天罔念聞厥惟廢元命降致罰

현토 원문

我聞호니 曰 上帝引逸이어시늘 有夏不適逸한대 則惟帝降格하사 嚮于時夏어시늘 弗克庸帝하고 大淫泆有辭한대 惟時天이 罔念聞하사 厥惟廢元命하사 降致罰하시니라

번역

"내 들으니, '하느님께서 안락(安樂)의 길로 인도하시나 하(夏)가 따르지 않거늘 하느님이 재액을 내리사 경고의 뜻을 보이셨다. 그럼에도 불구하고 하는 하느님의 뜻을 무시하고 더욱 방자하게 굴며 하느님을 속이는 언사까지 내뱉었다. 이에 하느님은 그 말을 듣지 아니하시고 은에 내렸던 천명을 거두고 왕에게 주벌(誅罰)을 내리셨다.' 하더라."

16-6.

백문 원문

乃命爾先祖成湯革夏俊民甸四方

현토 원문

乃命爾先祖成湯하사 革夏하사 俊民으로 甸四方하시니라

번역

"이에 하느님은 너희의 선조 탕왕에게 명하여 하(夏)를 대체케 하시고 준사(俊士, 뛰어난 인재)로 하여금 사방을 다스리게 하셨다."

16-7.

백문 원문

自成湯至于帝乙罔不明德恤祀

현토 원문

自成湯으로 至于帝乙히 罔不明德恤祀하시니라

번역

"탕왕으로부터 제을(帝乙)에 이르기까지의 임금들은 모두 덕을 밝히고 제사를 게을리하지 않았다."

16-8.

백문 원문

亦惟天丕建保乂有殷殷王亦罔敢失帝罔不配天其澤

현토 원문

亦惟天이 丕建保乂有殷이어시늘 殷王도 亦罔敢失帝하여 罔不配天其澤하시니라

번역

"하느님이 은(殷)을 크게 보우(保佑)하시거늘 은 임금들도 하느님의 명을 잃지 않고 하느님의 뜻을 따라 백성들에게 은택을 베풀었다."

16-9.

백문 원문

在今後嗣王誕罔顯于天矧曰其有聽念于先王勤家誕淫厥泆罔顧于天顯民祗

현토 원문

在今後嗣王하여 誕罔顯于天이온 矧曰其有聽念于先王勤家아 誕淫厥泆하여 罔顧于天顯民祗하니라

번역

"그러나 지금의 임금[주(紂)를 지칭]은 천도에 밝지 못하고 선왕들

의 국가에 헌신했던 일들도 유념하지 않았다. 크게 음일(淫佚, 음탕하게 놂)하며 살펴야 할 천도와 공경해야 할 백성을 돌아보지 않았다."

16-10.

백문 원문

惟時上帝不保降若玆大喪

현토 원문

惟時上帝不保하사 降若玆大喪하시니라

번역

"마침내 하느님께서 돌봄을 내치시고 대상(大喪, 나라를 잃고 죽음을 당함)을 내리셨다."

16-11.

백문 원문

惟天不畀不明厥德

현토 원문

惟天不畀는 不明厥德일새니라

번역

"하느님이 은에서 천명을 거두신 것은 그 덕을 밝히지 않았기 때문이다."

16-12.

백문 원문

凡四方小大邦喪罔非有辭于罰

현토 원문

凡四方小大邦이 喪함은 罔非有辭于罰이니라

번역

"사방의 크고 작은 나라들이 망할 적에는 그럴만한 죄목이 항시 있었다. 하물며 은이 망함에 있어서야 어떠하겠느냐!"

16-13.

백문 원문

王若曰爾殷多士今惟我周王丕靈承帝事

현토 원문

王若曰 爾殷多士아 今惟我周王이 丕靈承帝事하시니라

번역

"그대 은의 재사들이여, 그대들도 보다시피 우리 주왕(周王)은 하느님의 일을 잘 받들고 있다."

16-14.

백문 원문

有命曰割殷告勅于帝

현토 원문

有命曰 割殷이실새 告勅于帝하시니라

번역

"하느님께서 '은을 주벌하라' 하시기에 그 바로잡는 일을 하느님께 고하게 되었다."

16-15.

백문 원문

惟我事不貳適惟爾王家我適

현토 원문

惟我事 不貳適이라 惟爾王家 我適이니라

번역

"천명을 받아 우리의 일(은나라 정벌을 말함)이 망설임 없이 진행됐나니 마침내 너희 왕가가 우리에게 접수되었다."

16-16.

백문 원문

予其曰惟爾洪無度我不爾動自乃邑

현토 원문

予其曰 惟爾洪無度하니 我不爾動이라 自乃邑이니라

번역

"내 일찍이 이렇게 말했다. '너희들이 크게 무도하여 반란을 획책하니 이는 내가 너희를 부추긴 것이 아니라 너희 스스로가 획책한 일이다.'"

16-17.

백문 원문

予亦念天卽于殷大戾肆不正

현토 원문

予亦念天이 卽于殷하사 大戾하시니 肆不正이로다

번역

"생각컨대 하느님은 은에 큰 주벌(誅罰)을 내리셨으니, 이는 크게 사특(邪慝)했기 때문이었다."

16-18.

백문 원문

王曰猷告爾多士予惟時其遷居西爾非我一人奉德不康寧時惟天命無違朕不敢有後無我怨

현토 원문

王曰 猷告爾多士하노라 予惟時其遷居西爾는 非我一人이 奉德不康寧이라 時惟天命이시니 無違하라 朕은 不敢有後호리니 無我怨하라

번역

"그대 재사들에게 고하노니, 너희를 이곳 낙읍에 옮긴 것은 결코 번잡한 옮김을 즐거워해서가 아니라 오로지 천명 때문이었다. 그대들은 천명을 어기지 말라. 나는 더 이상 다른 명을 내리지 않을 것이니, 지금의 명을 지키느냐 아니면 처벌을 받느냐만 남아 있을 뿐이다. 처벌을 받을 때 절대 나를 원망치 말라."

16-19.

백문 원문

惟爾知惟殷先人有冊有典殷革夏命

현토 원문

惟爾知惟殷先人의 有冊有典하나니 殷革夏命하니라

번역

"그대들은 은의 선인들이 남겨놓은 책과 법을 잘 알 것이다. 은도 하가 받았던 명을 바꾸지 않았더냐?"

16-20.

백문 원문

今爾其曰夏迪簡在王庭有服在百僚予一人惟聽用德肆予敢求爾于天邑商予惟率肆矜爾非予罪時惟天命

현토 원문

今爾其曰 夏는 迪簡在王庭하며 有服이 在百僚라하니 予一人은 惟聽用德이니라 肆予敢求爾于天邑商은 予惟率肆矜爾니 非予罪라 時惟天命이시니라

번역

"이제 그대들이 '하(夏)는 망했지만 그 재사들은 선발되어 은(殷)의 조정에 있었으며 실무관료들도 은(殷)의 관료들과 함께 있었다' 하나, 나는 그렇게 하지 않는다. 오로지 덕있는 자만을 들어 쓸 뿐이다. 내가 그대들을 상(商, 은(殷)과 같은 뜻)에서 이곳으로 데려온 것은 그대들을 긍휼히 여겨서이니, 등용하지 않았다 하여 나를 허물치 말라. 이는 오로지 하느님의 명일 뿐이다."

16-21.

난자(難字)

逖: 멀적

백문 원문

王曰多士昔朕來自奄予大降爾四國民命我乃明致天罰移爾遐逖比事臣我宗多遜

현토 원문

王曰 多士아 昔朕이 來自奄할새 予大降爾四國民命하여 我乃明致天罰하여 移爾遐逖하여 比事臣我宗多遜케하니라

번역

"그대 재사들이여, 내가 반란을 진압하고 엄(奄)에서 돌아왔을 때 나는 백성들의 허물을 크게 탓하지 않고 목숨을 살려주었다. 단지 하느님이 내리신 주벌(誅罰)의 뜻은 분명히 하고자 하여 백성들과 그대들을 먼 이곳에 옮겨 우리 주(周)를 공손한 마음으로 대하는 신하로 삼게 되었다."

16-22.

백문 원문

王曰告爾殷多士今予惟不爾殺予惟時命有申今朕作大邑于茲洛予惟四方罔攸賓亦惟爾多士攸服奔走臣我多遜

현토 원문

王曰 告爾殷多士하노라 今予惟不爾殺이라 予惟時命을 有申하노라 今朕이 作大邑于茲洛은 予惟四方罔攸賓이며 亦惟爾多士攸服하여 奔走臣我多遜이니라

번역

"그대 재사들에게 고하노라. 그대들을 죽이지 않기 위해 내 거듭 명하노니, 내가 이 낙토(洛土)에 대읍(大邑)을 조성한 것은 사방의 빈객들이 와서 머물 곳이 없고 그대들이 분주히 일하지만 머물 곳이 없기 때문이다."

16-23.

난자(難字)

斡: 일간 / 止: 거처할지

백문 원문

爾乃尙有爾土爾乃尙寧幹止

현토 원문

爾乃尙有爾土하며 爾乃尙寧幹止니라

번역

"그대들은 그대들의 농토를 소유하고 그대들의 일을 수행하며 그대들의 거처에서 편안히 거하라."

16-24.

난자(難字)

啻: 뿐시

백문 원문

爾克敬天惟畀矜爾爾不克敬爾不啻不有爾土予亦致天之罰于爾躬

현토 원문

爾克敬하면 天惟畀矜爾어시니와 爾不克敬하면 爾不啻不有爾土라 予亦致天之罰于爾躬호리라

번역

"그대들이 공경의 자세를 가지면 하느님이 그대들을 긍휼히 여기실 것이어니와, 그렇지 않으면 그대들은 그대들의 농토를 소유하지 못할 것이다. 나 또한 그대들에게 하느님이 내리시는 벌을 내릴 것이다."

16-25.

백문 원문

今爾惟時宅爾邑繼爾居爾厥有幹有年于玆洛爾小子乃興從爾遷

현토 원문

今爾惟時宅爾邑하며 繼爾居하여 爾厥有幹有年于茲洛하니 爾小子의 乃興이 從爾遷이니라

번역

"그대들은 이 읍에 거하며 오래도록 그대들의 거처에서 안온히 거주하고 맡은 일을 수행하도록 하라. 그대 자손들의 부흥은 그대들이 이번 천거(遷居, 옮겨 삶)에서 비롯될 것이다."

16-26.

백문 원문

王曰又曰時予乃或言爾攸居

현토 원문

王曰 又曰 時予乃或言은 爾攸居니라

번역

"내가 말하는 것은 오직 그대들의 거처를 염려해서 하는 것임을 명심하라."

17. 무일(無逸, 안일함이 없다)

17-1.

백문 원문

周公曰嗚呼君子所其無逸

현토 원문

周公曰 嗚呼라 君子는 所其無逸이니라

번역

주공이 말하였다: "아아, 군자는 모든 곳에서 무일(無逸)해야 합니다."

17-2.

백문 원문

先知稼穡之艱難乃逸則知小人之依

현토 원문

先知稼穡之艱難이오사 乃逸하면 則知小人之依하리이다

번역

"먼저 농사의 고통스러움을 아시고 편안을 찾으셔야 백성들의 고통을 이해하실 것입니다."

17-3.

난자(難字)

誕: 허탄할탄

백문 원문

相小人厥父母勤勞稼穡厥子乃不知稼穡之艱難乃逸乃諺既誕否則侮厥父母曰昔之人無聞知

현토 원문

相小人한대 厥父母勤勞稼穡이어든 厥子乃不知稼穡之艱難하고 乃逸하며 乃諺하며 既誕하나니 否則侮厥父母曰 昔之人이 無聞知라하나니이다

번역

"저 소인(小人)들을 보건대 제 부모는 힘들게 일하는데 자식들은 그 고통을 몰라 안이하고 말을 함부로 하며 거침없이 행동합니다.

심지어는 제 부모를 업수이 여기며 '늙은이는 견문이 없어 저렇게 힘들게만 일한다'고 비아냥거리기까지 합니다."

17-4.

백문 원문

周公曰嗚呼我聞曰昔在殷王中宗嚴恭寅畏天命自度治民祗懼不敢荒寧肆中宗之享國七十有五年

현토 원문

周公曰 嗚呼라 我聞호니 曰 昔在殷王中宗하사 嚴恭寅畏하사 天命自度하시며 治民祗懼하사 不敢荒寧하시니 肆中宗之享國이 七十有五年이시니이다

번역

"아아, 제가 들으니 옛날 은왕 중종(中宗)은 엄공(嚴恭, 엄숙하고 공손함) 인외(寅畏, 공손하며 삼감)하여 늘 천명을 되새기며 백성을 다스림에 한치도 방심하지 않고 안일함이 없어 75년 동안 나라를 치세로 만들었다 하더이다."

17-5.

난자(難字)

雍: 화할옹 / 靖: 편안할정

백문 원문

其在高宗時舊勞于外爰暨小人作其卽位乃或亮陰(암)三年不言其惟不言言乃雍不敢荒寧嘉靖殷邦至于小大無時或怨肆高宗之享國五十有九年

현토 원문

其在高宗時하사는 舊勞于外하사 爰曁小人이러시니 作其卽位하사 乃或亮陰(암)三年을 不言하시니 其惟不言하시나 言乃雍하시며 不敢荒寧하사 嘉靖殷邦하사 至于小大히 無時或怨하니 肆高宗之享國이 五十有九年이시니이다

번역

"고종(高宗)은 오랫동안 궁 밖에서 지내며 소인(小人, 일반 백성의 의미)들과 어울려 그들의 실정을 알게 되었습니다. 즉위하여선 양암(亮陰)에서 부친상을 치르며 3년 동안 말을 하지 않았으나 혹 말을 하면 그 말이 더없이 온화하였습니다. 몸가짐을 단속하고 안이함이 없어 은을 아름답고 편안하게 다스려 남녀노소를 막론하고 원망하는 이가 없어 59년 동안 나라를 치세로 만들었습니다."

17-6.

백문 원문

其在祖甲不義惟王舊爲小人作其卽位爰知小人之依能保惠于庶民不敢侮鰥寡肆祖甲之享國三十有三年

현토 원문

其在祖甲하사는 不義惟王이라하사 舊爲小人이러시니 作其卽位하사 爰知小人之依하사 能保惠于庶民하시며 不敢侮鰥寡하시니 肆祖甲之享國이 三十有三年이시니이다

번역

"조갑(祖甲)은 왕위를 잇게 되었으나 자신의 차례가 아니기에 '의롭지 않다'하며 오랫동안 민간에서 생활하였습니다. 즉위하여서는 소인(小人, 일반 백성의 의미)들의 실상을 잘 이해하여 그들을

잘 보호하고 어려움을 해결해 주었으며 극한 처지에 놓인 환과(鰥寡, 홀아비와 과부. 호소할 곳이 없는 사람들이란 의미)들을 잘 돌보아 33년 동안 나라를 치세로 만들었습니다."

17-7.

백문 원문

自時厥後立王生則逸生則逸不知稼穡之艱難不聞小人之勞惟耽樂之從自時厥後亦罔或克壽或十年或七八年或五六年或四三年

현토 원문

自時厥後로 立王이 生則逸하니 生則逸이라 不知稼穡之艱難하며 不聞小人之勞하고 惟耽樂之從하니 自時厥後로 亦罔或克壽하여 或十年하며 或七八年하며 或五六年하며 或四三年하니이다

번역

"이들 이후로는 왕위에 선 자들이 태어나면서부터 안일하게 길러졌고, 이 때문에 그들은 백성들의 농사일 어려움을 알지 못하게 되었습니다. 백성들의 힘듦을 알지 못하고 오로지 향락에만 취해 지내다 보니 왕위의 수명도 짧아져 길어야 10년 짧으면 3, 4년에 불과했습니다."

17-8.

백문 원문

周公曰嗚呼厥亦惟我周太王王季克自抑畏

현토 원문

周公曰 嗚呼라 厥亦惟我周에 太王王季 克自抑畏하시니이다

번역

"아아, 저희 주나라에 들어와서는 태왕(太王)과 왕계(王季)께서 자신을 검속하고 경외하는 자세를 견지하셨습니다."

17-9.

백문 원문

文王卑服卽康功田功

현토 원문

文王이 卑服으로 卽康功田功하시니이다

번역

"문왕께서는 이를 본받아 허름한 의복으로 만족하시며 오로지 백성을 편안히 하고 농사일이 잘되도록 하는 데 매진하셨습니다."

17-10.

난자(難字)

徽: 아름다울휘 / 懿: 아름다울의 / 鮮: 생기날선 / 遑: 겨를황

백문 원문

徽柔懿恭懷保小民惠鮮鰥寡自朝至于日中昃不遑暇食用咸和萬民

현토 원문

徽柔懿恭하사 懷保小民하시며 惠鮮鰥寡하사 自朝로 至于日中昃히 不遑暇食하사 用咸和萬民하시니이다

번역

"문왕께서는 더없이 부드러우면서도 공손하사 백성들을 품에 안아 보호하시며 환과(鰥寡)들을 잘 돌보아 그들에게 생기가 돌게 하셨습니다. 아침부터 밤늦게까지 식사할 겨를도 없이 천하만민을 화

합하게 하는 데 힘쓰셨습니다."

17-11.

백문 원문

文王不敢盤于遊田以庶邦惟正之供文王受命惟中身厥享國五十年

현토 원문

文王이 不敢盤于遊田하사 以庶邦惟正之供하시니 文王受命이 惟中身이러시니 厥享國이 五十年이시니이다

번역

"문왕께서는 유람과 사냥을 탐닉치 않아 하시고 여러 나라에서 공식적으로 바치는 공물(供物)만을 받으셨습니다. 문왕께서 천명을 받으신 것이 중년이셨는데 이후 나라를 50년 동안 치세로 이끄셨습니다."

17-12.

백문 원문

周公曰嗚呼繼自今嗣王則(칙)其無淫于觀于逸于遊于田以萬民惟正之供

현토 원문

周公曰 嗚呼라 繼自今으로 嗣王은 則(칙)其無淫于觀于逸于遊于田하사 以萬民惟正之供하소서

번역

"아아, 지금부터 임금(성왕을 지칭)께서는 관일유전(觀逸遊田, 관광 안일 유람 사냥)을 멀리하시고 만민(萬民)이 바치는 공식적인 공물(供物)만을 받으소서."

17-13.

백문 원문

無皇(遑)曰今日耽樂乃非民攸訓非天攸若時人丕則(칙)有愆無若殷王受之迷亂酗于酒德哉

현토 원문

無皇(遑)曰今日에 耽樂이라하소서 乃非民의 攸訓이며 非天의 攸若이라 時人이 丕則(칙)有愆하리니 無若殷王受之迷亂하여 酗于酒德哉하소서

번역

"느슨한 마음으로 '오늘만은 괜찮겠지?' 하지 마소서. 백성에게 본이 되지 않으며 하느님도 인정하지 않으실 것입니다. 그리되면 백성들은 임금님의 허물만을 본받게 될 것입니다. 은왕 수(受, 주(紂)의 이름)가 미욱하여 술에 빠져 지낸 전례를 절대로 따르지 마옵소서."

17-14.

난자(難字)

譸: 속일주

백문 원문

周公曰嗚呼我聞曰古之人猶胥訓告胥保惠胥教誨民無或胥譸張爲幻

현토 원문

周公曰 嗚呼라 我聞호니 曰 古之人이 猶胥訓告하며 胥保惠하며 胥教誨일새 民이 無或胥譸張爲幻하니이다

번역

"아아, 제가 들으니 '옛사람은 서로의 잘못을 고하여 바로잡고 서

로의 어려움을 도와 해결해 주며 서로가 올바른 길로 인도하여, 백성들이 속이거나 과장하며 헛된 짓을 하지 않았다' 하더이다."

17-15.

난자(難字)

詛: 저주할저 / 祝: 저주할주

백문 원문

此厥不聽人乃訓之乃變亂先王之正刑至于小大民否則厥心違怨否則厥口詛祝

현토 원문

此厥不聽하시면 人乃訓之하여 乃變亂先王之正刑하여 至于小大하리니 民이 否則厥心違怨하며 否則厥口詛祝하리이다

번역

"이를 유념하소서! 그렇지 않으시면 군신 상하가 그릇된 것을 본받아 선왕의 정형(正刑, 정법(正法)의 의미)을 변괴(變壞)시켜 크고 작은 일이 모두 상도(常道)에 어긋날 것입니다. 그리되면 백성들은 원망과 분통을 터뜨리고 임금과 신료들을 저주할 것입니다."

17-16.

난자(難字)

迪: 행할적

백문 원문

周公曰嗚呼自殷王中宗及高宗及祖甲及我周文王玆四人迪哲

현토 원문

周公曰 嗚呼라 自殷王中宗하여 及高宗과 及祖甲과 及我周文王

玆四人이 迪哲하시니이다

번역

“아아, 은왕인 중종과 고종과 조갑과 그리고 우리 주의 문왕, 이 네 분은 밝은 지혜를 실천으로 옮기신 분입니다.”

17-17.

난자(難字)

詈: 꾸짖을리 / 愆: 허물건

백문 원문

厥或告之曰小人怨汝詈汝則皇自敬德厥愆曰朕之愆允若時不啻不敢含怒

현토 원문

厥或告之曰 小人이 怨汝詈汝라커든 則皇自敬德하사 厥愆을 曰朕之愆이라하소서 允若時하시면 不啻不敢含怒리이다

번역

“혹 신료 중에 ‘백성들이 임금님을 원망하고 욕하나이다’ 하는 이가 있거든, 임금께서는 자신의 덕을 돌아보시며 그에게 이렇게 말씀하소서. ‘그렇소? 그건 모두 나의 허물 때문이오.’ 임금께서 진심으로 이같이 하신다면 그들에게 분노의 마음을 품지 않으실 뿐만 아니라 그들의 어려움을 진정으로 헤아려 도우려 하실 것입니다.”

17-18.

난자(難字)

綽: 너그러울작

백문 원문

此厥不聽人乃或譸張爲幻曰小人怨汝詈汝則信之則若時不永念厥辟不寬綽厥心亂罰無罪殺無辜怨有同是叢于厥身

현토 원문

此厥不聽하시면 人乃或譸張爲幻하여 曰 小人이 怨汝詈汝라커든 則信之하리니 則若時하면 不永念厥辟이며 不寬綽厥心하여 亂罰無罪하며 殺無辜하리니 怨有同하여 是叢于厥身하리이다

번역

"이를 유념치 않으시면 사람들이 속이고 과장하며 헛된 짓을 하여 임금께 '백성들이 임금님을 원망하고 욕하나이다' 할 때 그 말을 그대로 믿으시게 될 것입니다. 그렇게 되면 군주 된 도리를 깊이 생각지 않으시고 마음도 협소해져 자칫 무죄한 이들을 함부로 처벌하고 무고한 이들을 함부로 죽이게 될 것입니다. 그러면 여기저기에서 터져 나오는 원망들이 모두 임금께 모여들 것입니다."

17-19.

백문 원문

周公曰嗚呼嗣王其監于玆

현토 원문

周公曰 嗚呼라 嗣王은 其監于玆하소서

번역

"아아, 임금께서는 이상의 말씀들을 명심 또 명심하소서."

18. 군석(君奭, 군(존칭의 의미) 석(소공(召公)의 이름)이여)

18-1.

백문 원문

周公若曰君奭

현토 원문

周公이 若曰 君奭아

번역

주공이 다음과 같이 말하였다: "군 석이여!"

18-2.

백문 원문

弗弔天降喪于殷殷旣墜厥命我有周旣受我不敢知曰厥基永孚于休若天棐忱我亦不敢知曰其終出于不祥

현토 원문

弗弔라 天이 降喪于殷하사 殷旣墜厥命이어늘 我有周旣受하소서 我不敢知하노니 曰厥基는 永孚于休아 若天이 棐忱가 我亦不敢知하노니 曰其終에 出于不祥가

번역

"은이 하느님의 돌봄을 받지 못해 나라를 잃자 우리 주(周)가 하느님의 명을 받게 되었소. 나는 결코 하느님으로부터 받은 이 명이 길이 유지될 수 있을지 장담하지 못하겠소. 과연 하느님이 우리를 끝까지 도와주시리라 생각하오? 나는 결코 우리 주(周)가 끝까지 상서로우리라 장담하지 못하겠소."

18-3.

백문 원문

嗚呼君已曰時我我亦不敢寧上帝命弗永遠念天威越我民罔尤違惟人在我後嗣子孫大弗克恭上下遏佚前人光在家不知

현토 원문

嗚呼라 君이 已曰 時我라하더니 我亦不敢寧上帝命하여 弗永遠念天威 越我民에 罔尤違하노니 惟人이니라 在我後嗣子孫하여 大弗克恭上下하여 遏佚前人光하면 在家不知아

번역

"아아, 군이 전에 이런 말을 하지 않았는가! '이 모든 것이 우리가 어떻게 하느냐에 달려있다.' 나 또한 하느님의 명을 온전히 편안하게만 받아들일 수 없으니 하느님의 무서운 위엄과 백성들에게 손상당하는 일이 영원히 없을거라 장담하지 못하겠소. 그럴 일이 있고 없고는 전적으로 우리가 어떻게 하느냐에 달려있다고 생각하오. 지금 임금(성왕을 지칭)께서 천지신명께 불공하여 선왕이 남기신 빛나는 업적을 실추시킨다면 그 책임이 우리에게는 없겠소이까!"

18-4.

난자(難字)

諶: 믿을심

백문 원문

天命不易天難諶乃其墜命弗克經歷嗣前人恭明德

현토 원문

天命이 不易라 天難諶이니 乃其墜命은 弗克經歷嗣前人의 恭明德이니라

번역

"천명은 보존하기가 쉽지 않소. 하늘이 우리를 끝까지 지켜주리라 확신하기는 쉽지 않으니, 천명을 실추시키는 것은 선왕께서 검속과 경건의 자세로 밝히셨던 덕을 계승하지 못하기 때문이오."

18-5.

백문 원문

在今予小子旦非克有正迪惟前人光施于我沖子

현토 원문

在今予小子旦하여 非克有正이라 迪은 惟前人光으로 施于我沖子니라

번역

"나 단(旦, 주공의 이름)이 임금을 바로 할 색다른 방법을 가진 것은 아니오. 오직 선왕이 보여주셨던 광대(光大)한 덕을 잇고 계승하며 더욱 빛나게 하여 나어린 임금께 부촉(付屬, 넘겨줌)하려 할 뿐이오."

18-6.

백문 원문

又曰天不可信我道惟寧王德延天不庸釋于文王受命

현토 원문

又曰 天不可信이나 我道는 惟寧王德을 延하여 天不庸釋于文王受命이니라

번역

"하늘을 믿을 수 없다 하여 우리가 할 일이 없는 것은 아니오. 우리가 해야 할 일은 오로지 영왕(寧王, 무왕을 지칭)의 덕을 승계

하여 문왕께서 받으신 천명을 하늘이 다시 거둬들이지 않게 하는 것이오."

18-7.

난자(難字)

扈: 호위할호

백문 원문

公曰君奭我聞在昔成湯既受命時則有若伊尹格于皇天在太甲時則有若保衡在太戊時則有若伊陟臣扈格于上帝巫咸乂王家在祖乙時則有若巫賢在武丁時則有若甘盤

현토 원문

公曰 君奭아 我聞호니 在昔成湯이 既受命이어시늘 時則有若伊尹이 格于皇天하며 在太甲하여 時則有若保衡하며 在太戊하여 時則有若伊陟臣扈格于上帝하며 巫咸이 乂王家하며 在祖乙하여 時則有若巫賢하며 在武丁하여 時則有若甘盤하니라

번역

"군 석이여! 내 들으니 탕왕이 천명을 받았을 때 당시 조정에는 하늘의 뜻에 부합하는 이윤 같은 신하가 있었으며, 태갑 때에는 보형 같은 신하가 있었고, 태무 때에는 이척과 신호 같은 신하가 있었으며 무함이 왕실을 조화롭게 다스렸고, 조을 때에는 무현 같은 신하가 있었으며, 무정 때에는 감반 같은 신하가 있었다고 들었소."

18-8.

백문 원문

率惟茲有陳保乂有殷故殷禮陟配天多歷年所

현토 원문

率惟玆有陳하여 保乂有殷하니 故殷이 禮陟配天하여 多歷年所하니라

번역

"이들은 천도(天道)에 따라 일을 수행하여 은나라를 보호하고 다스렸소. 하여 은이 명덕을 잃지 않고 하늘의 뜻에 부합할 수 있어 오래도록 치세를 누리게 되었소이다."

18-9.

백문 원문

天惟純佑命則商實百姓王人罔不秉德明恤小臣屛侯甸矧咸奔走惟玆惟德稱用乂厥辟故一人有事于四方若卜筮罔不是孚

현토 원문

天惟純佑命이라 則商이 實하여 百姓王人이 罔不秉德明恤하며 小臣屛侯甸이 矧咸奔走온여 惟玆惟德을 稱하여 用乂厥辟이라 故一人이 有事于四方이어든 若卜筮하여 罔不是孚하니라

번역

"하느님도 자신의 명을 바꾸지 아니하시고 그 명이 온전히 유지되도록 도우셨소. 하여 상(商) 내부에는 어진 인재들이 가득해 문무백관과 저명한 집안 사람들 그리고 미괄말직의 사람 모두가 덕을 견지하고 우려되는 일들을 분명하게 처리했으며 외방(外方)의 신하들과 제후들도 각자의 맡은 소임을 충실하게 수행했소. 이와 같았기 때문에 오직 덕을 가진 현능한 사람들만이 거용(擧用)되어 임금이 일을 하였기에 임금이 사방에 집행하려는 일들은 모두가 거북점과 시초점과 같이 여겨 온 천하 사람이 이를 신뢰하지 않음이 없게

되었소이다."

18-10.

백문 원문

公曰君奭天壽平格保乂有殷有殷嗣天滅威今汝永念則有固命厥亂明我新造邦

현토 원문

公曰 君奭아 天壽平格이라 保乂有殷하더시니 有殷이 嗣天滅威하니 今汝永念하면 則有固命하여 厥亂이 明我新造邦하리라

번역

"군 석이여! 하느님은 사사롭지 않으며 상도(常道)를 추구하는 이를 오래 살게 해주시오. 하느님은 오래도록 은나라를 보예(保乂, 보호하고 다스림) 하셨는데 수(受, 주(紂)의 이름)가 하느님의 위엄을 실추하여 멸망하게 됐소. 이제 그대가 이를 길이 생각한다면 천명을 굳게 간직하여 그 치효(治效, 다스림의 효과)가 이 신생 나라 주(周)에 밝게 빛나게 해주오."

18-11.

백문 원문

公曰君奭在昔上帝割申勸寧王之德其集大命于厥躬

현토 원문

公曰 君奭아 在昔上帝割하사 申勸寧王之德하사 其集大命于厥躬하시니라

번역

"군 석이여! 하느님께서는 잘못된 세상을 바르게 하시려 영왕(寧

王, 무왕(武王)의 별칭)이 거듭하여 덕을 쌓도록 권면하셨고 마침내 그에게 천명이 이르도록 하셨소."

18-12.

백문 원문

惟文王尚克修和我有夏亦惟有若虢叔有若閎夭有若散宜生有若泰顚有若南宮括

현토 원문

惟文王이 尚克修和我有夏하심은 亦惟有若虢叔과 有若閎夭와 有若散宜生과 有若泰顚과 有若南宮括이니라

번역

"문왕께서 유하(有夏, 중국을 의미)를 평치하여 협화(協和, 서로 도와 화목함)하게 하신 것은 괵숙(虢叔)과 굉요(閎夭)와 산의생(散宜生)과 태전(太顚)과 남궁괄(南宮括) 같은 이의 도움이 있었기 때문이오."

18-13.

난자(難字)

蔑: 없을멸

백문 원문

又曰無能往來玆迪彝教文王蔑德降于國人

현토 원문

又曰 無能往來玆하여 迪彝教인댄 文王도 蔑德이 降于國人이시니라

번역

"만약 이들이 분주히 일하며 상교(常教, 올바른 가르침)로 문왕을

계도(啓導)하지 않았다면 문왕의 덕은 결코 백성들에게 미치지 못했을 것이오."

18-14.

백문 원문

亦惟純佑秉德迪知天威乃惟時昭文王迪見(현)冒聞于上帝惟時受有殷命哉

현토 원문

亦惟純佑는 秉德이 迪知天威하여 乃惟時昭文王하여 迪見(현)冒하여 聞于上帝라 惟時受有殷命哉하시니라

번역

"하느님이 순수하게 도와주신 것은 이들이 덕을 닦아 하늘의 위엄을 알았기 때문이오. 하여 문왕을 밝게 인도하여 그분의 덕이 위로는 하늘에 아래로는 서토(西土) 모든 곳에 미치게 하였고 마침내 하느님에게까지 이르러 은이 받았던 대명(大命)을 받으시게 하였소."

18-15.

난자(難字)

劉: 죽일류 / 單(殫): 다할탄

백문 원문

武王惟茲四人尙迪有祿後暨武王誕將天威咸劉厥敵惟茲四人昭武王惟冒丕單(殫)稱德

현토 원문

武王은 惟茲四人이 尙迪有祿하니 後暨武王으로 誕將天威하여 咸劉厥敵하니 惟茲四人이 昭武王惟冒하여 丕單(殫)稱德하니라

번역

"네 사람(굉요·산의생·태전·남궁괄)은 무왕을 계도하여 그분이 천록(天祿, 하느님이 주신 복)을 받게 했소. 후일 무왕과 더불어 하느님의 위엄을 빌어 불경한 자들을 다 제거하고 그분의 덕을 온 천하에 밝히니 천하 모든 이들이 무왕의 덕을 칭송했소이다."

18-16.

백문 원문

今在予小子旦若游大川予往暨汝奭其濟小子同未在位誕無我責收罔勗不及耇造德不降我則鳴鳥不聞矧曰其有能格

현토 원문

今在予小子旦하여 若游大川호니 予往에 暨汝奭으로 其濟하리라 小子同未在位하시니 誕無我責가 收罔勗不及하여 耇造德이 不降하면 我則鳴鳥를 不聞이온 矧曰其有能格가

번역

"지금의 상황은, 나 단(旦, 주공의 이름)이 생각하기에, 큰 내를 건너는 것과 같다고 보오. 그대 석(奭)과 함께 이 내[川(천)] 건너는 상황을 함께 헤쳐나갔으면 하오. 어린 임금께서 보위에 계시나 아니 계신 것과 같으니 이 어려운 상황에서 과연 우리에게 주어진 책무가 없겠다 하겠소? 지혜를 모아 임금께서 미치지 못하는 곳을 힘써 보조하지 않아 노성(老成)한 이의 덕이 백성들에게 전달되지 않는다면 우리가 들었던 저 봉황의 울음을 다시 듣지 못할 것이고 나아가 하느님의 마음도 감동시키지 못할 것이오."

18-17.

백문 원문

公曰嗚呼君肆其監于茲我受命無疆惟休亦大惟艱告君乃猷裕我不以後人迷

현토 원문

公曰 嗚呼라 君아 肆其監于茲어다 我受命이 無疆惟休나 亦大惟艱이니 告君乃猷裕하노니 我는 不以後人迷하노라

번역

"아아, 군(君) 석이여! 이상의 말을 깊이 살펴보오. 우리 주(周)가 받은 천명이 가없이 아름다우나 또한 더없이 힘든 일이기도 하니 그대는 마음을 너그럽고 크게 가졌으면 하오. 나는 후인들이 도를 잃고 방황하는 일이 없기를 바라오."

18-18.

난자(難字)

勗: 힘쓸욱 / 亶: 믿을단

백문 원문

公曰前人敷乃心乃悉命汝作汝民極曰汝明勗偶王在亶乘茲大命惟文王德丕承無疆之恤

현토 원문

公曰 前人이 敷乃心하사 乃悉命汝하사 作汝民極하시고 曰 汝明勗偶王하여 在亶乘茲大命하여 惟文王德하여 丕承無疆之恤하라 하시다

번역

"무왕께서 심중의 말로 그대를 명하여 민극(民極, 재상의 의미)을 삼으시고 말씀하시길 '너는 밝게 힘써 어린 임금을 도와 밭 가는

자에게 짝이 있는 것과 같이 하라. 서로를 신뢰하여 마부가 수레를 몰 듯 이 대명(大命)을 싣고 문왕의 덕을 생각하면서 가없는 근심(대명(大命)의 다른 표현)을 크게 잇도록 하라!' 하셨소."

18-19.

난자(難字)

否: 막힐비

백문 원문

公曰君告汝朕允保奭其汝克敬以予監于殷喪大否(비)肆念我天威

현토 원문

公曰 君아 告汝朕允하노라 保奭아 其汝克敬以予하여 監于殷喪大否(비)하여 肆念我天威하라

번역

"아, 군(君) 석이여! 그대에게 나의 정성을 고하겠소. 태보(太保, 석(奭)의 벼슬명) 석이여, 그대는 나의 말을 삼가 받들어 은나라가 망하게 된 큰 난맥(亂脈)을 잘 살펴 하느님께서 우리에게 내리신 위엄[대명]을 깊이 명심하고 경계해야 할 것이오."

18-20.

난자(難字)

戡: 이길감

백문 원문

予不允惟若玆誥予惟曰襄我二人汝有合哉言曰在時二人天休滋至惟時二人弗戡其汝克敬德明我俊民在讓後人于丕時

현토 원문

予不允이요 惟若玆誥아 予惟曰 襄我二人이라하노니 汝有合哉아 言曰 在時二人하여 天休滋至어든 惟時二人이 弗戡이로소니 其汝克敬德하여 明我俊民이니 在讓後人于丕時니라

번역

"내가 성실하지 못하고서야 어찌 그대에게 이같이 고하겠는가! 어린 임금을 보좌할 이는 우리 두 사람 뿐이니 그대는 나의 뜻에 부합하도록 하라! 하늘의 아름다운 명이 늘어나면 우리 두 사람으로도 감당하기 어려울 것이니 그대는 덕을 공경하여 준민(俊民, 뛰어난 재사)을 키우도록 하오. 이후 인재들이 크게 흥했을 때 그대의 자리를 양보토록 하오!"

18-21.

백문 원문

嗚呼篤棐時二人我式克至于今日休我咸成文王功于不怠丕冒海隅出日罔不率俾

현토 원문

嗚呼라 篤棐는 時二人이니 我式克至于今日休호나 我咸成文王功于不怠하여 丕冒하여 海隅出日이 罔不率俾니라

번역

"아아, 어린 임금을 돈독히 도울 이는 우리 두 사람이니 지금 비록 아름다운 업적을 이루었다 하나 우리 두 사람이 함께 더욱 매진하여 문왕의 공업(功業)을 완성시켜 그 공업의 은택이 해 돋는 저 동쪽 끝에까지 이르게 하여야 할 것이오."

18-22.

백문 원문

公曰君予不惠若玆多誥予惟用閔于天越民

현토 원문

公曰 君아 予不惠요 若玆多誥아 予惟用閔于天越民이니라

번역

"아아, 군 석이여! 내가 이치를 거스르면서 이같이 그대에게 많은 말을 하겠는가? 나는 천명과 백성의 안위를 끊임없이 근심하오."

18-23.

백문 원문

公曰嗚呼君惟乃知民德亦罔不能厥初惟其終祗若玆往敬用治

현토 원문

公曰 嗚呼라 君아 惟乃知民德하나니 亦罔不能厥初나 惟其終이니 祗若玆하여 往敬用治하라

번역

"아아, 군 석이여! 그대는 민심의 추이를 잘 안다. 시작은 대개 좋지 아니함이 없으나 마무리는 그렇지 않으니 그대는 이상의 말을 잘 새겨 공경의 자세로 다스림에 임하도록 하라!"

19. 채중지명(蔡仲之命, 채중에게 명하다)

19-1.

백문 원문

惟周公位冢宰正百工羣叔流言乃致辟管叔于商囚蔡叔于郭鄰以車

七乘降霍叔于庶人三年不齒蔡仲克庸祇德周公以爲卿士叔卒乃命諸王邦之蔡

현토 원문

惟周公이 位冢宰하사 正百工이어시늘 羣叔이 流言한대 乃致辟管叔于商하시고 囚蔡叔于郭鄰호되 以車七乘하시고 降霍叔于庶人하여 三年不齒러시니 蔡仲이 克庸祇德이어늘 周公이 以爲卿士러시니 叔이 卒커늘 乃命諸王하사 邦之蔡하시다

번역

주공이 총재(冢宰)의 자리에 있으면서 문무백관을 통솔하였다. 성왕의 여러 숙부들이 유언비어를 흘려 정국이 어지럽자 주공은 관숙을 상(商)에서 주살했고 채숙을 곽린(郭隣)에 유폐시키고 출입시 수레 7대만 사용하도록 제한시켰다. 곽숙은 서인의 신분으로 강등시키고 3년 동안 그 지위에 복직시키지 않았다. 채중은 상심(常心)으로 덕을 공경하여, 주공이 그를 경사(卿士)로 삼았다가 채숙 사후 성왕에게 고하여 채 땅에 나라를 세우게 하였다.

19-2.

백문 원문

王若曰小子胡惟爾率德改行克愼厥猷肆予命爾侯于東土往卽乃封敬哉

현토 원문

王若曰 小子胡아 惟爾率德改行하여 克愼厥猷할새 肆予命爾하여 侯于東土하노니 往卽乃封하여 敬哉어다

번역

왕께서 다음과 같이 말씀하셨다: “호(胡, 채중의 이름)야, 네가 덕을 따르고 아버지의 그릇된 행실을 따르지 않아 생각하는 바를 검

속하니 내 너를 명하여 동토(東土)의 제후로 삼노라. 너의 봉지(封地)로 가서 맡은 소임을 공경되이 수행할지어다."

19-3.

백문 원문

爾尙蓋前人之愆惟忠惟孝爾乃邁迹自身克勤無怠以垂憲乃後率乃祖文王之彛訓無若爾考之違王命

현토 원문

爾尙蓋前人之愆은 惟忠惟孝니 爾乃邁迹自身하여 克勤無怠하여 以垂憲乃後하여 率乃祖文王之彛訓하고 無若爾考之違王命하라

번역

"네가 전인(前人, 채중의 아버지 채숙을 지칭)의 허물을 덮는 길은 오직 충과 효일 뿐이니 너는 자신을 단련하여 조금도 게으르지 말아 그 모본을 후손들에게 전할 수 있도록 하라. 조부이신 문왕의 상훈(常訓)을 따르고 왕명을 어긴 아비의 행적은 따르지 말라!"

19-4.

백문 원문

皇天無親惟德是輔民心無常惟惠之懷爲善不同同歸于治爲惡不同同歸于亂爾其戒哉

현토 원문

皇天은 無親하사 惟德을 是輔하시며 民心은 無常이라 惟惠之懷하나니 爲善이 不同하나 同歸于治하고 爲惡이 不同하나 同歸于亂하나니 爾其戒哉어다

번역

"하느님은 특별히 친애함이 없고 오로지 덕있는 이를 도우며, 민심은 고정되어 있지 않고 오로지 은혜 베푸는 이를 사모한다. 선행은 다양하나 그 모두는 다스림으로 귀결되고, 악행 역시 다양하나 그 모두는 혼란으로 귀결되니 너는 이를 명심할지어다."

19-5.

백문 원문

愼厥初惟厥終終以不困不惟厥終終以困窮

현토 원문

愼厥初호되 惟厥終이라사 終以不困하리니 不惟厥終하면 終以困窮하리라

번역

"신중하게 시작하여야 하고 마무리를 신경 써야 종내 어려움이 없을 것이다. 마무리를 신경 쓰지 않으면 종내 힘들 것이다."

19-6.

백문 원문

懋乃攸績睦乃四鄰以蕃王室以和兄弟康濟小民

현토 원문

懋乃攸績하며 睦乃四鄰하며 以蕃王室하며 以和兄弟하며 康濟小民하라

번역

"공을 세우기 위해 노력하고 이웃 나라들과 화목하게 지내며 왕실의 울타리가 되도록 하고 형제들과 의좋게 지내며 백성들이 편안

하게 지낼 수 있도록 하라!"

19-7.

백문 원문

率自中無作聰明亂舊章詳乃視聽罔以側言改厥度則予一人汝嘉

현토 원문

率自中이요 無作聰明하여 亂舊章하며 詳乃視聽하여 罔以側言으로 改厥度하면 則予一人이 汝嘉호리라

번역

"과불급 없는 중도의 마음을 따르고 삿된 지혜를 따라 선왕의 법을 어지럽히지 말라. 보도 듣는 것을 조심하여 편벽된 말에 따라 마음의 중도를 고치는 일이 없도록 하라! 그리하면 내 너를 가상히 여기리라!"

19-8.

백문 원문

王曰嗚呼小子胡汝往哉無荒棄朕命

현토 원문

王曰 嗚呼라 小子胡아 汝往哉하여 無荒棄朕命하라

번역

"아아, 호야, 네 봉지로 가서 나의 명을 실추시키지 말지어다!"

20. 다방(多方, 여러 나라)

20-1.

백문 원문

惟五月丁亥王來自奄至于宗周

현토 원문

惟五月丁亥에 王이 來自奄하사 至于宗周하시다

번역

5월 정해(丁亥) 일에 왕(성왕을 지칭)께서 엄(奄)에서 종주(宗周, 호경(鎬京)을 지칭)에 이르셨다.

20-2.

백문 원문

周公曰王若曰猷告爾四國多方惟爾殷侯尹民我惟大降爾命爾罔不知

현토 원문

周公曰 王若曰 猷라 告爾四國多方하노라 惟爾殷侯尹民아 我惟大降爾命호니 爾罔不知니라

번역

주공이 말하였다: "왕께서 다음과 같이 말씀하셨다. '아, 너희 사국(四國)과 여러 나라 제후들에게 고하노라. 내 너희들의 죄를 깊이 묻지 않고 목숨을 살려주노니, 이를 깊이 마음에 새길지어다.'"

20-3.

백문 원문

洪惟圖天之命弗永寅念于祀

현토 원문

洪惟圖天之命하여 弗永寅念于祀하니라

번역

"'엄(奄)의 제후는 사특한 뜻으로 천명의 개수(改受)를 획책하다 길이 제사를 보존하지 못하게 되었다.'"

20-4.

백문 원문

惟帝降格于夏有夏誕厥逸不肯慼言于民乃大淫昏不克終日勸于帝之迪乃爾攸聞

현토 원문

惟帝降格于夏어시늘 有夏誕厥逸하여 不肯慼言于民하고 乃大淫昏하여 不克終日勸于帝之迪은 乃爾攸聞이니라

번역

"'하느님께서 하(夏)에 재이(災異, 괴이한 재앙)를 내려 경고하셨거늘 하(夏)는 기탄없이 방일(放逸)하며 백성을 걱정하는 말 한마디 없었고, 황음무도하며 하느님이 인도하는 올바른 길을 조금도 따르려 하지 않은 것은 너희들이 익히 들어 아는 바이다.'"

20-5.

난자(難字)

麗: 걸릴리 / 叨: 탐할도 / 懫: 성낼치 / 劓: 망칠의 / 割: 망칠할

백문 원문

厥圖帝之命不克開于民之麗(리)乃大降罰崇亂有夏因甲于內亂不克靈承于旅罔丕惟進之恭洪舒于民亦惟有夏之民叨懫日欽劓割夏邑

현토 원문

厥圖帝之命하여 不克開于民之麗(리)하고 乃大降罰하여 崇亂有

夏하니 因甲于內亂하여 不克靈承于旅하며 罔丕惟進之恭하여 洪舒于民이요 亦惟有夏之民의 叨懫을 日欽하여 劓割夏邑하니라

번역

"'걸(桀)은 하느님의 명을 삿되이 가탁하며 백성들의 살길을 열어주지 아니하고 도리어 가혹한 형벌만을 가하여 하나라의 분란만을 부추겼다. 여인에게 미혹된 것을 시발로 수신과 제가를 등한시해 대중의 뜻을 헤아리지 못했으며 공경의 자세로 백성들을 품어주지 못했다. 더하여 졸렬한 자들만을 등용하고 높여 하나라를 망쳤다.'"

20-6.

난자(難字)

殄: 끊을진

백문 원문

天惟時求民主乃大降顯休命于成湯刑殄有夏

현토 원문

天이 惟時求民主하사 乃大降顯休命于成湯하사 刑殄有夏하시니라

번역

"'이에 하느님께서 백성의 참된 주인을 구하사 탕왕에게 천명을 내려 하나라의 명맥을 끊게 하셨다.'"

20-7.

백문 원문

惟天不畀純乃惟以爾多方之義民不克永于多享惟夏之恭多士大不克明保享于民乃胥惟虐于民至于百爲大不克開

현토 원문

惟天이 不畀純은 乃惟以爾多方之義民으로 不克永于多享이요 惟夏之恭多士는 大不克明保享于民이요 乃胥惟虐于民하여 至于百爲히 大不克開하니라

번역

"'하느님이 천명을 거두신 것은 걸(桀)이 다방(多方, 여러 방면)의 재사들을 등용하여 정사를 하지 않고 졸렬한 자들을 등용해 정사를 하는 바람에 하늘이 내리신 복을 누리지 못하고 더불어 그 졸렬한 자들은 백성을 밝게 보호하지 않고 해악만 끼쳐 백성들의 하고자 하는 일 모든 것이 제대로 이루어지지 못했기 때문이다.'"

20-8.

백문 원문

乃惟成湯克以爾多方簡代夏作民主

현토 원문

乃惟成湯이 克以爾多方簡으로 代夏하사 作民主하시니라

번역

"'탕왕은 그대 다방 재사들의 간택에 따라 하(夏)를 대신해 백성의 주인이 되었다.'"

20-9.

백문 원문

愼厥麗(리)乃勸厥民刑用勸

현토 원문

愼厥麗(리)하여 乃勸하신대 厥民이 刑하여 用勸하니라

번역

"'마음속의 명덕을 삼가 밝혀 인(仁)으로 백성들을 권면(勸勉)하니, 백성들이 이를 본받아 서로서로 권면하였다.'"

20-10.

백문 원문

以至于帝乙罔不明德慎罰亦克用勸

현토 원문

以至于帝乙히 罔不明德慎罰하사 亦克用勸하시니라

번역

"'이후 제을(帝乙)에 이르기까지 역대 임금들이 덕을 밝히고 형벌을 삼가지 않음이 없어 이를 바탕으로 백성들을 권면하였다.'"

20-11.

백문 원문

要囚殄戮多罪亦克用勸開釋無辜亦克用勸

현토 원문

要囚를 殄戮多罪도 亦克用勸이며 開釋無辜도 亦克用勸이니라

번역

"'죄수를 판결함에 죄 많은 자를 죽이는 것도 백성에게 모범이 될 만 했으며, 무고한 자를 풀어주는 것도 백성에게 모범이 될 만하였다.'"

20-12.

백문 원문

今至于爾辟弗克以爾多方享天之命

현토 원문

今至于爾辟하여 弗克以爾多方으로 享天之命하니라

번역

"'그런데 이제 너희 임금(주(紂)를 지칭)에 이르러 그대 다방의 재사들을 데리고도 천명이 내리는 복락을 누리지 못했다.'"

20-13.

백문 원문

嗚呼王若曰誥告爾多方非天庸釋有夏非天庸釋有殷

현토 원문

嗚呼라 王若曰 誥告爾多方하노라 非天이 庸釋有夏며 非天이 庸釋有殷이시니라

번역

"'아아, 그대 다방의 재사들에게 고하노라. 하느님이 하를 저버리신 것이 아니며, 은을 저버리신 것도 아니니라.'"

20-14.

난자(難字)

屑: 자질구레할설

백문 원문

乃惟爾辟以爾多方大淫圖天之命屑有辭

현토 원문

乃惟爾辟이 以爾多方으로 大淫圖天之命하여 屑有辭하니라

번역

"'오로지 그 임금이 그대 다방의 재사들과 천명을 올바르게 실행치 않고 사특하게 왜곡하며 구구한 변명을 일삼았기 때문이다.'"

20-15.

백문 원문

乃惟有夏圖厥政不集于享天降時喪有邦間之

현토 원문

乃惟有夏 圖厥政호되 不集于享한대 天降時喪하사 有邦으로 間之하시니라

번역

"'하나라는 정사를 함에 복락을 누리는 정사를 하지 않아, 하느님이 천명을 거두시고 은나라로 대체하셨다.'"

20-16.

난자(難字)

蠲: 깨끗할 견 / 烝: 나아갈증

백문 원문

乃惟爾商後王逸厥逸圖厥政不蠲烝天惟降時喪

현토 원문

乃惟爾商後王이 逸厥逸하여 圖厥政호되 不蠲烝한대 天惟降時喪하시니라

번역

"'너희 상(商)의 후왕(後王, 주(紂)를 지칭)은 검속을 안일로 삼지 않고 안일을 안일로 삼아 정사를 해 더럽고 지진(遲進)해져 마

침내 하느님이 천명을 거두셨느니라.'"

20-17.

백문 원문

惟聖罔念作狂惟狂克念作聖天惟五年須暇之子孫誕作民主罔可念聽

현토 원문

惟聖이라도 罔念하면 作狂하고 惟狂이라도 克念하면 作聖하나니 天惟五年을 須暇之子孫하사 誕作民主어시늘 罔可念聽하니라

번역

"'통명(通明, 사리에 밝음) 하더라도 반성치 아니하면 그릇될 수 있고, 그릇된 길에 들어섰더라도 반성하면 능히 통명할 수 있나니, 하느님이 주(紂)에게 5년의 여유를 주사 새롭게 백성의 주인이 될 수 있게 하셨으나 주는 그 기회를 잡지 않았다.'"

20-18.

백문 원문

天惟求爾多方大動以威開厥顧天惟爾多方罔堪顧之

현토 원문

天惟求爾多方하사 大動以威하여 開厥顧天이어시늘 惟爾多方이 罔堪顧之하니라

번역

"'하느님이 다방(多方)에서 백성의 주인될 자를 찾기 위해 재앙과 상서를 발하여 하느님의 뜻을 돌아보도록 했으나 그대 다방의 재사들은 이를 돌아보지도 돌아볼 엄두도 내지 못했다.'"

20-19.

백문 원문

惟我周王靈承于旅克堪用德惟典神天天惟式教我用休簡畀殷命尹爾多方

현토 원문

惟我周王이 靈承于旅하사 克堪用德하사 惟典神天이실새 天惟式教我用休하사 簡畀殷命하사 尹爾多方하시니라

번역

"'오직 우리 주왕(周王, 문왕과 무왕을 지칭)만이 백성의 뜻을 잘 받들어 덕으로 이끌며 하느님의 뜻을 돌아보시니 하느님께서 우리 주왕(周王)을 아름다이 여겨 마침내 은에서 빼앗은 천명을 내려주시고 그대들 다방(多方)을 다스리게 하셨다.'"

20-20.

백문 원문

今我曷敢多誥我惟大降爾四國民命

현토 원문

今我는 曷敢多誥리오 我惟大降爾四國民命하니라

번역

"'나는 그대들에게 불필요한 훈계를 늘어놓고자 하는 것이 아니다. 나는 그대들의 죄를 깊이 묻지 않고 그대들의 명줄을 이어주려는 것이다.'"

20-21.

난자(難字)

夾: 도울협 / 介: 도울개 / 畋: 농사지을전

백문 원문

爾曷不忱裕之于爾多方爾曷不夾介乂我周王享天之命今爾尙宅爾宅畋爾田爾曷不惠王熙天之命

현토 원문

爾는 曷不忱裕之于爾多方고 爾는 曷不夾介乂我周王享天之命고 今爾尙宅爾宅하며 畋爾田하나니 爾는 曷不惠王하여 熙天之命고

번역

"'그대들은 어찌하여 그대들의 방소(方所)에서 백성들에게 정성을 다하고 너그럽게 이끌지 않는가! 그대들은 어찌하여 우리 주(周)가 천명을 향유하는데 보탬을 주지 않는가! 그대들은 아무런 피해없이 여전히 그대들의 저택에 그대로 머물며 그대들의 영지를 그대로 소유하고 있다. 그대들은 어찌하여 왕실에 순종하여 천명을 확장하는데 힘을 보태지 않는가!'"

20-22.

백문 원문

爾乃迪屢不靜爾心未愛爾乃不大宅天命爾乃屑播天命爾乃自作不典圖忱于正

현토 원문

爾乃迪屢不靜하나니 爾心未愛아 爾乃不大宅天命가 爾乃屑播天命가 爾乃自作不典하여 圖忱于正가

번역

"'그대들은 여러 차례 소요를 일으켰으니 이는 어찌된 것인가?

자중자애하는 법을 몰라서 그런 것인가? 아니면 천명이 편안히 않아서 그런 것인가? 그도 아니면 천명을 가벼이 버려도 된다고 생각해서 그런 것인가? 아니면 잘못을 저질러도 신뢰를 받을 수 있다고 생각해서 그런 것인가?'"

20-23.

백문 원문

我惟時其教告之我惟時其戰要囚之至于再至于三乃有不用我降爾命我乃其大罰殛之非我有周秉德不康寧乃惟爾自速辜

현토 원문

我惟時其教告之하며 我惟時其戰要囚之호되 至于再하며 至于三하니 乃有不用我의 降爾命하면 我乃其大罰殛之하리니 非我有周秉德不康寧이라 乃惟爾自速辜니라

번역

"'내가 이렇게 그대들을 가르치고 죄수를 판결하되 조심스런 마음으로 재심(再審) 삼심(三審)을 하여 그대들의 명줄을 잡아주려 노력하건만 이런 나의 노력을 등한시한다면 그대들을 좌시않고 도륙(屠戮)할 것이다. 이는 우리 주(周)의 덕이 미약하여 그리하는 것이 아니다. 그대들의 잘못이 불러들인 앙화(殃禍)일 뿐이다.'"

20-24.

백문 원문

王曰嗚呼猷告爾有方多士暨殷多士今爾奔走臣我監五祀

현토 원문

王曰 嗚呼라 猷라 告爾有方多士와 暨殷多士하노라 今爾奔走臣

我監이 五祀어니라

번역

"'아아, 그대 다방(多方)의 재사와 은의 재사들에게 고하노라. 그대들이 이곳(낙읍을 지칭)에서 우리 감(監)에게 신하 노릇한 것이 다섯 해가 되었다.'"

20-25.

백문 원문

越惟有胥伯小大多正爾罔不克臬

현토 원문

越惟有胥伯小大多正아 爾罔不克臬이어다

번역

"'서(胥)와 백(伯)과 대소 정(正)들이여, 그대들은 맡은바 소임을 충실히 이행할지어다.'"

*주나라 관직명에는 서, 백, 정을 쓴 것이 많았다. 대서(大胥) 종백(宗伯) 궁정(宮正) 등이 그 예이다.

20-26.

백문 원문

自作不和爾惟和哉爾室不睦爾惟和哉爾邑克明爾惟克勤乃事

현토 원문

自作不和하니 爾惟和哉어다 爾室이 不睦하니 爾惟和哉어다 爾邑克明이라사 爾惟克勤乃事니라

번역

"'마음이 안정되지 못하여 행동이 화순(和順)치 못하니, 행동을

화순하게 하도록 노력할지어다. 행동이 화순치 못하여 집안이 불목(不睦)하니 집안을 화목하게 하도록 노력할지어다. 그리하여 너희 고을이 서로 사랑하고 아끼는 밝은 고을이 될 때 너희의 일을 힘썼다고 할 것이다.'"

20-27.

백문 원문

爾尙不忌于凶德亦則以穆穆在乃位克閱于乃邑謀介

현토 원문

爾尙不忌于凶德하여 亦則以穆穆으로 在乃位하며 克閱于乃邑하여 謀介하라

번역

"'그대들은 흉덕(凶德)한 이들을 두려워 말고 온후한 기운으로 재위하며 그대들의 고을에서 현재(賢才)들을 선발하여 그대들의 일을 돕게 하라!'"

20-28.

난자(難字)

矜: 불쌍할긍 / 賚: 줄뢰

백문 원문

爾乃自時洛邑尙永力畋爾田天惟畀矜爾我有周惟其大介賚爾迪簡在王庭尙爾事有服在大僚

현토 원문

爾乃自時洛邑으로 尙永力畋爾田하면 天惟畀矜爾하시며 我有周도 惟其大介賚爾하여 迪簡在王庭호리니 尙爾事어다 有服이 在大僚니라

번역

"'이 낙읍에서부터 그대들의 방소(方所)까지 그대들의 영지를 부지런히 일구면 하느님은 분명히 그대들을 긍휼히 여기실 것이며 우리 주(周)도 크게 도와주어 그대들은 왕정의 관리가 될 것이다. 부디 그대들의 일에 충실하라. 그리하면 대신의 자리에 있게 될 것이다.'"

20-29.

난자(難字)

逖: 멀적

백문 원문

王曰嗚呼多士爾不克勸忱我命爾亦則惟不克享凡民惟曰不享爾乃惟逸惟頗大遠王命則惟爾多方探天之威我則致天之罰離逖爾土

현토 원문

王曰 嗚呼라 多士아 爾不克勸忱我命하면 爾亦則惟不克享이라 凡民惟曰不享이라하리니 爾乃惟逸惟頗하여 大遠王命하면 則惟爾多方探天之威라 我則致天之罰하여 離逖爾土호리라

번역

"'아아, 다방(多方)의 재사들이여, 그대들이 나의 명을 믿고 힘써 따르지 않으면 이는 윗사람의 뜻을 따르지 않는 것이니 그대들 영지의 백성들도 '윗사람을 섬길 필요가 없다'고 할 것이다. 그대들이 안일하고 편벽되어 나의 명을 멀리하면 하느님의 주벌(誅罰)을 불러들이리니 나는 그 주벌을 단행하여 그대들을 그대들의 영지에서 영구히 떠나게 할 것이다!'"

20-30.

백문 원문

王曰我不惟多誥我惟祇告爾命

현토 원문

王曰 我不惟多誥라 我惟祇告爾命이니라

번역

"'내 어찌 번다한 말을 하여 그대들을 번거롭게 하려는 것이겠는가. 단지 그대들이 해야 할 바를 삼가 전달하는 것뿐이다.'"

20-31.

백문 원문

又曰時惟爾初不克敬于和則無我怨

현토 원문

又曰 時惟爾初니 不克敬于和하면 則無我怨하리라

번역

"'지금은 그대들이 새롭게 출발하는 때이다. 부디 화순하라! 그렇지 아니하여 닥치는 앙화는 결코 나의 잘못이 아니요, 그대들의 잘못이다. 그때 가서 주벌(誅罰)하는 나를 원망치 말라!'"

21. 입정(立政, 정치의 틀을 세우다)

21-1.

백문 원문

周公若曰拜手稽首告嗣天子王矣用咸戒于王曰王左右常伯常任準人綴(추)衣虎賁周公曰嗚呼休玆知恤鮮哉

현토 원문

周公若曰 拜手稽首하여 告嗣天子王矣로이다 用咸戒于王曰 王左右는 常伯과 常任과 準人과 綴(추)衣와 虎賁이니이다 周公曰 嗚呼라 休玆나 知恤이 鮮哉니이다

번역

주공이 성왕에게 이와 같이 말하였다: "삼가 두 손 모으고 머리를 조아려 임금께 아뢰나이다. 여러 관원들이 모두 임금께 말하기를 '임금님의 좌우에는 상백(常伯, 국무총리 격)과 상임(常任, 장관 격)과 준인(準人, 검찰총장 격)과 추의(綴衣, 의전실장 격)와 호분(虎賁, 경호실장 격)이 있어야 합니다'라고 합니다. 아아, 이 관직들이 좋은 관직이긴 하나 보다 중요한 것은 어떤 인물을 얻느냐입니다. 이를 근심하는 이들은 많지 않습니다."

21-2.

난자(難字)

籲: 부를유 / 恂: 믿을순

백문 원문

古之人迪惟有夏乃有室大競籲俊尊上帝迪知忱恂于九德之行乃敢告教厥后曰拜手稽首后矣曰宅乃事宅乃牧宅乃準玆惟后矣謀面用丕訓德則乃宅人玆乃三宅無義民

현토 원문

古之人이 迪하니 惟有夏乃有室大競하여 籲俊尊上帝하니 迪知忱恂于九德之行하여 乃敢告教厥后曰 拜手稽首后矣로이다 曰 宅乃事하며 宅乃牧하며 宅乃準이라사 玆惟后矣니이다 謀面하여 用丕訓德이라하여 則乃宅人하면 玆乃三宅에 無義民하리이다

번역

"옛사람이 이를 실천한 바 있습니다. 하나라 왕실이 흥성할 때 준사(俊士, 뛰어난 인물)를 등용하여 하느님의 뜻을 받들어 실행하게 하였던바 그들은 구덕(九德)을 신심으로 믿고 실천하며 임금께 해야 할 말을 다음과 같이 하였습니다. '삼가 절하며 아뢰나니 사(事, 장관 격)를 두시고 목(牧, 국무총리 격)을 두시며 준(準, 검찰총장 격)을 두셔야 임금의 일을 제대로 해내실 수 있나이다. 얼굴만 보시고 덕이 있는 것 같다 여기셔서 조정에 들이시면 이 세 자리엔 의민(義民, 현인)이 없을 것입니다.'"

21-3.

백문 원문

桀德惟乃弗作往任是惟暴德罔後

현토 원문

桀德은 惟乃弗作往任하고 是惟暴德이라 罔後하니이다

번역

"하나라 마지막 임금 걸(桀)은 부덕하여 전대(前代)에 등용했던 현신들을 임용하지 않고 포덕(暴德)한 이들을 등용하여 나라를 잃었나이다."

21-4.

난자(難字)

耿: 밝을경 / 釐: 다스릴리

백문 원문

亦越成湯陟丕釐上帝之耿命乃用三有宅克即宅曰三有俊克即俊嚴

惟丕式克用三宅三俊其在商邑用協于厥邑其在四方用丕式見德

현토 원문

亦越成湯陟이 丕釐上帝之耿命하심은 乃用三有宅이 克卽宅하며 曰三有俊이 克卽俊하여 嚴惟丕式하여 克用三宅三俊하심으로 其在商邑하여는 用協于厥邑하며 其在四方하여는 用丕式見德하니이다

번역

"탕왕이 천자의 자리에 올라 하느님의 밝은 명을 세상에 크게 펼칠 때는 많은 현재(賢才)들이 적재적소에서 일을 하였습니다. 상백과 상임과 추의의 자리에 적합한 덕과 능력을 가진 이들이 임용되어 수도와 외방(外方)에서 좋은 성과를 내고 모범이 되었나이다."

21-5.

난자(難字)

暋: 어두울민 / 羞: 나아갈수 / 伻: 하여금팽 / 甸: 다스릴전

백문 원문

嗚呼其在受德暋惟羞刑暴德之人同于厥邦乃惟庶習逸德之人同于厥政帝欽罰之乃伻我有夏式商受命奄甸萬姓

현토 원문

嗚呼라 其在受德暋하여 惟羞刑暴德之人으로 同于厥邦하며 乃惟庶習逸德之人으로 同于厥政한대 帝欽罰之하사 乃伻我有夏하여 式商受命하여 奄甸萬姓하시니이다

번역

"아아, 은나라의 마지막 왕 주(紂)는 혼암(昏暗)하여 형벌을 숭상하는 포덕(暴德)한 이들을 등용하여 조정의 주요 직책을 맡기고 방자한 자들을 등용해 정치를 하여 백성이 고통에 시달리게 되었습니

다. 이에 하느님께서 이들을 주벌(誅罰)하사 우리 주(周)로 하여금 중국을 소유하고 상나라가 받았던 천명을 대신 받게 하여 천하를 다스리게 하였나이다."

21-6.

난자(難字)

灼: 밝을작

백문 원문

亦越文王武王克知三有宅心灼見三有俊心以敬事上帝立民長伯

현토 원문

亦越文王武王이 克知三有宅心하시며 灼見三有俊心하사 以敬事上帝하시며 立民長伯하시니이다

번역

"문왕과 무왕께서는 상백과 상임과 추의의 자리에 적합한 덕과 능력을 가진 이들을 알아보셨으며 그들이 일에 임하는 마음 자세 또한 밝게 보셨습니다. 이렇듯 명철한 자세로 하느님을 공경되이 섬기셨으며 백성들의 장(長)과 백(伯)을 세우셨습니다."

21-7.

백문 원문

立政任人準夫牧作三事

현토 원문

立政에 任人과 準夫와 牧으로 作三事하시니이다

번역

"정사를 세움에 임인(任人, 장관 격)과 준부(準夫, 검찰총장 격)

와 목(牧, 국무총리 격)을 두어 해당 일을 하게 하였습니다."

21-8.

난자(難字)

趣: 달릴추 / 攜: 끌휴

백문 원문

虎賁綴(추)衣趣馬小尹左右攜僕百司庶府

현토 원문

虎賁과 綴(추)衣와 趣馬와 小尹과 左右攜僕과 百司와 庶府와

번역

"호분(虎賁)과 추의(綴衣)와 추마(趣馬)와 소윤(小尹)과 좌우휴복(左右攜僕)과 백사(百司)와 서부(庶府)를 두었습니다."

21-9.

백문 원문

大都小伯藝人表臣百司太史尹伯庶常吉士

현토 원문

大都와 小伯과 藝人과 表臣百司와 太史와 尹伯이 庶常吉士니이다

번역

"대도(大都)와 소도(小都)의 백(伯)과 예인(藝人)과 표신(表臣, 외방의 신하)인 백사(百司)와 태사(太史)와 윤백(尹伯)은 모두 상도(尙道)를 실행하는 좋은 선비들로 임명되었습니다."

21-10.

백문 원문

司徒司馬司空亞旅

현토 원문

司徒와 司馬와 司空과 亞와 旅와

번역

"제후의 관원으로는 사도(司徒)와 사마(司馬)와 사공(司空)과 아(亞)와 여(旅)를 두었습니다."

21-11.

백문 원문

夷微盧烝三亳阪(반)尹

현토 원문

夷와 微와 盧烝과 三亳이 阪(반)에 尹이니이다

번역

"외방 감시 지역인 이(夷)와 미(微)와 노(盧)와 증(烝)과 삼박(三亳)과 반(阪)에는 윤(尹)을 두었습니다."

21-12.

백문 원문

文王惟克厥宅心乃克立茲常事司牧人以克俊有德

현토 원문

文王이 惟克厥宅心하사 乃克立茲常事司牧人하사되 以克俊有德하시니이다

번역

"문왕께서는 주요 관리들의 능력과 마음이 어떠해야 한다는 것을

잘 아셨기에 상사(常事)와 사목인(司牧人)을 명할 때 능력과 덕있는 이를 임명하셨습니다."

21-13.

백문 원문

文王罔攸兼于庶言庶獄庶愼惟有司之牧夫是訓用違

현토 원문

文王은 罔攸兼于庶言庶獄庶愼하시고 惟有司之牧夫를 是訓用違하시니라

번역

"문왕께서는 서언(庶言) 서옥(庶獄) 서신(庶愼)에 겸직을 두지 않았고 당직(當職) 관리인 목부(牧夫)만 명을 어길 시 훈계를 하셨습니다."

21-14.

백문 원문

庶獄庶愼文王罔敢知于玆

현토 원문

庶獄庶愼을 文王이 罔敢知于玆하시니라

번역

"문왕께서는 서옥(庶獄) 서신(庶愼)의 일에 대해선 알려 하지 않으셨습니다."

21-15.

난자(難字)

敉: 편안할미

백문 원문

亦越武王率(솔)惟敉功不敢替厥義德率惟謀從容德以竝受此丕丕基

현토 원문

亦越武王이 率(솔)惟敉功하사 不敢替厥義德하시며 率惟謀하사 從容德하사 以竝受此丕丕基하시니라

번역

“무왕께서는 문왕의 공업(功業)을 이으사 문왕께서 등용했던 의롭고 덕 있는 인물들을 바꾸지 아니하시고 문왕께서 도모하셨던 일들을 그대로 계승했으며 문왕의 의롭고 덕있는 인물들의 의견을 따라 크나큰 기업(基業)을 추락시키지 않고 잘 이어가셨습니다.”

21-16.

백문 원문

嗚呼孺子王矣繼自今我其立政立事準人牧夫我其克灼知厥若丕乃俾亂相我受民和我庶獄庶愼時則勿有間之

현토 원문

嗚呼라 孺子王矣시니 繼自今으로 我其立政에 立事와 準人과 牧夫를 我其克灼知厥若하여 丕乃俾亂하여 相我受民하시며 和我庶獄庶愼하시고 時則勿有間之하소서

번역

“아아, 나어린 분께서 왕이 되셨으니 지금부터 정사를 세우심에 입사(立事)와 준인(俊人)과 목부(牧夫)를 세우실 때 그들이 마음으로 편안하게 여기는 것이 무엇인지를 명확하게 보신 뒤 사특한 마

음을 갖지 않도록 엄히 단속하사 하늘로부터 받은 이 백성들을 돕게 하시고 서옥(庶獄)과 서신(庶愼)의 일들은 조화롭고 균평하게 처리하도록 하며 중간에 소인들의 농간이 끼어들지 않게 하소서."

21-17.

백문 원문

自一話一言我則末惟成德之彦以乂我受民

현토 원문

自一話一言으로 我則末惟成德之彦하사 以乂我受民하소서

번역

"한마디 말과 짧은 대화에서도 어떻게 하면 성덕(成德)한 선비를 얻어 하늘로부터 받은 이 백성을 잘 다스릴까를 생각하소서."

21-18.

백문 원문

嗚呼予旦已受人之徽言咸告孺子王矣繼自今文子文孫其勿誤于庶獄庶愼惟正是乂之

현토 원문

嗚呼라 予旦은 已受人之徽言으로 咸告孺子王矣로니 繼自今으로 文子文孫은 其勿誤于庶獄庶愼하시고 惟正을 是乂之하소서

번역

"아아, 저는 전수받은 아름다운 말을 모두 임금께 말씀드렸습니다. 지금부터 임금께오선 서옥(庶獄)과 서신(庶愼)의 일에 불필요한 사견을 내시어 일을 그르치지 마시고 오직 적임자를 두시어 그로 하여금 일을 주관하게 하소서."

21-19.

백문 원문

自古商人亦越我周文王立政立事牧夫準人則克宅之克由繹之玆乃俾乂

현토 원문

自古商人과 亦越我周文王이 立政에 立事와 牧夫와 準人을 則克宅之하시며 克由繹之하시니 玆乃俾乂하시니이다

번역

"옛날도 그랬고 상인(商人)도 그랬고 우리 주(周) 문왕께서도 그랬지만 정사를 세움에 입사(立事)와 목부(牧夫)와 준인(準人)에 적임자를 세우고 그들로 하여금 능력을 발휘하게 하여 일들이 원만히 처결되었나이다."

21-20.

난자(難字)

憸: 간사할험 / 勱: 힘쓸매

백문 원문

國則罔有立政用憸人不訓于德是罔顯在厥世繼自今立政其勿以憸人其惟吉士用勱相我國家

현토 원문

國則罔有立政에 用憸人이니 不訓于德이라 是罔顯在厥世하리이다 繼自今으로 立政에 其勿以憸人하시고 其惟吉士하사 用勱相我國家하소서

번역

"나라는 정사를 세울 적에 험인(憸人, 간사하고 약삭빠른 사람)을 쓰지 말아야 합니다. 이들은 덕인이 아니라 위험합니다. 이들은 세

상을 빛나게 하지 못할 것입니다. 지금부터 험인을 쓰지 마시고 오직 길사(吉士, 좋은 인재)만을 등용하여 나라를 돕게 하소서."

21-21.

백문 원문

今文子文孫孺子王矣其勿誤于庶獄惟有司之牧夫

현토 원문

今文子文孫孺子王矣시니 其勿誤于庶獄하시고 惟有司之牧夫하소서

번역

"임금이시여, 서옥(庶獄)의 일에 사견을 내어 간섭치 마시고 오직 목부(牧夫)에게 맡겨 처결하게 하소서."

21-22.

난자(難字)

詰: 다스릴힐 / 覲: 뵐근

백문 원문

其克詰爾戎兵以陟禹之迹方行天下至于海表罔有不服以覲文王之耿光以揚武王之大烈

현토 원문

其克詰爾戎兵하여 以陟禹之迹하여 方行天下하여 至于海表히 罔有不服케하사 以覲文王之耿光하시며 以揚武王之大烈하소서

번역

"융병(戎兵, 전사(戰士))을 잘 다스려 우(禹)의 구적(舊蹟, 옛 자취)을 따라 바다 끝까지 이르시며 모두가 임금께 복종토록 하여 문

왕의 밝은 빛을 우러러보고 무왕의 큰 공적을 흠모하게 하소서."

21-23.

백문 원문

嗚呼繼自今後王立政其惟克用常人

현토 원문

嗚呼라 繼自今으로 後王은 立政에 其惟克用常人하소서

번역

"아아, 지금부터 임금께서는 정사를 세움에 오직 상인(常人, 정도를 걷는 사람)만을 등용하소서."

21-24.

백문 원문

周公若曰太史司寇蘇公式敬爾由獄以長我王國茲式有愼以列用中罰

현토 원문

周公이 若曰 太史아 司寇蘇公이 式敬爾由獄하여 以長我王國하니 茲式有愼하면 以列로 用中罰하리라

번역

주공이 태사(太史)에게 다음과 같이 말하였다: "태사(太史)여, 사구(司寇)인 소공(蘇公)이 옥사를 법도에 맞게 신중히 처리해 우리 나라를 장구히 반석 위에 올려놓았으니 이를 본받아 조심한다면 형벌(刑罰)의 처결이 중도에 맞을 것이다."

22. 주관(周官, 주나라의 관직)

22-1.

난자(難字)

庭: 정직할정 / 董: 감독할동

백문 원문

惟周王撫萬邦巡侯甸四征弗庭綏厥兆民六服羣辟罔不承德歸于宗周董正治官

현토 원문

惟周王이 撫萬邦하사 巡侯甸하사 四征弗庭하사 綏厥兆民하신대 六服羣辟이 罔不承德이어늘 歸于宗周하사 董正治官하시다

번역

성왕께서 만방(萬邦)을 위무하려 후복(侯服)과 전복(甸服) 등 외방(外方)을 도시며 복종하지 않는 자들을 정벌하여 만백성을 편안케 하셨다. 외방 지역 육복(六服)의 임금들이 모두 성왕의 덕을 받들었다. 호경으로 돌아오셔서 관직을 바로 잡으셨다.

22-2.

백문 원문

王曰若昔大猷制治于未亂保邦于未危

현토 원문

王曰 若昔大猷에 制治于未亂하며 保邦于未危하시니라

번역

왕께서 말씀하셨다: "옛날 대도(大道)가 행해지던 시절엔 혼란하기 전에 혼란을 다스렸고 위태롭기 전에 위태로움을 다스려 나라를 보전했다."

22-3.

백문 원문

曰唐虞稽古建官惟百內有百揆四岳外有州牧侯伯庶政惟和萬國咸寧夏商官倍亦克用乂明王立政不惟其官惟其人

현토 원문

曰 唐虞稽古하여 建官惟百하시니 內有百揆四岳하고 外有州牧侯伯하여 庶政이 惟和하여 萬國이 咸寧하니라 夏商은 官倍하여 亦克用乂하니 明王立政은 不惟其官이라 惟其人이니라

번역

"요임금과 순임금은 옛 제도를 참고하여 백관(百官)을 두었다. 내부에는 백규(百揆)와 사악(四岳)을 두었고, 외부에는 주목(州牧)과 후백(侯伯)을 두어 서정(庶政, 여러 방면에 걸친 정사)이 조화로워 만국이 모두 편안하였다. 하나라와 상나라는 요임금과 순임금 시절의 곱절이 되는 관원으로 치세를 만들었다. 현명한 임금이 정사를 세울 때 필요한 것은 관직의 다과(多寡)가 아니고 인물의 다과(多寡)이다."

22-4.

백문 원문

今予小子祗勤于德夙夜不逮仰惟前代時若訓迪厥官

현토 원문

今予小子는 祗勤于德하여 夙夜에 不逮하여 仰惟前代時若하여 訓迪厥官하노라

번역

"부족한 나는 삼가 덕을 닦음에 매진하여 아침저녁으로 혹여라도

부족함이 있을까 걱정하며 전대(前代)의 모본(模本)을 따라 관직을 세우고 경계의 말을 하고자 하노라."

22-5.

난자(難字)

燮: 화할섭

백문 원문

立太師太傅太保茲惟三公論道經邦燮理陰陽官不必備惟其人

현토 원문

立太師太傅太保하노니 茲惟三公이니 論道經邦하며 燮理陰陽하나니 官不必備라 惟其人이니라

번역

"태사(太師) 태부(太傅) 태보(太保)를 세우노니 바로 삼공(三公)이다. 이들은 천지의 큰 흐름을 논하며 나라를 이끌고 음양의 이치를 바로 한다. 이 자리엔 무조건 사람을 세우지 아니하고, 오직 적임자가 있을 때만 그 자리에 세워야 한다."

22-6.

백문 원문

小師少傅少保曰三孤貳公弘化寅亮天地弼予一人

현토 원문

小師少傅少保는 曰三孤니 貳公弘化하여 寅亮天地하여 弼予一人하나니라

번역

"소사(小師) 소부(少傅) 소보(小保)는 바로 삼고(三孤)이다. 이들

은 삼공의 부(副)가 되어 국가의 교화를 확장시키며 천지의 이치를 존숭하여 나를 돕는 이들이다."

22-7.

백문 원문

冢宰掌邦治統百官均四海

현토 원문

冢宰는 掌邦治하니 統百官하고 均四海하나니라

번역

"총재(冢宰)는 나라의 다스림을 관장하니 백관을 통솔하고 사해를 고르게 조화시킨다."

22-8.

난자(難字)

擾: 길들일요

백문 원문

司徒掌邦教敷五典擾兆民

현토 원문

司徒는 掌邦教하니 敷五典하여 擾兆民하나니라

번역

"사도(司徒)는 나라의 교육을 관장하니 오륜의 가르침을 펴고 만백성이 이를 따르게 한다."

22-9.

백문 원문

宗伯掌邦禮治神人和上下

현토 원문

宗伯은 掌邦禮하니 治神人하여 和上下하나니라

번역

"종백(宗伯)은 나라의 예를 관장하니 신과 인간의 관계에 대한 일을 관장하여 그들을 조화롭게 만든다."

22-10.

백문 원문

司馬掌邦政統六師平邦國

현토 원문

司馬는 掌邦政하니 統六師하여 平邦國하나니라

번역

"사마(司馬)는 군정(軍政)을 관장하니 육사(六師)를 통솔하여 나라에 분란이 없게 한다."

22-11.

난자(難字)

詰: 다스릴힐

백문 원문

司寇掌邦禁詰姦慝刑暴(포)亂

현토 원문

司寇는 掌邦禁하니 詰姦慝하며 刑暴(포)亂하나니라

번역

"사구(司寇)는 나라에서 금하는 것이 지켜지는 것을 담당하니 간특함을 다스리고 포악한 난동을 처벌한다."

22-12.

백문 원문

司空掌邦土居四民時地利

현토 원문

司空은 掌邦土하니 居四民하며 時地利하나니라

번역

"사공(司空)은 나라의 땅을 관장하니 사민(四民, 사농공상)이 거주할 곳을 담당하며 개간 개척 등 땅의 이익을 극대화하는 일을 담당한다."

22-13.

백문 원문

六卿分職各率其屬以倡九牧阜成兆民

현토 원문

六卿이 分職하여 各率其屬하여 以倡九牧하여 阜成兆民하나니라

번역

"육경(六卿)은 직책을 나누어 각기 그 관속을 거느리고서 구주(九州, 천하)의 관원들을 지도해 만민(萬民)을 도탑게 해준다."

22-14.

백문 원문

六年五服一朝又六年王乃時巡考制度于四岳諸侯各朝于方岳大明黜陟

현토 원문

六年에 五服이 一朝어든 又六年에 王乃時巡하여 考制度于四岳이어시든 諸侯各朝于方岳이어든 大明黜陟하나니라

번역

“육 년 동안에 오복(五服) 지역의 제후들이 한 번씩 조회를 오면 이후 육 년 동안에 왕이 제후들을 순수(巡狩)한다. 사악(四岳)에서 제후 지역들의 제도를 점검하며, 제후들이 사악을 찾아 조회할 때 제후들 정사의 시비를 가려 포상과 견책을 가한다.”

22-15.

백문 원문

王曰嗚呼凡我有官君子欽乃攸司愼乃出令令出惟行弗惟反以公滅私民其允懷

현토 원문

王曰 嗚呼라 凡我有官君子아 欽乃攸司하며 愼乃出令하라 令出은 惟行이라 弗惟反이니 以公滅私하면 民其允懷하리라

번역

“아아, 관직에 있는 군자들이여! 맡은 직책을 신중히 되돌아보며 영(令)을 낼 때는 신중하게 내도록 하라. 영을 내는 것은 실행하고자 하는 것이요 불통을 바라는 것이 아니리니, 공의(公義)로 사의(私意)를 누르면 백성들이 믿고 따를 것이다.”

22-16.

난자(難字)

莅: 임할리

백문 원문

學古入官議事以制政乃不迷其爾典常作之師無以利口亂厥官蓄疑敗謀怠忽荒政不學牆面莅事惟煩

현토 원문

學古入官하여 議事以制하여사 政乃不迷하리니 其爾는 典常으로 作之師하고 無以利口로 亂厥官하라 蓄疑하면 敗謀하며 怠忽하면 荒政하며 不學하면 牆面이라 莅事惟煩하리라

번역

"옛 법을 배우고 관직에 임하여 일을 처리함에 옛 법과 시의에 맞게 처리하여야 정사가 혼미해지지 않을 것이다. 그대들은 문왕 무왕께서 정해 놓은 법을 스승으로 삼아 일을 집행하고 불필요한 쇄설로 일을 집행하지 말라. 의혹이 누적되면 도모코자 하는 일이 어그러질 것이며, 나태하면 정사가 황폐해질 것이고, 배우지 아니하면 담장에 얼굴을 마주한 것과 같아 일 처리가 답답할 것이다."

22-17.

백문 원문

戒爾卿士功崇惟志業廣惟勤惟克果斷乃罔後艱

현토 원문

戒爾卿士하노니 功崇은 惟志요 業廣은 惟勤이니 惟克果斷하야사 乃罔後艱하리라

번역

"그대들 경사(卿士)에게 경계하노니 공(功)이 높아지는 것은 뜻

에 달렸고, 공이 넓어지는 것은 부지런함에 달렸다. 보태어 과단성이 있어야 공이 성취되고 어려움을 극복할 수 있을 것이다."

22-18.

백문 원문

位不期驕祿不期侈恭儉惟德無載爾僞作德心逸日休作僞心勞日拙

현토 원문

位不期驕며 祿不期侈니 恭儉惟德이요 無載爾僞하라 作德하면 心逸하여 日休하고 作僞하면 心勞하여 日拙하나니라

번역

"지위가 높아지면 저절로 교만해지기 쉽고, 녹(祿)이 많아지면 저절로 사치해지기 쉽다. 공손하고 검소함을 덕목으로 삼아 방심하지 않도록 애쓰고, 위선적으로 공손하거나 검소한 척하지 말라. 공손하고 검소함을 덕목으로 삼아 관직에 임하면 마음이 편안하여 날로 아름다워질 것이나 위선적으로 공손하거나 검소한 척하면 마음이 피로하여 날로 졸렬해질 것이다."

22-19.

백문 원문

居寵思危罔不惟畏弗畏入畏

현토 원문

居寵思危하여 罔不惟畏하라 弗畏면 入畏하리라

번역

"총애를 받을 때는 항상 위태로울 지경을 생각하여 경각심을 가져야 한다. 그렇지 아니하면 위태로운 지경에 빠질 것이다."

22-20.

난자(難字)

厖: 잡될방 / 稱: 들칭

백문 원문

推賢讓能庶官乃和不和政厖擧能其官惟爾之能稱匪其人惟爾不任

현토 원문

推賢讓能하면 庶官이 乃和하고 不和하면 政厖하리니 擧能其官이 惟爾之能이며 稱匪其人이 惟爾不任이니라

번역

“어진 이를 추천하고 유능한 이에게 양보하면 모든 관원이 화합할 것이다. 관원들이 화합하지 못하면 정사가 잡스러워 혼란해질 것이다. 천거한 자가 관직을 잘 수행하면 그대들이 그대들의 역할을 잘한 것이며, 천거한 자가 관직을 잘 수행하지 못하면 그대들이 그대들의 역할을 제대로 해내지 못한 것이다.”

22-21.

난자(難字)

斁: 싫을역

백문 원문

王曰嗚呼三事暨大夫敬爾有官亂爾有政以佑乃辟永康兆民萬邦惟無斁

현토 원문

王曰 嗚呼라 三事暨大夫아 敬爾有官하며 亂爾有政하여 以佑乃辟하여 永康兆民하여 萬邦이 惟無斁케하라

번역

“아아, 삼사(三事)와 대부(大夫)들이여! 그대들이 맡은 관직을 정

성스런 마음으로 수행하고 정사를 옛 법과 시의에 맡게 처결하여 그대들의 임금을 도우라. 그리하여 만백성을 길이 평안하게 하고 만국이 길이 반기도록 하라."

23. 군진(君陳, 군진(성왕의 신하)에게 고하다)

23-1.

백문 원문

王若曰君陳惟爾令德孝恭惟孝友于兄弟克施有政命汝尹茲東郊敬哉

현토 원문

王若曰 君陳아 惟爾令德은 孝恭이니 惟孝하며 友于兄弟하여 克施有政할새 命汝하여 尹茲東郊하노니 敬哉하라

번역

왕(성왕)께서 다음과 같이 말씀하셨다: "군진이여, 그대의 아름다운 덕은 효(孝)와 공(恭)이다. 부모에게 효도하며 형제간에 우애한 덕으로 정사를 잘 이끄니, 그대를 명하여 동교(東郊, 낙읍을 지칭)를 다스리게 하노라. 맡게 될 일을 경건히 수행하라!"

23-2.

백문 원문

昔周公師保萬民民懷其德往愼乃司茲率厥常懋昭周公之訓惟民其乂

현토 원문

昔에 周公이 師保萬民하신대 民懷其德하나니 往愼乃司하여 茲率厥常하여 懋昭周公之訓하면 惟民其乂하리라

번역

"지난날 주공이 그곳 백성들을 가르치고 보호하여 백성들은 주공의 덕을 여전히 사모하고 있다. 그대는 가서 그대의 맡은바 직분을 삼가 명심하고 상도(常道)를 따르되 주공의 유훈을 계승하여 밝힌다면 백성을 어렵지 않게 다스릴 수 있을 것이다."

23-3.

난자(難字)

馨: 향기형

백문 원문

我聞曰至治馨香感于神明黍稷非馨明德惟馨爾尙式時周公之猷訓惟日孜孜無敢逸豫

현토 원문

我聞호니 曰 至治는 馨香하여 感于神明하나니 黍稷이 非馨이라 明德이 惟馨이라하니 爾尙式時周公之猷訓하여 惟日孜孜하여 無敢逸豫하라

번역

"내 들으니 '지극한 다스림은 향기로와 신명도 감동시키나니 서직(黍稷, 제사 때 사용하는 곡식)의 향기가 신명을 감동시키는 것이 아니요 명덕(明德)이 신명을 감동시키는 것이다'라고 했다. 그대는 부디 주공의 유훈을 본받아 날로 부지런히 힘쓸 것이요, 조금도 방일(放逸)하지 말라!"

23-4.

백문 원문

凡人未見聖若不克見既見聖亦不克由聖爾其戒哉爾惟風下民惟草

현토 원문

凡人이 未見聖하여는 若不克見하다가 旣見聖하여는 亦不克由聖하나니 爾其戒哉어다 爾惟風이요 下民은 惟草니라

번역

"평범한 사람들은 성인을 보기 전에는 보지 못할거라 생각하고, 막상 성인을 보면 성인을 알아보지 못하여 그의 가르침을 따르지 않나니, 그대는 그들과 같은 실수를 하지 말라! 그대는 바람이요, 백성은 풀과 같다."

23-5.

난자(難字)

虞: 헤아릴우 / 繹: 생각할역

백문 원문

圖厥政莫或不艱有廢有興出入自爾師虞庶言同則繹

현토 원문

圖厥政호되 莫或不艱하여 有廢有興에 出入을 自爾師虞하여 庶言同則繹하라

번역

"정사를 도모함에 안이하게 생각하지 말라. 폐할 일과 일으킬 일의 결정 여부를 우선 백성들과 함께 나눌 것이고, 많은 사람이 동의한 사안을 택해 다시 신중히 검토하라!"

23-6.

백문 원문

爾有嘉謀嘉猷則入告爾后于內爾乃順之于外曰斯謀斯猷惟我后之德嗚呼臣人咸若時惟良顯哉

현토 원문

爾有嘉謀嘉猷어든 則入告爾后于內하고 爾乃順之于外하여 曰 斯謀斯猷 惟我后之德이라하라 嗚呼라 臣人이 咸若時라사 惟良顯哉인저

번역

“그대는 좋은 계책이 있을 시 내전에 들어와 임금에게 고하고 밖에 나가서 이를 순조롭게 행하며 다른 이들에게 ‘이런 좋은 계책을 낼 수 있었던 것은 모두 임금님의 덕 때문이다’라고 하라. 아아, 신하된 자들은 모두 이 같아야 그 덕과 이름이 빛날 것이다.”

23-7.

백문 원문

王曰君陳爾惟弘周公丕訓無依勢作威無倚法以削寬而有制從容以和

현토 원문

王曰 君陳아 爾惟弘周公丕訓하여 無依勢作威하며 無倚法以削하고 寬而有制하며 從容以和하라

번역

“군진이여! 그대는 주공의 큰 교훈을 더욱 넓혀서 절대 세력에 의거하여 위세를 부리지 말고 법에 의거하여 백성을 해치지 말라. 너그럽게 대하면서 절제함을 두어 다스리고 떠들썩하게 이끌지 말고 조용히 이끌며 화합에 힘쓰도록 하라!”

23-8.

난자(難字)

辟: 형벌벽

백문 원문

殷民在辟予曰辟爾惟勿辟予曰宥爾惟勿宥惟厥中

현토 원문

殷民이 在辟이어든 予曰辟이라도 爾惟勿辟하며 予曰宥라도 爾惟勿宥하고 惟厥中하라

번역

"은나라 백성에게 형벌 내릴 일이 있거든 내가 '형벌을 내리라' 하여도 그대는 형벌을 내리지 말 것이며, 내가 '형벌을 면하게 하라' 하여도 그대는 형벌을 면하게 하지 말라. 오직 죄의 경중을 중도에 맞춰 형벌의 시행 여부를 결정하라!"

23-9.

백문 원문

有弗若于汝政弗化于汝訓辟以止辟乃辟

현토 원문

有弗若于汝政하며 弗化于汝訓이어든 辟以止辟이라사 乃辟하라

번역

"그대의 정사에 순종하지 않고 그대의 가르침에 교화되지 않는 자가 있더라도 함부로 형벌에 처하지 말라. 오로지 형벌을 가했을 때 형벌 받을 자가 생기지 않을 경우에만 형벌에 처하도록 하라."

23-10.

난자(難字)

狃: 익힐뉴

백문 원문

狃于姦宄敗常亂俗三細不宥

현토 원문

狃于姦宄하며 敗常亂俗은 三細라도 不宥니라

번역

"간특한 짓을 서슴없이 하거나 상도(常道)를 거스리고 풍속을 타락시키는 짓을 하는 자들은 비록 그들의 소행이 미미하더라도 절대 용서하지 말라!"

23-11.

백문 원문

爾無忿疾于頑無求備于一夫

현토 원문

爾無忿疾于頑하며 無求備于一夫하라

번역

"완악한 자들에 대해 성급히 분노하지 말며, 한 사람에게 너무 많은 것을 요구치 말라!"

23-12.

백문 원문

必有忍其乃有濟有容德乃大

현토 원문

必有忍이라사 其乃有濟하며 有容이라사 德乃大하리라

번역

"인내가 있어야 성취가 있으며, 포용이 있어야 덕이 커지느니라."

23-13.

백문 원문

簡厥修亦簡其或不修進厥良以率其或不良

현토 원문

簡厥修호되 亦簡其或不修하며 進厥良하여 以率其或不良하라

번역

"직무 수행이 뛰어난 자를 구별해내야 그렇지 못한 자 분발하게 될 것이며, 품행이 방정한 자를 등용시켜야 그렇지 못한 자들이 품행을 단속하게 될 것이다."

23-14.

난자(難字)

膺: 받을응

백문 원문

惟民生厚因物有遷違上所命從厥攸好爾克敬典在德時乃罔不變允升于大猷惟予一人膺受多福其爾之休終有辭於永世

현토 원문

惟民生厚하나 因物有遷이라 違上所命하고 從厥攸好하나니 爾克敬典在德하면 時乃罔不變이라 允升于大猷하리니 惟予一人이 膺受多福하며 其爾之休도 終有辭於永世하리라

번역

"백성의 성품은 본디 도타우나 외물에 따라 변해가나니 윗사람이

본심과 다르게 명하면 그 본심을 따르고 겉으로 명하는 바를 따르지 않는다. 그대가 늘 덕을 기르고 간직하면 백성들은 그에 따라 변하지 아니함이 없어 대도를 따를 것이다. 그리하면 나는 다복(多福)할 것이고 그대의 아름다운 명성도 만세에 길이 전해질 것이다."

24. 고명(顧命, 돌아보며 명하다)

24-1.

백문 원문

惟四月哉生魄王不懌

현토 원문

惟四月哉生魄에 王이 不懌하시다

번역

4월 16일, 임금(성왕을 지칭)의 환우(患憂)가 심해졌다.

24-2.

난자(難字)

洮: 손씻을조 / 頮: 세수할회

백문 원문

甲子王乃洮頮水相被冕服憑玉几

현토 원문

甲子에 王이 乃洮頮水어시늘 相이 被冕服한대 憑玉几하시다

번역

갑자일에 임금께서 손과 얼굴을 씻으신 후 상(相, 부축하는 자)의 도움을 받아 면복(冕服)을 입으시고 옥궤(玉几)에 기대어 앉으셨다.

24-3.

난자(難字)

芮: 성예 / 彤: 붉을동

백문 원문

乃同召太保奭芮伯彤伯畢公衛侯毛公師氏虎臣百尹御事

현토 원문

乃同召太保奭과 芮伯과 彤伯과 畢公과 衛侯와 毛公과 師氏와 虎臣과 百尹과 御事하시다

번역

태보(太保)인 석(奭)과 예백(芮伯)·동백(彤伯)·필공(畢公)·위후(衛侯)·모공(毛公)·사씨(師氏)·호신(虎臣)·백윤(百尹)·어사(御事)를 모두 불렀다.

24-4.

난자(難字)

臻: 이를진

백문 원문

王曰嗚呼疾大漸惟幾病日臻旣彌留恐不獲誓言嗣玆予審訓命汝

현토 원문

王曰 嗚呼라 疾이 大漸惟幾하여 病日臻하여 旣彌留할새 恐不獲誓言嗣하여 玆予審訓命汝하노라

번역

임금께서 말씀하셨다: "아아, 병이 크게 일어 고통이 날로 늘고 심해져 죽음이 가까워진 듯한 생각이 든다. 그대들이 맹세의 말로 나의 뜻을 잇지 못하는 상황이 올까 걱정되어 미리 그대들에게 당

부의 말을 하고자 하오.”

24-5.

난자(難字)

奠: 정할전 / 麗: 걸릴리 / 肄: 익힐예

백문 원문

昔君文王武王宣重光奠麗(리)陳教則肄(예)肄不違用克達殷集大命

현토 원문

昔君文王武王이 宣重光하사 奠麗(리)陳教하신대 則肄(예)하여 肄不違하여 用克達殷하여 集大命하시니라

번역

“지난날 문왕 무왕 부자께서 거듭 밝은 빛을 밝히사 백성들이 명덕을 밝힐 수 있게 해주시고 인륜의 가르침을 베풀어 이를 백성들이 익히게 하셨소. 백성들은 이를 어기지 않고 잘 따랐으며 이는 은나라 백성들에게까지 이어져 마침내 은나라가 받았던 천명을 우리 주(周)가 대신 받게 되었소.”

24-6.

난자(難字)

侗: 지각없을동 / 迓: 맞을아 / 逾: 넘을유

백문 원문

在後之侗敬迓天威嗣守文武大訓無敢昏逾

현토 원문

在後之侗하여 敬迓天威하여 嗣守文武大訓하여 無敢昏逾호라

번역

“이어 어리석은 내가 하느님의 위엄을 경건히 맞이하여 문무(文武, 문왕과 무왕)의 큰 가르침을 이어 지키며 감히 이를 어지럽히거나 넘어서려 하지 않았소.”

24-7.

난자(難字)

釗: 힘쓸소

백문 원문

今天降疾殆弗興弗悟爾尙明時朕言用敬保元子釗(소)弘濟于艱難

현토 원문

今天이 降疾하사 殆弗興弗悟로소니 爾尙明時朕言하여 用敬保元子釗(소)하여 弘濟于艱難하라

번역

“이제 하느님이 내게 병을 내리셨는데 목숨이 위태한바 병석에서 일어나기가 힘들고 이에 따라 지각(知覺)도 혼미하오. 그대들은 지금부터 내가 하는 말을 명심하여 부디 원자 소(釗)를 공경의 마음으로 받들어 어려움을 잘 헤쳐나가도록 하오.”

24-8.

백문 원문

柔遠能邇安勸小大庶邦

현토 원문

柔遠能邇하며 安勸小大庶邦하라

번역

"멀리 있는 이들은 회유(懷柔)하고 가까이 있는 이들은 길들이며 크고 작은 여러 나라들을 편안하게 해주고 권면토록 하오."

24-9.

난자(難字)

貢: 나아갈공

백문 원문

思夫人自亂于威儀爾無以釗冒貢于非幾

현토 원문

思夫人은 自亂于威儀니 爾無以釗로 冒貢于非幾하라

번역

"생각컨대 사람은 스스로 위의(威儀)를 다스려야 하나니 그러려면 선악의 기미에 명철해야 하오. 그대들은 원자 소(釗)가 절대 불선한 기미에 마음이 움직이지 않도록 힘써 주오."

24-10.

백문 원문

玆旣受命還出綴(추)衣于庭越翼日乙丑王崩

현토 원문

玆旣受命還커늘 出綴(추)衣于庭하더니 越翼日乙丑에 王이 崩하시다

번역

모두 임금의 명을 받고 돌아가자 휘장을 거두어 뜰에 내놓았다. 다음 날 을축일에 임금께서 돌아가셨다.

24-11.

백문 원문

太保命仲桓南宮毛俾爰齊侯呂伋以二干戈虎賁百人逆子釗於南門之外延入翼室恤宅宗

현토 원문

太保命仲桓南宮毛하여 俾爰齊侯呂伋으로 以二干戈와 虎賁百人으로 逆子釗於南門之外하여 延入翼室하여 恤宅宗하시다

번역

태보(太保)가 중환(仲桓)과 남궁모(南宮毛)에게 명하여 제나라 제후인 여급(呂伋)으로 하여금 두 명의 장수와 호분(虎賁) 100인을 데리고 원자 소(釗)를 남문 밖에서 맞이해 익실(翼室)로 들이게 하고 휼택(恤宅, 여막)의 주관자가 되게 하였다.

24-12.

백문 원문

丁卯命作冊度

현토 원문

丁卯에 命作冊度하시다

번역

태보가 정묘일에 사관에게 명하여 책(冊)과 법도(法度)를 만들게 하였다.

24-13.

백문 원문

越七日癸酉伯相命士須材

현토 원문

越七日癸酉에 伯相이 命士須材하니라

번역

7일이 지난 계유일에 백상(伯相, 소공을 지칭)이 사(士)에게 명하여 관곽(棺槨)의 재목을 구해오게 하였다.

24-14.

난자(難字)

黼: 보불보 / 扆: 병풍의

백문 원문

狄設黼扆綴衣

현토 원문

狄이 設黼扆綴衣하니라

번역

적(狄, 상역(喪役)에 종사하는 하사(下士))이 보의(黼扆, 병풍)와 추의(綴衣, 휘장)를 설치하였다.

24-15.

난자(難字)

篾: 대껍질멸 / 純: 선두를준

백문 원문

牖間南嚮敷重篾席黼純(준)華玉仍几

현토 원문

牖間에 南嚮하여 敷重篾席黼純(준)하니 華玉仍几러라

번역

들창 사이에 남쪽을 향하여 보(黼)로 선을 두른 이중으로 된 멸석(篾席, 대껍질로 만든 방석)을 놓고 화옥(華玉)으로 장식한 궤(几)는 그대로 두었다.

24-16.

백문 원문

西序東嚮敷重底席綴(추)純(준)文貝仍几

현토 원문

西序에 東嚮하여 敷重底席綴(추)純(준)하니 文貝仍几러라

번역

서서(西序, 서쪽에 있는 행랑)에는 동쪽을 향하여 여러 가지 채색으로 선을 두른 이중으로 된 저석(底席, 부들로 만든 방석)을 놓고 문패(文貝)로 장식한 궤(几)는 그대로 두었다.

24-17.

백문 원문

東序西嚮敷重豐席畫純(준)雕玉仍几

현토 원문

東序에 西嚮하여 敷重豐席畫純(준)하니 雕玉仍几러라

번역

동서(東序, 동쪽에 있는 행랑)에는 서쪽을 향하여 채색을 두른 이중으로 된 풍석(豐席, 골풀로 만든 방석)을 놓고 조옥(雕玉)으로 장식한 궤(几)는 그대로 두었다.

24-18.

백문 원문

西夾南嚮敷重筍席玄紛純(준)漆仍几

현토 원문

西夾에 南嚮하여 敷重筍席玄紛純(준)하니 漆仍几러라

번역

서협(西夾, 서쪽에 있는 협실)에는 남쪽을 향하여 현흑(玄黑)색을 사용하여 선을 두른 이중으로 된 순석(筍席, 대자리)을 놓고 옻칠한 궤(几)는 그대로 두었다.

24-19.

난자(難字)

蕡: 큰북분

백문 원문

越玉五重陳寶赤刀大訓弘璧琬琰在西序大玉夷玉天球河圖在東序胤之舞衣大貝蕡鼓在西房兌之戈和之弓垂之竹矢在東房

현토 원문

越玉五重하며 陳寶하니 赤刀와 大訓과 弘璧과 琬琰은 在西序하고 大玉과 夷玉과 天球와 河圖는 在東序하고 胤之舞衣와 大貝와 蕡鼓는 在西房하고 兌之戈와 和之弓과 垂之竹矢는 在東房하니라

번역

동서(東西)의 서(序) 북쪽 자리에 옥을 오중으로 진열하고 선왕들이 소중히 여기던 기물을 설치했다. 적도(赤刀)와 대훈(大訓)과 홍벽(弘璧)과 완염(琬琰)은 서서(西序)에 놓고, 대옥(大玉)과 이옥(夷玉)과 천구(天球)와 하도(河圖)는 동서(東序)에 놓고, 윤(胤)국

에서 제작한 무의(舞衣)와 대패(大貝, 수레바퀴만 한 큰 조개껍질)와 분고(鼖鼓, 큰 북)는 서방(西房)에 놓고, 태(兌)가 만든 과(戈, 창)와 화(和)가 만든 궁(弓, 활)과 수(垂)가 만든 죽시(竹矢, 대나무 화살)는 동방(東房)에 놓았다.

24-20.

난자(難字)

輅: 수레로

백문 원문

大輅在賓階面綴輅在阼階面先輅在左塾之前次輅在右塾之前

현토 원문

大輅는 在賓階하여 面하고 綴輅는 在阼階하여 面하고 先輅는 在左塾之前하고 次輅는 在右塾之前하니라

번역

대로(大輅, 옥으로 장식한 수레)는 남향하여 서쪽 뜰에 두고, 철로(綴輅, 금으로 장식한 수레)는 남향하여 동쪽 뜰에 두고, 선로(先輅, 옻칠한 수레)는 남향하여 좌숙(左塾, 왼쪽 사랑채) 앞에 두고, 차로(次輅, 상아나 가죽으로 장식한 수레)는 남향하여 우숙(右塾) 앞에 두었다.

24-21.

난자(難字)

綦: 얼룩무늬기 / 戺: 섬돌사 / 戣: 창규 / 瞿: 창구

백문 원문

二人雀弁執惠立于畢門之內四人綦弁執戈上刃夾兩階戺一人冕執

劉立于東堂一人冕執鉞立于西堂一人冕執戣立于東垂一人冕執瞿立于西垂一人冕執銳立于側階

현토 원문

二人은 雀弁으로 執惠하여 立于畢門之內하고 四人은 綦弁으로 執戈上刃하여 夾兩階戺하고 一人은 冕으로 執劉하여 立于東堂하고 一人은 冕으로 執鉞하여 立于西堂하고 一人은 冕으로 執戣하여 立于東垂하고 一人은 冕으로 執瞿하고 立于西垂하고 一人은 冕으로 執銳하여 立于側階하니라

번역

두 사람이 작변(雀弁, 붉은 색의 사복(士服))을 입고 혜(惠, 날이 세모진 창)를 쥐고 필문(畢門, 임금이 머무는 정전(正殿, 조회를 행하던 곳). 여기서는 성왕의 빈소를 가리킴) 안에 섰다. 네 사람이 기변(綦弁, 얼룩 무늬의 사복(士服))을 입고 날이 바깥쪽을 향하게 하여 과(戈)를 쥐고 양 계단 섬돌에 섰다. 한 사람이 면복(冕服)을 입고 유(劉, 도끼의 한 종류)를 들고 동당(東堂)에 섰고, 한 사람이 면복(冕服)을 입고 월(鉞, 도끼의 한 종류)를 들고 서당(西堂)에 섰다. 한 사람이 면복(冕服)을 입고 규(戣, 창의 한 종류)를 들고 동쪽 귀퉁이에 서고, 한 사람이 면복(冕服)을 입고 구(瞿, 창의 한 종류)를 들고 서쪽 귀퉁이에 섰다. 한 사람이 면복(冕服)을 입고 윤(鈗, 창의 한 종류)을 들고 북쪽 섬돌의 계단 위에 섰다.

24-22.

난자(難字)

隮: 오를제 / 蟻: 검을의

백문 원문

王麻冕黼裳由賓階隮卿士邦君麻冕蟻裳入卽位

현토 원문

王이 麻冕黼裳으로 由賓階하여 隮커시늘 卿士邦君은 麻冕蟻裳으로 入卽位하니라

번역

임금(강왕을 지칭)께서 마면(麻冕, 삼베로 만든 모자)에 보상(黼裳)을 입으시고 빈계(賓階)로 오르니 경사(卿士)와 방군(邦君)도 마면에 의상(蟻裳, 검은 색 옷)을 입고 따라 들어가 자신들의 자리에 섰다.

24-23.

백문 원문

太保太史太宗皆麻冕彤裳太保承介圭上宗奉同瑁由阼階隮太史秉書由賓階隮御王冊命

현토 원문

太保와 太史와 太宗은 皆麻冕彤裳이러니 太保는 承介圭하고 上宗은 奉同瑁하여 由阼階隮하고 太史는 秉書하여 由賓階隮하여 御王冊命하니라

번역

태보(太保)와 태사(太史)와 태종(太宗)은 모두 마면에 동상(彤裳, 붉은색 옷)을 입었다. 태보는 개규(介圭, 큰 홀)를 들고 태종은 동(同, 술잔의 한 종류)과 모(瑁, 홀의 뚜껑)를 들고 조계(阼階, 주 계단)로 올라갔다. 태사는 책명(冊命)을 들고 빈계로 올라 임금께 책명을 올렸다.

24-24.

백문 원문

曰皇后憑玉几道揚末命命汝嗣訓臨君周邦率循大卞燮和天下用答揚文武之光訓

현토 원문

曰 皇后憑玉几하사 道揚末命하사 命汝嗣訓하노니 臨君周邦하여 率循大卞하여 燮和天下하여 用答揚文武之光訓하라하시다

번역

태사가 임금께 말하였다: "위대한 임금께서 옥궤에 의지하여 다음과 같이 마지막 명을 내리사 당신이 그 가르침을 잇도록 하였습니다. '주나라의 임금으로서 대경대법(大經大法)을 따라 천하를 이치에 따라 온후하게 다스려 문무(文武, 문왕과 무왕)의 빛나는 가르침을 널리 발양토록 하라!'"

24-25.

난자(難字)

眇: 작을묘

백문 원문

王再拜興答曰眇眇予末小子其能而亂四方以敬忌天威

현토 원문

王이 再拜興하사 答曰 眇眇予末小子는 其能而亂四方하여 以敬忌天威아

번역

임금께서 두 번 절하고 일어나 말씀하셨다: "부족한 이 어린 자가 과연 선왕처럼 사방을 다스려 하늘의 위엄을 받들어 공경할 수

있을지 걱정스럽소이다."

24-26.

난자(難字)

咤: 잔올릴타

백문 원문

乃受同瑁王三宿三祭三咤上宗曰饗

현토 원문

乃受同瑁하사 王이 三宿三祭三咤하신대 上宗曰 饗이라하다

번역

이어 동(同)과 모(瑁)를 받았다. 임금께서 세 차례 잔을 올리고 땅에 술을 부었다. 태종이 말했다: "흠향하셨습니다."

24-27.

난자(難字)

盥: 손씻을관 / 酢: 술따를작

백문 원문

太保受同降盥以異同秉璋以酢授宗人同拜王答拜

현토 원문

太保受同하여 降盥하고 以異同으로 秉璋以酢하고 授宗人同하고 拜한대 王이 答拜하시다

번역

태보가 동(同)을 받아 내려와 손을 씻고는 장찬(璋瓚)을 잡고 다른 동(同)에 술을 따라 종인(宗人, 일가붙이)에게 주고 임금께 절을 올리니 임금께서 답배하셨다.

24-28.

난자(難字)

嚌: 맛볼제

백문 원문

太保受同祭嚌宅授宗人同拜王答拜

현토 원문

太保受同하여 祭嚌하고 宅하여 授宗人同하고 拜한대 王이 答拜하시다

번역

태보가 동(同)을 받아 제를 드리고 조금 음복한 뒤 자신의 자리로 가서 다시 종인(宗人)에게 동을 주고 임금께 절을 올리니 임금께서 답배하셨다.

24-29.

백문 원문

太保降收諸侯出廟門俟

현토 원문

太保降커늘 收하더니 諸侯出廟門하여 俟하니라

번역

태보가 내려오니 유사(有司)가 기물을 거두었다. 제후들이 묘문(廟門, 필문(畢門)과 같은 의미. 임금이 머무는 정전(正殿, 조회를 행하던 곳). 여기서는 성왕의 빈소를 가리킴)을 나와 새 임금을 기다렸다.

25. 강왕지고(康王之誥, 강왕이 명하다)

25-1.

백문 원문

王出在應門之內太保率西方諸侯入應門左畢公率東方諸侯入應門右皆布乘黃朱賓稱奉圭兼幣曰一二臣衛敢執壤奠皆再拜稽首王義嗣德答拜

현토 원문

王이 出在應門之內어시늘 太保는 率西方諸侯하여 入應門左하고 畢公은 率東方諸侯하여 入應門右하니 皆布乘黃朱러라 賓이 稱奉圭兼幣하여 曰 一二臣衛는 敢執壤奠이라하고 皆再拜稽首한대 王이 義嗣德이라 答拜하시다

번역

임금께서 나와 응문(應門) 안에 계시니 태보가 서방의 제후들을 인솔하여 응문으로 들어와 왼쪽에 서고 필공은 동방의 제후들을 인솔하여 응문으로 들어와 오른쪽에 섰는데 모두가 네 마리의 붉은 갈기 황마(黃馬)를 끌고 왔다. 빈(賓, 제후들을 지칭)이 홀과 폐백을 들어 올리며 말하였다: "번신(藩臣, 울타리가 되는 신하)들이 땅에서 나온 것들을 올리나이다." 그리고 모두 두 번 절하고 머리를 조아렸다. 임금께서 선왕의 덕을 이음이 옳은 일이기에 답배하셨다.

25-2.

난자(難字)

羑: 인도할유

백문 원문

太保暨芮伯咸進相揖皆再拜稽首曰敢敬告天子皇天改大邦殷之命惟周文武誕受羑若克恤西土

현토 원문

太保暨芮伯으로 咸進相揖하고 皆再拜稽首하여 曰 敢敬告天子하노이다 皇天이 改大邦殷之命이어시늘 惟周文武誕受羑若하사 克恤西土하시니이다

번역

태보와 예백(芮伯)이 함께 앞으로 나아가 서로 읍(揖)하고 모두 두 번 절한 뒤 머리를 조아리고 말하였다: "감히 천자께 경고(敬告)하나이다. 하느님이 대방(大邦) 은나라에게 내렸던 천명을 바꾸시거늘 우리 주(周)의 문무(文武, 문왕과 무왕)왕께서 그 바뀐 천명을 받으사 서토(西土)를 구휼하셨나이다."

25-3.

난자(難字)

戡: 확실할감

백문 원문

惟新陟王畢協賞罰戡定厥功用敷後遺人休今王敬之哉張皇六師無壞我高祖寡命

현토 원문

惟新陟王이 畢協賞罰하사 戡定厥功하사 用敷後遺人休하시니 今王은 敬之哉하사 張皇六師하사 無壞我高祖寡命하소서

번역

"승하하신 임금께오선 상벌을 모두 이치에 합당하게 시행하사 그 공을 정확하게 평가하셔서 후인에게 아름다운 모범을 남겨주셨습니다. 이제 임금께오선 이를 삼가 공경하사 육사(六師)를 정비하고 단련시켜 고조께서 어렵게 얻으신 명을 무너뜨리지 마옵소서."

25-4.

백문 원문

王若曰庶邦侯甸男衛惟予一人釗(소)報誥

현토 원문

王若曰 庶邦侯甸男衛아 惟予一人釗(소)는 報誥하노라

번역

임금께서 다음과 같이 말씀하셨다: "서방(庶邦, 여러 제후국)의 후(侯) 전(甸) 남(男) 위(衛)여, 나 소(釗, 강왕의 이름)는 고하노라."

25-5.

난자(難字)

畀: 줄비

백문 원문

昔君文武丕平富不務咎底至齊信用昭明于天下則亦有熊羆之士不二心之臣保乂王家用端命于上帝皇天用訓厥道付畀四方

현토 원문

昔君文武 丕平富하시며 不務咎하사 底至齊信하사 用昭明于天下어시늘 則亦有熊羆之士와 不二心之臣이 保乂王家하여 用端命于上帝하시니 皇天이 用訓厥道하사 付畀四方하시니라

번역

"지난날 문왕 무왕께서는 백성들을 균평하게 다스리시고 부유하게 해주셨으며 처벌에 힘쓰지 않으셨소. 그리고 그 마음과 실천을 지극한 경지까지 미루어 마침내 서토를 넘어 천하까지 그 밝음을 드러내셨소이다. 보태어 웅비(熊羆, 큰 곰)같은 용사와 두 마음 먹지 않는 신하들이 왕가를 보예(保乂, 보호하고 다스림)하여 마침내

하느님으로부터 천명을 받으시니 하느님이 문왕 무왕의 덕에 화답하여 천하를 부촉(付屬)하셨소이다."

25-6.

난자(難字)

鞠: 어릴국

백문 원문

乃命建侯樹屛在我後之人今予一二伯父尚胥曁顧綏爾先公之臣服于先王雖爾身在外乃心罔不在王室用奉恤厥若無遺鞠子羞

현토 원문

乃命建侯樹屛은 在我後之人이니 今予一二伯父는 尚胥曁顧 綏爾先公之臣服于先王하여 雖爾身在外하나 乃心은 罔不在王室하여 用奉恤厥若하여 無遺鞠子羞하라

번역

"영지를 봉하고 제후를 세워 왕실의 번병(藩屛)을 삼은 것은 바로 후인(後人)을 위해서였으니 이제 백부(伯父, 동성의 제후를 지칭)들은 부디 서로 더불어 그대들의 선공(先公)이 선왕(先王)께 충성했던 것을 깊이 생각하여 비록 몸은 외방에 있으나 마음은 항시 왕실에 두어 왕실의 어려움을 돌보고 순약(順若)하여 내게 부끄러움이 없도록 하오."

25-7.

백문 원문

羣公旣皆聽命相揖趨出王釋冕反喪服

현토 원문

羣公이 既皆聽命하고 相揖趨出이어늘 王이 釋冕하시고 反喪服하시다

번역

공(公)들이 모두 임금의 명을 들은 후 서로 읍하고 종종걸음으로 나가자 임금께서 면복(冕服, 제왕의 정복)을 벗으시고 상복(喪服)으로 갈아입으셨다.

26. 필명(畢命, 필공에게 명하다)

26-1.

난자(難字)

朏: 초사흘달비

백문 원문

惟十有二年六月庚午朏越三日壬申王朝步自宗周至于豐以成周之衆命畢公保釐東郊

현토 원문

惟十有二年六月庚午朏越三日壬申에 王朝步自宗周하사 至于豐하사 以成周之衆으로 命畢公하여 保釐東郊하시다

번역

강왕 12년 6월 6일 임신일에 임금께서 아침에 종주(宗周, 호경을 지칭)를 출발하사 풍(豐)에 이르러 필공(畢公)에게 명하여 동교(東郊, 낙읍을 지칭)를 보호하여 다스리도록 하셨다.

26-2.

백문 원문

王若曰嗚呼父師惟文王武王敷大德于天下用克受殷命

현토 원문

王若曰 嗚呼라 父師아 惟文王武王이 敷大德于天下하사 用克受殷命하시니라

번역

왕께서 다음과 같이 말씀하셨다: "아아, 부사(父師)여! 문왕 무왕께서는 천하에 대덕을 펼쳐 은나라가 받았던 천명을 이어 받으셨오."

26-3.

난자(難字)

綏: 편안할수 / 毖: 징계할비

백문 원문

惟周公左右先王綏定厥家毖殷頑民遷于洛邑密爾王室式化厥訓既歷三紀世變風移四方無虞予一人以寧

현토 원문

惟周公이 左右先王하여 綏定厥家하시고 毖殷頑民하여 遷于洛邑하여 密爾王室하시니 式化厥訓하여 既歷三紀하여 世變風移하여 四方無虞하니 予一人이 以寧호라

번역

"주공이 선왕(성왕을 지칭)을 도와 나라를 안정시키고 은의 완악한 백성들을 경계하여 낙읍으로 이주시켜 왕실에 가깝게 하니, 은의 백성들이 그 가르침에 순화되어 3년이 지남에 기풍이 변모되어 사방에 근심거리가 없어졌소. 나는 이 때문에 마음 편히 지내고 있소."

26-4.

백문 원문

道有升降政由俗革不臧厥臧民罔攸勸

현토 원문

道有升降하며 政由俗革하니 不臧厥臧하면 民罔攸勸하리라

번역

“도(道)에는 오르내림이 있으며 정사는 풍속에 따라 변하나니 선한 것을 선하게 대우하지 않으면 백성에게 권면할 것이 없을 것이오.”

26-5.

난자(難字)

懋: 성대할무 / 拱: 손모을공

백문 원문

惟公懋德克勤小物弼亮四世正色率下罔不祇師言嘉績多于先王予小子垂拱仰成

현토 원문

惟公이 懋德으로 克勤小物하여 弼亮四世하여 正色率下한대 罔不祇師言하여 嘉績이 多于先王하니 予小子는 垂拱仰成하노라

번역

“공은 성대한 덕을 지니고 있으면서도 작은 행동 하나도 소홀히 하지 않아 4대를 보필하며 늘 근엄한 낯빛으로 아랫사람을 이끌어 모든 이들이 공의 말을 공경하지 않음이 없었소. 하여 지금 그대의 아름다운 업적은 선왕의 시절보다 많으니 나는 그저 두 손을 가지런히 모으고 앉아 그대의 업적이 성취되는 것을 바라보기만 하고 있소.”

26-6.

백문 원문

王曰嗚呼父師今予祗命公以周公之事往哉

현토 원문

王曰 嗚呼라 父師아 今予祗命公以周公之事하노니 往哉어다

번역

"아아, 부사여! 이제 나는 그대를 주공이 행했던 일을 그대가 잇도록 삼가 명하노니, 가서 충실히 이행하기를 바라오!"

26-7.

난자(難字)

慝: 악할특 / 瘅: 병들탄 / 圻: 지경기

백문 원문

旌別淑慝表厥宅里彰善瘅(탄)惡樹之風聲弗率訓典殊厥井疆俾克畏慕申畫(획)郊圻愼固封守以康四海

현토 원문

旌別淑慝하여 表厥宅里하며 彰善瘅(탄)惡하여 樹之風聲하며 弗率訓典이어든 殊厥井疆하여 俾克畏慕하며 申畫(획)郊圻하며 愼固封守하여 以康四海하라

번역

"선인과 악인을 표창하거나 격리하여 선인이 사는 마을을 정표(旌表, 널리 알림)하오. 선인과 악인을 표창하거나 처벌하여 선인의 명성을 세워주도록 하오. 가르침과 법도를 따르지 않는 자들은 사는 구획을 달리하여 두려움과 사모함을 아울러 갖게 하오. 영토의 외곽 한계선을 분명히 하며 봉지(封地)를 굳게 지켜 사해를 편안하게 하오!"

26-8.

백문 원문

政貴有恒辭尙體要不惟好異商俗靡靡利口惟賢餘風未殄公其念哉

현토 원문

政貴有恒이요 辭尙體要라 不惟好異니 商俗이 靡靡하여 利口를 惟賢이러니 餘風이 未殄하니 公其念哉어다

번역

"정사는 항상성을 귀하게 여기고, 말은 취지와 요점을 귀하게 여기오. 유별난 것을 경계해야 하오. 상속(商俗, 상나라의 풍속)은 화려하고 사치스러운 것을 혹호하여 응구첩대를 현명한 것으로 여겼던바 그 여풍이 아직도 사라지지 않았으니 공은 이 점을 유념하도록 하오."

26-9.

백문 원문

我聞曰世祿之家鮮克由禮以蕩陵德實悖天道敝化奢麗萬世同流

현토 원문

我聞호니 曰 世祿之家 鮮克由禮하여 以蕩陵德하며 實悖天道하여 敝化奢麗 萬世同流니라

번역

"내 들으니, 대대로 녹을 받는 집안은 예를 따르는 이들이 적고 덕 있는 이를 능멸하며 천도를 어지럽혀 교화를 퇴색시키고 화려함만을 추구한다고 하오."

26-10.

난자(難字)

怙: 믿을호 / 侉: 자랑할과 / 閑: 막을한

백문 원문

玆殷庶士席寵惟舊怙侈滅義服美于人驕淫矜侉將由惡終雖收放心閑之惟艱

현토 원문

玆殷庶士 席寵이 惟舊하여 怙侈滅義하며 服美于人하여 驕淫矜侉하여 將由惡終이러니 雖收放心하나 閑之惟艱하니라

번역

"은나라의 선비들은 전대에 은총을 받은 것이 오래되어 권세를 믿고 사치하며 대의를 잃어 의복의 화사함만을 자랑하고 오만방자하였거늘 주공의 교화로 그 방심(放心)이 다소 수습되었으나 완전히 막기란 지난한 일이오."

26-11.

백문 원문

資富能訓惟以永年惟德惟義時乃大訓不由古訓于何其訓

현토 원문

資富能訓이 惟以永年이니 惟德惟義 時乃大訓이니라 不由古訓이면 于何其訓이리오

번역

"부유하면 가르쳐야 방탕하지 않아 장수할 수 있나니 덕과 의가 큰 교훈이 될 것이오. 그러나 옛 사례를 들어야 설득력이 있을 것이오."

26-12.

백문 원문

王曰嗚呼父師邦之安危惟茲殷士不剛不柔厥德允修

현토 원문

王曰 嗚呼라 父師아 邦之安危는 惟茲殷士니 不剛不柔라사 厥德이 允修하리라

번역

"아아, 부사(父師)여! 나라의 안위는 이 은나라 선비들의 행태 여하에 달려 있나니 너무 강하지도 않고 너무 부드럽지도 않게 가르쳐야 그 덕이 닦여질 것이오."

26-13.

백문 원문

惟周公克愼厥始惟君陳克和厥中惟公克成厥終三后協心同底于道道洽政治澤潤生民四夷左衽罔不咸賴予小子永膺多福

현토 원문

惟周公이 克愼厥始하여늘 惟君陳이 克和厥中하여늘 惟公이 克成厥終하여 三后協心하여 同底于道하여 道洽政治하여 澤潤生民하여 四夷左衽이 罔不咸賴하면 予小子는 永膺多福이로다

번역

"주공이 단초를 열었고 군진이 이어받았으며 이제 공이 대미를 장식하는바 삼후(三后)의 협심(協心)이 모두 도에 이르렀소. 도가 흡족하고 정사가 순치되어 백성의 살림살이가 윤택하고 사방의 이족(夷族)이 모두 복종하면 나는 길이 다복할 것이오."

26-14.

백문 원문

公其惟時成周建無窮之基亦有無窮之聞子孫訓其成式惟乂

현토 원문

公其惟時成周에 建無窮之基하면 亦有無窮之聞하리니 子孫이 訓其成式하여 惟乂하리라

번역

"공이 이곳에 무궁한 기업(基業)을 세우면 무궁한 명예가 있으리니, 후손들이 그대가 이루어 놓은 법도를 본받아 길이 잘 다스릴 것이오."

26-15.

백문 원문

嗚呼罔曰弗克惟旣厥心罔曰民寡惟愼厥事欽若先王成烈以休于前政

현토 원문

嗚呼라 罔曰弗克이라하여 惟旣厥心하며 罔曰民寡라하여 惟愼厥事하여 欽若先王成烈하여 以休于前政하라

번역

"아아, 감당할 수 없다고 말하지 말고 마음을 다하며, 백성이 적다고 말하지 말고 일을 삼가 조심스럽게 집행하여, 선왕이 이뤄놓은 업적을 공경하고 따라 전정(前政, 주공과 군진의 정사)에 아름다움을 더하오!"

27. 군아(君牙, 군아에게 고하다)

27-1.

백문 원문

王若曰嗚呼君牙惟乃祖乃父世篤忠貞服勞王家厥惟成績紀于太常

현토 원문

王若曰 嗚呼라 君牙아 惟乃祖乃父 世篤忠貞하여 服勞王家하여 厥惟成績이 紀于太常하니라

번역

임금(목왕(穆王)을 지칭)께서 다음과 같이 말씀하셨다: "아아, 군아여! 그대의 조부(祖父, 할아버지와 아버지)는 대대로 독실하며 충성스럽고 올곧았으며 왕실에 성실히 복무하여 이룩한 업적이 태상기(太常旗, 임금을 상징하는 깃발)에 새겨져 있소."

27-2.

난자(難字)

蹈: 밟을도

백문 원문

惟予小子嗣守文武成康遺緖亦惟先王之臣克左右亂四方心之憂危若蹈虎尾涉于春冰

현토 원문

惟予小子 嗣守文武成康遺緖함은 亦惟先王之臣이 克左右하여 亂四方하니 心之憂危 若蹈虎尾하며 涉于春冰호라

번역

"내가 문무성강(文武成康, 문왕 무왕 성왕 강왕)께서 남기신 전통을 사수(嗣守, 이어서 지킴)하게 된 것은 선왕의 신하들이 옆에서 도와 사방을 잘 다스렸기 때문이오. 그런데 지금 나의 근심은 호랑이 꼬리를 밟은 듯하며 봄날의 얼음을 건너는 듯하오."

27-3.

난자(難字)

膂: 등골뼈려

백문 원문

今命爾予翼作股肱心膂纘乃舊服無忝祖考

현토 원문

今에 命爾하노니 予翼하여 作股肱心膂하여 纘乃舊服하여 無忝祖考하라

번역

“이제 그대에게 명하노니 나를 도와 고굉심려(股肱心膂, 믿고 맡길만한 신하를 지칭)가 되어 그대 조부가 했던 일을 지속하며 조부에게 욕됨이 없도록 하오.”

27-4.

백문 원문

弘敷五典式和民則爾身克正罔敢弗正民心罔中惟爾之中

현토 원문

弘敷五典하여 式和民則하라 爾身이 克正하면 罔敢弗正하리니 民心이 罔中이라 惟爾之中이니라

번역

“오전(五典, 오륜)을 널리 펴 백성들이 하늘로부터 받은 상심(常心)을 일깨울 수 있도록 하오. 그대 자신이 바르면 누가 감히 바르지 않겠소. 백성의 잃어버린 중심(中心)은 오로지 그대의 중심으로 되찾게 해야 하오.”

27-5.

난자(難字)

咨: 원망할자 / 祁: 성할기

백문 원문

夏暑雨小民惟曰怨咨冬祁寒小民亦惟曰怨咨厥惟艱哉思其艱以圖其易(이)民乃寧

현토 원문

夏暑雨에 小民이 惟曰怨咨하며 冬祁寒에 小民이 亦惟曰怨咨하나니 厥惟艱哉인저 思其艱하여 以圖其易(이)하면 民乃寧하리라

번역

"여름철 무덥고 장맛비가 내리면 백성들은 하늘과 위정자를 원망하며 탄식하고 겨울철 추위가 기승을 부리면 백성들은 하늘과 위정자를 원망하며 탄식하오. 아아, 저들의 어려움을 진실로 어렵게 여겨야 하오. 하여 저들의 어려움을 생각하며 편안하게 해줄 것을 도모하면 백성들은 편안히 지내며 하늘과 위정자를 원망하며 탄식하지 않을 것이오."

27-6.

백문 원문

嗚呼丕顯哉文王謨丕承哉武王烈啓佑我後人咸以正罔缺爾惟敬明乃訓用奉若于先王對揚文武之光命追配于前人

현토 원문

嗚呼라 丕顯哉라 文王謨여 丕承哉라 武王烈이여 啓佑我後人하사되 咸以正罔缺하시니 爾惟敬明乃訓하여 用奉若于先王하여 對揚文武之光命하며 追配于前人하라

번역

"아아! 크고도 빛나도다, 문왕의 가르침이여! 아아! 크게 계승하셨도다, 무왕의 공적이여! 우리 후인을 계도하고 도와주시되 모두 정도로써 하고 결격이 없었도다. 그대는 두 분의 가르침을 받들어 공경되이 밝혀 널리 선양하여 그대의 조부와 같은 공적을 이룰지어다."

27-7.

백문 원문

王若曰君牙乃惟由先正舊典時式民之治亂在玆率乃祖考之攸行昭乃辟之有乂

현토 원문

王若曰 君牙아 乃惟由先正舊典하여 時式하라 民之治亂이 在玆하니 率乃祖考之攸行하여 昭乃辟之有乂하라

번역

"군아여, 그대는 선정(先正, 선대의 현인. 여기서는 군아의 조부를 지칭)의 옛법을 본받으라. 백성에 대한 치란의 성패는 여기에 달렸나니 그대 조부가 행했던 바를 따라 실행하여 나의 치도를 밝히도록 하오."

28. 경명(冏命, 백경(伯冏)에게 고하다)

28-1.

난자(難字)

冏: 빛날경 / 怵: 두려울출 / 惕: 두려울척 / 愆: 허물건

백문 원문

王若曰伯冏惟予弗克于德嗣先人宅丕后怵惕惟厲中夜以興思免厥愆

현토 원문

王若曰 伯冏아 惟予弗克于德하여 嗣先人宅丕后하니 怵惕惟厲하여 中夜以興하여 思免厥愆하노라

번역

임금(목왕을 지칭)께서 다음과 같이 말씀하셨다: "백경이여! 나는 덕이 없으면서 선인을 이어 임금의 자리에 올랐기에, 두렵고 위태로워 한밤중에도 문득문득 일어나 어찌하면 이 누를 벗을까 생각하오."

28-2.

백문 원문

昔在文武聰明齊聖小大之臣咸懷忠良其侍御僕從罔匪正人以旦夕承弼厥辟出入起居罔有不欽發號施令罔有不臧下民祇若萬邦咸休

현토 원문

昔在文武하사 聰明齊聖이어시늘 小大之臣이 咸懷忠良하며 其侍御僕從이 罔匪正人이라 以旦夕에 承弼厥辟일새 出入起居에 罔有不欽하며 發號施令에 罔有不臧한대 下民이 祇若하며 萬邦이 咸休하니라

번역

"지난날 문왕 무왕께서는 총명하고 공경스러우며 성스러우셨는데 대소신료들도 모두 충성스럽고 현명했으며 시중드는 노복들도 모두 바른 사람들이었소. 조석으로 임금을 보필할 때 출입기거(出入起居)에 경건하지 않음이 없었으며 호령(號令)을 냄에 불선(不善)함이 없어 백성들이 공경하여 순종하고 만방이 모두 아름다웠소."

28-3.

난자(難字)

繩: 바로잡을승 / 糾: 살필규

백문 원문

惟予一人無良實賴左右前後有位之士匡其不及繩愆糾謬格其非心俾克紹先烈

현토 원문

惟予一人이 無良하여 實賴左右前後有位之士의 匡其不及하며 繩愆糾謬하여 格其非心하여 俾克紹先烈하노라

번역

"나는 어질지 못한바 주위의 모든 선비들이 나의 부족한 점을 보충해주고 허물을 바로잡아 주며 그릇된 마음을 올바른 길로 되돌려주어 선열(先烈, 문왕과 무왕을 지칭)의 업적과 뜻을 잇게 해주길 기대하오."

28-4.

백문 원문

今予命汝作大正正于羣僕侍御之臣懋乃后德交修不逮하라

현토 원문

今予命汝하여 作大正하노니 正于羣僕侍御之臣하여 懋乃后德하여 交修不逮하라

번역

"이제 그대를 명하여 대정(大正)을 삼고자 하니 내 주변의 모든 시중드는 이들을 바르게 인도하여 내가 덕을 닦도록 힘쓰고 여러 가지 부족한 점들을 메울 수 있도록 해주오."

28-5.

난자(難字)

媚: 아첨할미

백문 원문

愼簡乃僚無以巧言令色便辟側媚其惟吉士

현토 원문

愼簡乃僚호되 無以巧言令色便辟側媚하고 其惟吉士하라

번역

"막료들을 신중히 선발하여 절대 교언영색하고 편벽측미(便辟側媚)한 자를 뽑지 말 것이며 오직 길사(吉士, 군자)만을 뽑도록 하오."

28-6.

백문 원문

僕臣正厥后克正僕臣諛厥后自聖后德惟臣不德惟臣

현토 원문

僕臣正이면 厥后克正하고 僕臣諛면 厥后自聖하리니 后德도 惟臣이며 不德도 惟臣이니라

번역

"임금을 모시는 자가 바르면 임금도 바르게 될 것이며, 임금을 모시는 자가 아첨하면 임금은 제 스스로 성인이라 착각할 것이니, 임금이 덕스럽고 그렇지 못함은 오직 신하의 소행에 달려 있소."

28-7.

난자(難字)

昵: 친할닐 / 憸: 간사할첨

백문 원문

爾無昵于憸人充耳目之官迪上以非先王之典

현토 원문

爾無昵于憸人하여 充耳目之官하여 迪上以非先王之典하라

번역

"그대는 절대 간사한 자들과 교류하여 나의 이목지관(耳目之官, 임금 주변의 사람들)을 그들로 채워 나를 선왕의 법도 아닌 길로 인도하는 일이 없게 하오!"

28-8.

난자(難字)

瘝: 병들환

백문 원문

非人其吉惟貨其吉若時瘝厥官惟爾大弗克祇厥辟惟予汝辜

현토 원문

非人其吉이요 惟貨其吉이면 若時瘝厥官하리니 惟爾大弗克祇厥辟이라 惟予汝辜호리라

번역

"사람을 선하게 여기지 않고 재물을 선하게 여기면 관직이 병들 것이니 이는 임금을 제대로 받드는 것이 아니오. 이런 일이 생기면 나는 그대의 죄를 묻겠소."

28-9.

백문 원문

王曰嗚呼欽哉永弼乃后于彝憲

현토 원문

王曰 嗚呼라 欽哉하여 永弼乃后于彝憲하라

번역

“아아, 그대의 군주를 공경하여 길이 그대의 군주가 상법(常法)의 길을 갈 수 있도록 도우시오!”

29. 여형(呂刑, 여후에게 형속(刑贖)에 대해 고지하다)

29-1.

난자(難字)

耄: 늙을모 / 詰: 다스릴힐

백문 원문

惟呂命王享國百年耄荒度(탁)作刑以詰四方

현토 원문

惟呂를 命하시니 王이 享國百年에 耄荒하여 度(탁)作刑하여 以詰四方하시다

번역

여후(呂侯)에게 사구(司寇)를 명하셨다. 임금(목왕을 지칭)께서 나라를 다스린 지 100년이 됨에 정사가 해이하고 소홀해졌다. 이모저모를 헤아려 형법을 만든 뒤 이를 가지고 사방을 다스렸다.

29-2.

난자(難字)

蚩: 어리석을치 / 鴟: 마음대로날뛸치 / 矯: 속일교 / 虔: 죽일건

백문 원문

王曰若古有訓蚩尤惟始作亂延及于平民罔不寇賊鴟義姦宄奪攘矯虔

현토 원문

王曰 若古에 有訓하니 蚩尤惟始作亂한대 延及于平民하여 罔不寇賊하여 鴟義姦宄하며 奪攘矯虔하니라

번역

왕께서 말씀하셨다: "고훈(古訓)이 있소. 치우가 질서를 어지럽히자 그 여파가 평민에게까지 미쳐 도둑질하고 해치지 않는 자가 없게 되어 날뛰고 포악함을 의롭다 여기고 소란을 피우며 빼앗고 훔치며 속이고 죽이지 않는 자가 없게 되었소."

29-3.

난자(難字)

劓: 코벨의 / 刵: 귀벨이 / 椓: 찍을탁

백문 원문

苗民弗用靈制以刑惟作五虐之刑曰法殺戮無辜爰始淫爲劓刵椓黥越玆麗(리)刑幷制罔差有辭

현토 원문

苗民이 弗用靈하여 制以刑이요 惟作五虐之刑曰法이라하여 殺戮無辜하니 爰始淫爲劓刵椓黥하여 越玆麗(리)刑하고 幷制하여 罔差有辭하니라

번역

"묘민(苗民, 유묘(有苗)의 임금을 지칭. 평민과 같이 무지한 자라고 비하하는 말임)이 선(善)으로 죄를 제재하지 않고 형벌로써만 제재해 다섯 가지 가혹한 형벌을 만들어 법이라 하였소. 무고한 이들

을 살육하고 잔인한 의(劓, 코를 벰) 이(刵, 귀를 벰) 탁(椓, 성기에 가하는 형) 경(黥, 얼굴에 죄명을 새김)을 행한바 죄에 걸린 이들은 물론이거니와 그렇지 않은 이들까지도 무차별로 형벌을 가했소."

29-4.

난자(難字)

棼: 어지러울분 / 詛: 저주할저 / 腥: 비린내날성

백문 원문

民興胥漸泯泯棼棼罔中于信以覆詛盟虐威庶戮方告無辜于上上帝監民罔有馨香德刑發聞惟腥

현토 원문

民興胥漸하여 泯泯棼棼하여 罔中于信이요 以覆詛盟하니 虐威庶戮이 方告無辜于上한대 上帝監民하시니 罔有馨香德이요 刑發聞이 惟腥이러라

번역

"백성들이 점점 나쁜 기풍에 물들어 어두운 분위기 속에서 심중에 성신(誠信)의 마음을 품지 않고 저맹(詛盟, 저주의 맹세)만을 반복하니 묘민은 더더욱 잔혹하게 형벌을 가하였소. 마침내 형벌 받은 자들이 하늘에 호소하니 하느님께서 지상을 살피심에 덕의 향기는 없고 오로지 더럽고 비린내 나는 형벌의 냄새만이 가득하였소."

29-5.

백문 원문

皇帝哀矜庶戮之不辜報虐以威遏絶苗民無世在下

현토 원문

皇帝哀矜庶戮之不辜하사 報虐以威하사 遏絶苗民하여 無世在下하시니라

번역

"순임금께서 무고하게 형벌 받은 이들을 가엾게 여기시어 위엄으로 묘민의 잔학함을 막았나니 묘민의 대를 끊어 더이상 왕좌에 있지 못하게 하였소."

29-6.

난자(難字)

逮: 밑체 / 棐: 도울비 / 蓋: 가려질개

백문 원문

乃命重黎絶地天通罔有降格羣后之逮在下明明棐常鰥寡無蓋

현토 원문

乃命重黎하사 絶地天通하사 罔有降格케하신대 羣后之逮在下明明棐常하여 鰥寡無蓋하니라

번역

"그리고 중(重)과 여(黎)에게 명하여 천지(天地)와의 소통을 끊고 강신(降神)같은 미신 의식을 없애게 하였소. 이에 따라 뭇 제후와 신하들이 어두운 기풍을 벗어나 상도(常道)를 따랐고 의지할 곳 없는 환과(鰥寡, 홀아비와 과부)들도 기죽지 않고 지내게 되었소."

29-7.

백문 원문

皇帝淸問下民鰥寡有辭于苗德威惟畏德明惟明

현토 원문

皇帝淸問下民하시니　鰥寡有辭于苗어늘　德威하신대　惟畏하고 德明하신대 惟明하니라

번역

"순임금께서 백성들에게 겸허히 물으시니 환과(鰥寡)들이 묘민(苗民)의 해악에 대해 숨김없이 말하였소. 순임금은 잔혹한 형벌 대신 덕으로 위엄을 보이고, 잘못을 세밀히 살피는 대신 덕으로 그릇된 마음을 밝히게 했소. 그래도 모두 자신이 잘못할까 조심했고 그릇된 마음을 바로잡으려 노력하였소."

29-8.

백문 원문

乃命三后恤功于民伯夷降典折民惟刑禹平水土主名山川稷降播種農殖嘉穀三后成功惟殷于民

현토 원문

乃命三后하사　恤功于民하시니　伯夷는　降典하여　折民惟刑하고 禹平水土하여　主名山川하고　稷降播種하여 農殖嘉穀하니 三后成功하여 惟殷于民하니라

번역

"이에 삼후(三后, 백이(伯夷)와 우(禹)와 후직(后稷)을 지칭)에게 명하여 백성을 구휼하는 공을 세우게 하셨소. 백이는 예를 가르쳐 백성들이 형벌의 길에 들어서지 않게 했고, 우는 치수를 완성하여 백성들이 일정한 거처를 갖게 했으며, 후직은 파종하는 법을 가르쳐 풍성한 수확을 거둘 수 있게 했소. 삼후의 공이 이뤄짐에 백성은 부유하고 번성하였소."

29-9.

백문 원문

士制百姓于刑之中以教祗德

현토 원문

士制百姓于刑之中하여 以教祗德하니라

번역

“사(士, 여기서는 고요(皐陶)를 지칭)가 적중한 형벌로 백성을 제어하여 덕을 공경하도록 이끌었소.”

29-10.

백문 원문

穆穆在上明明在下灼于四方罔不惟德之勤故乃明于刑之中率乂于民棐彝

현토 원문

穆穆在上하며 明明在下하여 灼于四方하여 罔不惟德之勤하니 故乃明于刑之中하여 率乂于民하여 棐彝하니라

번역

“위의 임금은 온화하고 경건하며 아래의 신하는 맑고 밝아 그 덕으로 사방을 비추어 모두가 덕의 수양에 힘쓰지 아니함이 없었소. 미처 교화되지 못한 자들은 적중한 형벌을 써서 지도하여 상성(常性)을 회복하도록 도왔소.”

29-11.

난자(難字)

訖: 다할흘

백문 원문

典獄非訖于威惟訖于富敬忌罔有擇言在身惟克天德自作元命配享在下

현토 원문

典獄은 非訖于威라 惟訖于富니 敬忌하여 罔有擇言在身하여 惟克天德이라사 自作元命하여 配享在下하리라

번역

"형벌의 집행은 위세를 부리는 자들에게만 행해서는 안 되고, 뇌물을 사용하는 부유한 자들에게도 행해야 하오. 형벌을 집행할 때는 늘 경건한 자세로 조심하여 불필요한 잡음이 없게 해 하늘의 덕과 일치해야 그 자체로 큰 명(命)이 되어 순탄하게 집행될 수 있을 것이오."

29-12.

난자(難字)

蠲: 깨끗할견

백문 원문

王曰嗟四方司政典獄非爾惟作天牧今爾何監非時伯夷播刑之迪其今爾何懲惟時苗民匪察于獄之麗(리)罔擇吉人觀于五刑之中惟時庶威奪貨斷制五刑以亂無辜上帝不蠲降咎于苗苗民無辭于罰乃絶厥世

현토 원문

王曰 嗟 四方司政典獄아 非爾惟作天牧가 今爾는 何監고 非時伯夷播刑之迪가 其今爾何懲고 惟時苗民이 匪察于獄之麗(리)하며 罔擇吉人하여 觀于五刑之中이요 惟時庶威奪貨로 斷制五刑하여 以亂無辜한대 上帝不蠲하사 降咎于苗하시니 苗民이 無辭于罰하여 乃絶厥世하니라

번역

"아아, 옥사를 주관하는 제후들이여! 그대들은 하늘을 대신하여 백성을 이끄는 자들이 아니오? 그렇다면 그대들은 무엇을 본보기로 삼아야 하겠소? 바로 백이가 행했던 파형(播刑, 형벌의 시행)의 길이 아니겠소? 그대들은 무엇을 경계해야 할 본보기로 삼아야 하겠소? 바로 묘민(苗民)이 행했던 파형(播刑, 형벌의 시행)의 길이 아니겠소? 묘민은 백성들이 형벌에 걸리지 않도록 단속하지 아니하고 길인(吉人, 바른 사람)을 택하여 오형(五刑)이 적중(的中)되게 하지 아니하며 위세를 부리고 뇌물을 주는 부유한 자들로 하여금 오형(五刑)을 결단케 해 무고한 이들을 해치게 했소. 하느님께서 이를 더럽게 여기사 묘민에게 죄를 물으니 묘민은 변명할 말이 없어 마침내 왕좌의 자리에서 쫓겨나고 대가 끊기게 되었소."

29-13.

백문 원문

王曰嗚呼念之哉伯父伯兄仲叔季弟幼子童孫皆聽朕言庶有格命今爾罔不由慰日勤爾罔或戒不勤天齊于民俾我一日非終惟終在人爾尚敬逆天命以奉我一人雖畏勿畏雖休勿休惟敬五刑以成三德一人有慶兆民賴之其寧惟永

현토 원문

王曰 嗚呼라 念之哉어다 伯父와 伯兄과 仲叔과 季弟와 幼子와 童孫아 皆聽朕言하라 庶有格命하니라 今爾罔不由慰日勤하나니 爾罔或戒不勤하라 天齊于民하여 俾我一日이시니 非終惟終이 在人하니 爾尚敬逆天命하여 以奉我一人하여 雖畏(威)나 勿畏하며 雖休나 勿休하여 惟敬五刑하여 以成三德하면 一人有慶하며 兆民

賴之하여 其寧惟永하리라

번역

“아아, 명심할지어다! 백부(伯父)와 백형(伯兄)과 중숙(仲叔)과 계제(季弟)와 유자(幼子)와 동손(童孫)이여, 모두 나의 말을 경청하라! 지극한 명(命)이 있을 것이다. 그대들은 날마다 형벌의 집행을 부지런히 하고 있다고 마음의 위안을 삼고 있으나 결코 그것을 마음의 위안으로 삼아서는 아니되오. 하느님이 난민(亂民)을 정제(整齊)하시기 위하여 그대들에게 하루만 형벌을 집행하도록 하신 것이오. 용서할 수 있고 용서할 수 없는 것은 그 사람의 죄가 어떠하냐에 달려 있으니 그대들은 하느님의 명을 공경히 맞이하여 나를 잘 도와주오. 내가 형벌을 내리라 하여도 형벌을 내리지 말고, 내가 사면하라 하여도 사면하지 마오. 오직 오형(五刑)을 경건히 집행하여 삼덕(三德, 강(剛) 유(柔) 직(直))을 이루면 내게는 큰 기쁨일 것이며, 만백성은 이에 힘입어 길이 편안할 것이오.”

29-14.

백문 원문

王曰吁來有邦有土告爾祥刑在今爾安百姓何擇非人何敬非刑何度(탁)非及

현토 원문

王曰 吁라 來하라 有邦有土아 告爾祥刑하노라 在今爾安百姓인댄 何擇고 非人가 何敬고 非刑가 何度(탁)고 非及가

번역

“아아, 이리 오라! 나라를 소유하고 토지를 소유한 자들이여! 그대들에게 상서로운 형벌에 대해 고하겠노라. 지금 그대들이 백성을

편안하게 하고자 할진대 무엇을 선택해야 하겠는가? 사람이 아니겠는가! 백성을 편안하게 하고자 할진대 무엇을 조심스럽게 다뤄야 하겠는가? 형벌이 아니겠는가! 백성을 편안하게 하고자 할진대 무엇을 헤아려야 되겠는가? 형벌의 결정이 아니겠는가!"

29-15.

백문 원문

兩造具備師聽五辭五辭簡孚正于五刑五刑不簡正于五罰五罰不服正于五過

현토 원문

兩造요 具備어든 師聽五辭호리니 五辭에 簡孚어든 正于五刑하며 五刑에 不簡이어든 正于五罰하며 五罰에 不服이어든 正于五過하라

번역

"시비를 다투는 양자가 법정에 나와 말과 증거를 제시하면 여러 사사(士師, 재판관)는 그것이 오형(五刑)의 죄목에 걸리는지 살펴보아야 할 것이요. 오형의 죄목에 해당하는 것이 확실하면 오형의 어느 죄목에 해당하는지 구체적으로 살펴보아야 할 것이요. 오형의 죄목에 구체적으로 해당하는 것이 없으면 오벌(五罰, 다섯 가지 벌금형)에 해당하는지를 살펴보아야 할 것이요. 오벌에 구체적으로 해당하는 것이 없으면 오과(五過, 다섯 가지 과오)에 해당하는지를 살펴야 할 것이요."

29-16.

난자(難字)

疵: 병폐자

백문 원문

五過之疵惟官惟反惟內惟貨惟來其罪惟均其審克之

현토 원문

五過之疵는 惟官과 惟反과 惟內와 惟貨와 惟來니 其罪惟均하니 其審克之하라

번역

"오과(五過)의 병폐란 위세를 부린 것과 되갚아 준 것과 궁녀의 청탁과 뇌물과 간청이요. 이 병폐들은 그 허물이 모두 같으니 그 죄를 잘 파악해야 하오."

29-17.

백문 원문

五刑之疑有赦五罰之疑有赦其審克之簡孚有衆惟貌有稽無簡不聽具嚴天威

현토 원문

五刑之疑 有赦하고 五罰之疑 有赦하니 其審克之하라 簡孚有衆이어든 惟貌有稽니 無簡이어든 不聽하여 具嚴天威하라

번역

"오형의 적용이 의심스러우면 오벌에 적용시키고, 오벌의 적용이 의심스러우면 오과에 적용시켜 잘 살피도록 하오. 믿을만한 증거가 많거든 얼굴을 살펴볼지니 믿을만한 점이 없으면 참고하지 마오. 판단의 자리에 하느님이 임재하신다 생각하고 늘 성심(誠心)을 다하도록 하오."

29-18.

난자(難字)

鍰: 여섯냥환 / 剕: 발벨비

백문 원문

墨辟疑赦其罰百鍰閱實其罪劓辟疑赦其罰惟倍閱實其罪剕辟疑赦其罰倍差閱實其罪宮辟疑赦其罰六百鍰閱實其罪大辟疑赦其罰千鍰閱實其罪墨罰之屬千劓罰之屬千剕罰之屬五百宮罰之屬三百大辟之罰其屬二百五刑之屬三千上下比罪無僭亂辭勿用不行惟察惟法其審克之

현토 원문

墨辟疑赦는 其罰이 百鍰이니 閱實其罪하라 劓辟疑赦는 其罰이 惟倍니 閱實其罪하라 剕辟疑赦는 其罰이 倍差니 閱實其罪하라 宮辟疑赦는 其罰이 六百鍰이니 閱實其罪하라 大辟疑赦는 其罰이 千鍰이니 閱實其罪하라 墨罰之屬이 千이요 劓罰之屬이 千이요 剕罰之屬이 五百이요 宮罰之屬이 三百이요 大辟之罰이 其屬이 二百이니 五刑之屬이 三千이니 上下比罪하여 無僭亂辭하며 勿用不行이요 惟察惟法하여 其審克之하라

번역

"묵형(墨刑)의 사면 벌금은 100환(鍰)이니 사면하기 전 그 죄상을 자세히 살펴보오. 의형(劓刑)의 사면 벌금은 200환(鍰)이니 사면하기 전 그 죄상을 자세히 살펴보오. 비형(剕刑)의 사면 벌금은 500환(鍰)이니 사면하기 전 그 죄상을 자세히 살펴보오. 궁형(宮刑)의 사면 벌금은 600환(鍰)이니 사면하기 전 그 죄상을 자세히 살펴보라. 사형(死刑)의 사면 벌금은 1,000환(鍰)이니 사면하기 전 그 죄상을 자세히 살펴보오. 묵형에 처하는 죄목이 1,000개요, 의형에 처하는 죄목이 1,000개요, 비형에 처하는 죄목이 500개요, 궁형

에 처하는 죄목이 300개요, 사형에 처하는 죄목이 200개니 도합 3,000개요. 죄에 적합한 벌이 없으면 형을 위 아래로 조절하여 적용시키도록 하오. 이해하기 곤란한 조문에 얽매이지 말고 사용되지 않는 과거의 법을 애써 적용시키려 하지 마오. 다시 간곡하게 말하거니와 법을 잘 살피고 헤아려 적용시키도록 하오."

29-19.

백문 원문

上刑適輕下服下刑適重上服輕重諸罰有權刑罰世輕世重惟齊非齊有倫有要

현토 원문

上刑이라도 適輕이어든 下服하며 下刑이라도 適重이어든 上服하라 輕重諸罰이 有權하며 刑罰이 世輕世重하나니 惟齊非齊나 有倫有要하니라

번역

"상형(上刑)에 속한 죄라도 정황이 충분히 인정될 만 하면 아래 형벌에 처하고, 하형(下刑)에 속한 죄라도 정황이 인정되기 어려우면 위 형벌에 처하도록 하오. 처벌의 경중에는 권도가 있으며, 시대에 따라 경중도 있소. 비록 처벌에 권도를 사용하긴 하나 질서와 요점이 있어야 하오."

29-20.

난자(難字)

佞: 말잘할녕 / 折: 결단할절

백문 원문

罰懲非死人極于病非佞折獄惟良折獄罔非在中察辭于差非從惟從哀敬折獄明啓刑書胥占咸庶中正其刑其罰其審克之獄成而孚輸而孚其刑上備有幷兩刑

현토 원문

罰懲이 非死나 人極于病하나니 非佞이 折獄이라 惟良이 折獄이라사 罔非在中하리라 察辭于差하여 非從惟從하며 哀敬折獄하며 明啓刑書하여 胥占이라사 咸庶中正하리니 其刑其罰을 其審克之하여사 獄成而孚하며 輸而孚하리니 其刑을 上備호되 有幷兩刑하라

번역

"벌금으로 징계하는 것이 죽는 것은 아니나 사람들이 심히 힘들어하니 말 잘하는 자가 옥사를 결단해서는 안되고 선량한 자가 옥사를 결단해야 중도를 지킬 수 있을 것이오. 양자의 변론에 차이가 나는 점을 세밀히 살펴 어쩔 수 없이 처벌을 내려야 하는 의견에 따라야 하는 것처럼 처벌을 생각하며, 애닯고 정성스런 마음으로 옥사를 결정하고, 형법을 자세히 살펴 여러 사람의 의견을 참작한 뒤 최종 판결을 내려야 죄목에 합당한 처벌이 내려질 것이오. 형벌(刑罰)은 세심히 살펴 내려야 백성의 신뢰를 얻을 것이며, 임금에게 올렸을 때 신뢰를 얻을 것이오. 임금에게 형벌의 결정 사항을 올릴 때는 중형과 경형의 두 가지 형서(刑書)을 아울러 올려야 하오."

29-21.

백문 원문

王曰嗚呼敬之哉官伯族姓朕言多懼朕敬于刑有德惟刑今天相民作配在下明淸于單辭民之亂罔不中聽獄之兩辭無或私家于獄之兩辭獄

貨非寶惟府辜功報以庶尤永畏惟罰非天不中惟人在命天罰不極庶民罔有令政在于天下

현토 원문

王曰 嗚呼라 敬之哉어다 官伯族姓아 朕言多懼하노라 朕敬于刑하노니 有德이라사 惟刑이니라 今天이 相民이시니 作配在下어다 明淸于單辭하라 民之亂은 罔不中聽獄之兩辭니 無或私家于獄之兩辭하라 獄貨는 非寶라 惟府辜功하여 報以庶尤하나니 永畏는 惟罰이니라 非天이 不中이라 惟人이 在命하니 天罰이 不極이면 庶民이 罔有令政이 在于天下하리라

번역

"아아, 공경의 마음을 가질지어다! 관백족성(官伯族姓, 옥사를 담당한 관리와 제후와 동족과 이성의 관리)이여! 말을 하면서도 두려움이 이는구나. 나는 형벌을 두려워하나니 덕 있는 이라야 형벌을 담당할 수 있을 것이오. 하느님이 위에서 백성을 도와주시나니 형벌을 담당하는 자는 지상에서 하느님의 짝이 돼야 하오. 정황 증거가 없는 말은 밝고 깨끗한 마음으로 살피도록 하오. 옥사에 관한 양자의 말을 적중하게 듣고 판결해야 백성들이 수긍할 것이요. 혹여 옥사에 관한 양자의 말을 들으면서 뇌물을 받는 일이 없도록 하오! 옥사로 얻는 재물은 상서롭지 못하오. 온갖 허물을 봐주는 대가로 모은 재물엔 갖가지 재앙이 뒤따를 것이요. 두고두고 두려워하고 어렵게 여겨야 할 것이 형벌이요. 사람이 죄를 짓는 것은 하느님이 중도로 이끌지 않으셔서가 아니고 사람이 제 스스로 재앙의 운명을 초래했기 때문이요. 하느님이 내리시는 벌이 지상에서 적중하게 이뤄지지 않으면 결코 아름다운 정사가 천하에 펼쳐지지 못할 것이요."

29-22.

백문 원문

王曰嗚呼嗣孫今往何監非德于民之中尙明聽之哉哲人惟刑無疆之辭屬于五極咸中有慶受王嘉師監于玆祥刑

현토 원문

王曰 嗚呼라 嗣孫아 今往은 何監고 非德于民之中가 尙明聽之哉어다 哲人이 惟刑하여 無疆之辭는 屬于五極하여 咸中이라 有慶이니 受王嘉師는 監于玆祥刑이어다

번역

"아아, 후손들이여! 무엇을 명심하고 살펴야 하겠는가? 형벌로써 덕을 갖춰 백성들이 중도(中道)를 걷도록 해야 하는 것 아니겠는가! 나의 말을 분명하게 들을지어다! 명철한 자가 형벌을 사용하면서도 무궁한 찬사를 받을 수 있는 것은 오형(五刑)의 적용이 모두 적중하였기 때문이요. 그대들은 이를 명심하고 깊이 살펴야 할 것이요."

30. 문후지명(文侯之命, 문후에게 명하다)

30-1.

백문 원문

王若曰父義和丕顯文武克愼明德昭升于上敷聞在下惟時上帝集厥命于文王亦惟先正克左右昭事厥辟越小大謀猷罔不率從肆先祖懷在位

현토 원문

王若曰 父義和아 丕顯文武 克愼明德하사 昭升于上하며 敷聞在下하신대 惟時上帝 集厥命于文王이어시늘 亦惟先正이 克左右하여 昭

事厥辟하여 越小大謀猷에 罔不率從이라 肆先祖 懷在位하시니라

번역

임금(평왕을 지칭)께서 다음과 같이 말씀하셨다: "의화(義和, 문후의 자(字))여, 빛나는 문왕 무왕께서는 삼가 명덕을 밝혀 그 명덕이 천지간에 드러나 마침내 하느님께서 문왕께 천명을 내리셨소. 선정(先正, 선대의 현인)들이 밝은 지혜로 임금을 섬기며 대소사에 위배됨이 없어 임금께서는 편안히 보위에 계셨소."

30-2.

난자(難字)

純: 클순

백문 원문

嗚呼閔予小子嗣造天丕愆殄資澤于下民侵戎我國家純卽我御事罔或耆壽俊在厥服予則罔克曰惟祖惟父其伊恤朕躬嗚呼有績予一人永綏在位

현토 원문

嗚呼라 閔予小子는 嗣造天丕愆하여 殄資澤于下民이라 侵戎我國家純커늘 卽我御事 罔或耆壽俊이 在厥服하며 予則罔克호라 曰惟祖惟父 其伊恤朕躬고 嗚呼라 有績予一人이면 永綏在位하리라

번역

"아아, 가련한 나는 보위를 이은 초기에 하느님이 내리신 큰 재앙을 만나 백성들에게 은택을 베풀 수가 없었소. 오랑캐들이 대대적으로 침입해 왔거늘 관리들 중에 노성(老成)하거나 준걸스러운 이가 없었으며 나 또한 미욱하였소. 이제 조부(祖父, 할아버지와 아버지)와 같은 신하들이 나를 도와 공을 세운다면 나는 임금의 자리

에서 길이 편안할 것이오."

30-3.

난자(難字)

扞: 막을한

백문 원문

父義和汝克昭乃顯祖汝肇刑文武用會紹乃辟追孝于前文人汝多脩扞我于艱若汝予嘉

현토 원문

父義和아 汝克昭乃顯祖하여 汝肇刑文武하여 用會紹乃辟하여 追孝于前文人하라 汝多脩扞我于艱하니 若汝는 予嘉니라

번역

"의화여, 그대는 그대 선조들의 빛나는 공훈을 이어 밝혀 문왕과 무왕의 도를 현창하여 그대의 임금을 길이 도와 선조들께 아름다운 명예를 올리도록 하오. 그대는 나를 어려움에서 구출해 호위한 공이 크오. 나는 그대의 공을 매우 아름다이 여기고 있소."

30-4.

난자(難字)

賚: 줄뢰 / 卣: 술그릇유

백문 원문

王曰父義和其歸視爾師寧爾邦用賚爾秬鬯一卣彤弓一彤矢百盧弓一盧矢百馬四匹父往哉柔遠能邇惠康小民無荒寧簡恤爾都用成爾顯德

현토 원문

王曰 父義和아 其歸視爾師하여 寧爾邦하라 用賚爾秬鬯一卣와 彤弓一과 彤矢百과 盧弓一과 盧矢百과 馬四匹하노니 父往哉하여 柔遠能邇하며 惠康小民하여 無荒寧하여 簡恤爾都하여 用成爾顯德하라

번역

"의화여, 그대의 나라로 돌아가 백성을 잘 보살펴 나라를 편안케 하오. 그대에게 검은 기장으로 빚은 울창주 한 동이와 붉은 활 하나와 붉은 화살 백 개와 검은 활 하나와 검은 화살 백 개와 말 네 필을 하사하오. 그대는 가서 멀리 있는 자는 회유하고 가까이 있는 자는 길들이며 백성들에게 은혜와 편안함을 베풀며 유흥과 안일함에 빠지지 않도록 하오. 그대의 나라를 살피고 구휼하여 그대의 아름다운 덕을 더욱 빛내도록 하오."

31. 비서(費誓, 노후(魯侯)가 비 땅에서 대중에게 맹세하다)

31-1.

백문 원문

公曰嗟人無譁聽命徂茲淮夷徐戎並興

현토 원문

公曰 嗟人아 無譁하여 聽命하라 徂茲淮夷徐戎이 並興이로다

번역

공(노후(魯侯)인 백금(伯禽)을 지칭)이 말하였다: "아아, 모인 이들이여! 소란을 접고 나의 말을 들으라! 회이(淮夷)와 서융(徐戎)이 작당하여 쳐들어 왔소!"

31-2.

난자(難字)

敹: 꿰맬료 / 敿: 동여맬교 / 弔: 정밀할적 / 鍛: 단련할단

백문 원문

善敹乃甲冑敿乃干無敢不弔(적)備乃弓矢鍛乃戈矛礪乃鋒刃無敢不善

현토 원문

善敹乃甲冑하며 敿乃干호되 無敢不弔(적)하며 備乃弓矢하며 鍛乃戈矛하며 礪乃鋒刃호되 無敢不善하라

번역

"갑주(甲冑)를 잘 수선하고, 방패를 정밀하게 동여매며, 궁시(弓矢)를 갖추고, 과모(戈矛)를 잘 벼루며, 칼날을 예리하게 갈도록 하라!"

31-3.

난자(難字)

牿: 외양간곡 / 擭: 덫확 / 敜: 막을녑

백문 원문

今惟淫舍牿牛馬杜乃擭敜乃穽無敢傷牿牿之傷汝則有常刑

현토 원문

今惟淫舍牿牛馬호리니 杜乃擭하며 敜乃穽하여 無敢傷牿하라 牿之傷하면 汝則有常刑하리리라

번역

"우마(牛馬)가 머물 큰 울을 만들 것이니, 덫을 철거하고 함정을 메꿔 우마가 다치지 않게 하라! 우마가 상하면 그대들은 처벌을 받으리라!"

31-4.

난자(難字)

逋: 달아날포

백문 원문

馬牛其風臣妾逋逃勿敢越逐祗復(복)之我商賚汝乃越逐不復汝則有常刑無敢寇攘踰垣牆竊馬牛誘臣妾汝則有常刑

현토 원문

馬牛其風하며 臣妾逋逃어든 勿敢越逐하며 祗復(복)之하라 我商賚汝호리라 乃越逐하며 不復하면 汝則有常刑하리라 無敢寇攘하며 踰垣牆하여 竊馬牛하며 誘臣妾하라 汝則有常刑하리라

번역

"우마가 발정이 나서 도망하거나 노비들이 도망하여도 진을 넘어 쫓지 말 것이며, 그것들을 획득하면 다시 되돌려 놓으라. 획득의 다과에 맞춰 상을 내릴 것이다. 만일 영을 어기고 진을 넘어 쫓아가며 획득한 것을 되돌려 놓지 않으면 처벌이 있을 것이다. 타인의 물건을 훔치며 울을 넘어 우마를 끌어내고 노비들을 유인하지 말라. 발각 시 처벌이 있을 것이다."

31-5.

난자(難字)

峙: 쌓을치 / 糗: 미숫가루구 / 楨: 담틀정 / 榦: 담틀간 / 茭: 마른꼴교

백문 원문

甲戌我惟征徐戎峙乃糗糧無敢不逮汝則有大刑魯人三郊三遂峙乃楨榦甲戌我惟築無敢不供汝則有無餘刑非殺魯人三郊三遂峙乃芻茭

無敢不多汝則有大刑

현토 원문

甲戌에 我惟征徐戎호리니 峙乃糗糧호되 無敢不逮하라 汝則有大刑하리라 魯人三郊三遂아 峙乃楨榦하라 甲戌에 我惟築하리니 無敢不供하라 汝則有無餘刑이나 非殺이니라 魯人三郊三遂아 峙乃芻茭호되 無敢不多하라 汝則有大刑하리라

번역

"갑술일에 서융을 정벌할 것이니, 날짜에 맞게 식량을 준비하라. 그렇지 않으면 처벌이 있을 것이다. 교(郊)와 수(遂)에서 온 백성들아, 성을 쌓을 준비를 하여라. 갑술일에 성을 쌓으리니 차질이 없도록 하라. 차질이 생기면 여러 처벌을 받을 것이다. 그러나 죽이지는 않겠다. 교(郊)와 수(遂)에서 온 백성들아, 꼴과 마초를 충분히 준비하여라. 제대로 준비가 안되면 큰 처벌을 받을 것이다."

32. 진서(秦誓, 진목공이 군신들에게 맹세하다)

32-1.

백문 원문

公曰嗟我士聽無譁予誓告汝群言之首

현토 원문

公曰 嗟我士아 聽無譁하라 予誓告汝群言之首하노라

번역

공이 말하였다: "아아, 사(士)들이여, 조용하고 나의 말을 들으라! 내 그대들에게 가장 요긴한 다짐의 말을 하고자 하노라!"

32-2.

백문 원문

古人有言曰民訖自若是多盤責人斯無難惟受責俾如流是惟艱哉

현토 원문

古人有言曰 民訖自若是多盤하나니 責人이 斯無難이라 惟受責俾如流 是惟艱哉인저

번역

“옛사람이 말하길 ‘사람들은 남을 책망하는 것은 쉽게 여기나 남의 책망을 받는 것은 어렵게 여긴다’ 했소.”

32-3.

난자(難字)

逾: 갈유 / 邁: 갈매

백문 원문

我心之憂日月逾邁若弗云來

현토 원문

我心之憂는 日月이 逾邁라 若弗云來니라

번역

“내가 근심하는 것은 세월이 너무 빠르고 한 번 간 세월은 다시 오지 않는다는 것이오.”

32-4.

백문 원문

惟古之謀人則曰未就予忌惟今之謀人姑將以爲親雖則云然尙猷詢玆黃髮則罔所愆

현토 원문

惟古之謀人은 則曰未就予라하여 忌하고 惟今之謀人은 姑將以爲親하니 雖則云然이나 尙猷詢茲黃髮하면 則罔所愆하리라

번역

"지난번 일(목공이 건숙의 의견을 경청하지 않고 정나라를 공격했다 실패한 일을 가리킴)에 노성한 신하들이 내 의견을 따르지 않는다 하여 그들을 배척했고, 신진 신하들이 내 의견을 따른다 하여 그들을 가까이 했소. 그 결과는 그대들이 보는 바와 같소. 앞으로 일을 도모할 때 노성한 신하들의 의견을 들으면 낭패하는 일이 없으리라 보오."

32-5.

난자(難字)

仡: 굳셀흘 / 諞: 말잘할편

백문 원문

番番良士旅力旣愆我尙有之仡仡勇夫射御不違我尙不欲惟截截善諞言俾君子易辭我皇多有之

현토 원문

番番良士 旅力旣愆은 我尙有之하고 仡仡勇夫 射御不違는 我尙不欲하니 惟截截善諞言하여 俾君子로 易辭를 我皇多有之아

번역

"번번(番番, 늙은 모양)한 어진 선비로 근력이 쇠한 자를 내 휘하에 두고자 하며 흘흘(仡仡, 용맹하고 날랜 모양)한 용사로 활쏘기와 말타기를 잘하는 자는 내 휘하에 두고자 하지 않나니 절절(截截, 구변에 능한 모양)히 말을 교묘하게 잘하여 상대의 말을 바꾸

도록 만드는 자를 내 어찌 휘하에 두겠는가!"

32-6.

난자(難字)

猗: 어조사의 / 彦: 선비언

백문 원문

昧昧我思之如有一介臣斷斷猗無他技其心休休焉其如有容人之有技若己有之人之彦聖其心好之不啻如自其口出是能容之以保我子孫黎民亦職有利哉

현토 원문

昧昧我思之호니 如有一介臣이 斷斷猗無他技나 其心이 休休焉한지 其如有容이라 人之有技를 若己有之하며 人之彦聖을 其心好之호되 不啻如自其口出하면 是能容之라 以保我子孫黎民이니 亦職有利哉인저

번역

"내 곰곰이 생각해 보았소. 여기 한 신하가 있는데 단단(斷斷, 정성스럽고 한결같은 모양)하여 다른 재주는 없으나 그 마음이 아름다워 수용력이 커서 타인의 재주를 마치 자신의 재주처럼 여기며 타인의 훌륭한 인격을 마음속 깊이 좋아하여 단지 입으로만 칭찬할 뿐이 아니라면, 이는 진실로 수용력이 큰 이라 생각하오. 이런 이를 휘하에 둔다면 내 자손과 백성들이 보호될 것이며 그가 하는 일들은 다 이로울 것이오."

32-7.

난자(難字)

冒: 시기할모

백문 원문

人之有技冒疾以惡(오)之人之彥聖而違之俾不達是不能容以不能保我子孫黎民亦曰殆哉

현토 원문

人之有技를 冒疾以惡(오)之하며 人之彥聖을 而違之하여 俾不達하면 是不能容이라 以不能保我子孫黎民이니 亦曰殆哉인저

번역

"타인의 재주를 시기하고 미워하며 타인의 훌륭한 인격을 꺼리어 그것이 발휘되지 못하도록 방해한다면, 이는 참으로 수용력이 협소한 이일 것이요. 이런 이를 휘하에 둔다면 내 자손과 백성들이 보호되지 못할 것이며 그가 하는 일들은 다 위태로울 것이오."

32-8.

난자(難字)

杌: 위태로울올 / 隉: 위태로울날

백문 원문

邦之杌隉曰由一人邦之榮懷亦尚一人之慶

현토 원문

邦之杌隉은 曰由一人이며 邦之榮懷는 亦尚一人之慶이니라

번역

"나라의 위태로움은 단 한 사람의 그릇된 임용에 말미암을 수 있고 반대로 나라의 평화로움은 단 한 사람의 올바른 임용에 말미암을 수 있소!"